भगवद्गीता

BHAGAVAD GĪTĀ

O livro é a porta que se abre para a realização do homem.

Jair Lot Vieira

KṚṢṆA DVAIPAYANA VYĀSA

भगवद्गीता

BHAGAVAD GĪTĀ

TEXTO CLÁSSICO INDIANO

Tradução e notas por
CARLOS EDUARDO G. BARBOSA
Professor de língua e cultura sânscritas

mantra.

Grafia conforme o novo Acordo Ortográfico da Língua Portuguesa.

1ª edição, 3ª reimpressão 2024.

Editores: Jair Lot Vieira e Maíra Lot Vieira Micales
Coordenação editorial: Fernanda Godoy Tarcinalli
Tradução e notas: Carlos Eduardo Gonzales Barbosa
Revisão: Ana Paula Luccisano
Diagramação: Karine Moreto de Almeida
Capa: Marcela Badolatto | Studio Mandragora

Dados Internacionais de Catalogação na Publicação (CIP)
(Câmara Brasileira do Livro, SP, Brasil)

Vyāsa, Kṛṣṇa Dvaipayana
Bhagavad Gītā / Kṛṣṇa Dvaipayana Vyāsa ; tradução e notas por Carlos Eduardo G. Barbosa ; versão bilíngue (sânscrito/português). – São Paulo : Mantra, 2018.

"Texto clássico indiano"

Título original: भगवद्गीता

ISBN 978-85-68871-10-2 (impresso)
ISBN 978-85-68871-19-5 (e-pub)

1. Bhagavad Gita 2. Bhagavad Gita - Comentários 3. Hinduísmo I. Barbosa, Carlos Eduardo G. II. Título.

18-13795 CDD-294.5924047

Índice para catálogo sistemático:
1. Bhagavad Gita : Escrituras sagradas : Hinduísmo : 294.5924047

EDITORA AFILIADA

mantra

São Paulo: (11) 3107-7050 • Bauru: (14) 3234-4121
www.mantra.art.br • edipro@edipro.com.br
@editoramantra

Sumário

Comentários à *Bhagavad Gītā* 7
Sobre esta tradução 7
O que é a *Bhagavad Gītā*? 8
Quando foi composta a *Bhagavad Gītā*? 11
O yoga da *Bhagavad Gītā* 13
Dois caminhos para entender o yoga 16
O poder do si-mesmo 19
O conceito de devoção na *Bhagavad Gītā* 22
O corpo e a Natureza 25
Resumo final 28

BHAGAVAD GĪTĀ

Primeiro capítulo
A tristeza de Arjuna 33

Segundo capítulo
A enumeração (*Sāṅkhya*) 49

Terceiro capítulo
A ação (*Karma*) 73

Quarto capítulo
A renúncia à ação pelo conhecimento 87

Quinto capítulo
O renunciamento 101

Sexto capítulo
O controle de si mesmo 111

Sétimo capítulo
Conhecimento vivencial e conhecimento intelectual 127

Oitavo capítulo
Brahma, o imperecível 137

Nono capítulo
A sabedoria e o segredo dos reis 147

Décimo capítulo
Poder 159

Décimo primeiro capítulo
A visão de todas as formas 173

Décimo segundo capítulo
A devoção 193

Décimo terceiro capítulo
A discriminação do campo e do conhecedor do campo 201

Décimo quarto capítulo
A discriminação das três qualidades 213

Décimo quinto capítulo
O homem cósmico mais elevado (*Puruṣottama*) 223

Décimo sexto capítulo
Discriminação dos destinos divinos e dos demoníacos 231

Décimo sétimo capítulo
Discriminação da tríplice fé 239

Décimo oitavo capítulo
Renúncia à libertação 249

Comentários
à *Bhagavad Gītā*

Sobre esta tradução

Esta tradução da *Bhagavad Gītā* traz um pequeno, mas significativo, diferencial em relação a muitas outras, que é o fato de a tratarmos como uma escritura do yoga, e não como um texto religioso ou devocional.

Este tradutor não arroga para si a originalidade dessa abordagem, que creditamos humildemente a uma conversa que tivemos em Rishikesh, no ano de 2006, com o professor Kamalakar Mishra, docente aposentado da Universidade Hindu de Varanasi e um autêntico guru, à maneira tradicional hindu. O sábio professor nos esclareceu alguns pontos essenciais sobre a abordagem não devocional da *Gītā*, que se tornaram marcos referenciais para a presente tradução.

Pedimos desculpas ao leitor de perfil religioso pela ausência das maiúsculas em referências pronominais ou substantivas ao divino, ao longo do texto. Essa omissão decorre da abordagem da obra como um tratado de yoga, como explicamos anteriormente.

O termo "renunciamento" foi usado como alternativa, em alguns versos, para a palavra "renúncia", que em nossa língua tem significações que se afastam do perfil místico e espiritualista do conceito sânscrito de "renunciante" (*samnyāsin*).

O termo sânscrito "*ātmā*" foi traduzido pela expressão "si-mesmo" (com hífen) exceto quando tinha o sentido puramente reflexivo, onde aparece "si mesmo" (sem hífen). É uma das palavras mais frequentes da *Bhagavad Gītā*.

Alguns versos apresentam, nesta tradução, uma ordenação das palavras que pode parecer menos fluida do que o desejável. Essa característica decorreu de nossa opção por manter, na medida do que foi possível, a estrutura original dos versos sânscritos.

Por fim, esclarecemos que não há, por trás da presente tradução, a orientação de qualquer outra tese senão aquela da própria doutrina do yoga, desde seus rudimentos nas *upaniṣadas* até sua consolidação final nos *Sūtras* de Patañjali.

O que é a *Bhagavad Gītā*?

Em tempos que se perdem no passado, a Humanidade desenvolveu o hábito salutar, raramente encontrado hoje, de contar histórias. E, dentre as histórias que se contavam, as que mais cativavam os ouvintes eram as narrativas épicas. Elas descreviam a origem, o destino e a gesta dos personagens dos mitos, e ajudavam a comunidade a construir uma imagem mais precisa da geografia mítica, dos cenários e adereços de cada aventura ou desventura que se contava.

A antiga Índia abrigou inúmeros poetas contadores (ou cantadores) de histórias, e sua literatura tradicional nos oferece os dois mais longos épicos que se conhece: o *Mahābhārata*, "a grande (narrativa) dos Bharatas", com cerca de 79 mil versos (alegadamente 100 mil[1]), e o *Rāmāyaṇa*, "a caminhada de Rāma", com cerca de 19 mil versos (alegadamente 24 mil).

O *Mahābhārata* distribui seu conteúdo em 18 grandes seções (*parvaṇas*) subdivididas, por sua vez, em números variados de capítulos (*adhyayas*). A sexta seção do *Mahābhārata*, chamada "*Bhīṣma Parvan*", em seus capítulos 23 a 40, abriga os 18 capítulos da *Bhagavad Gītā*, somando um total de 701 versos.

A palavra feminina "*Gītā*" (pronuncia-se "guita") significa um canto solene, ou seja, um cântico ou canção solene. "*Bhagavad Gītā*", portanto, se traduz por "canção do *Bhagavān*" ou "canção do senhor". O termo *Bhagavān*, na *Gītā*, refere-se exclusivamente a Kṛṣṇa. Mas, em outras partes do épico, o título *Bhagavān* é utilizado também para designar outros personagens, como Bhīṣma ou Vyāsa.

Há algumas outras *Gītās* dentro do próprio *Mahābhārata*, mas nenhuma delas alcançou a popularidade da *Bhagavad Gītā*. Este cântico se tornou, particularmente, um dos pilares do Hinduísmo religioso, além de ser considerado a composição mais popular da Índia e a obra hindu mais lida em todo o mundo.

A *Bhagavad Gītā* retrata um diálogo entre dois personagens, chamados Kṛṣṇa (ou Vāsudeva) e Arjuna, primos entre si. O cenário do diálogo é um campo de batalha chamado Kurukṣetra – localizado nas imediações da atual cidade de Nova Delhi, segundo se acredita. Nesse local, naquele

---

1. Para alcançar os 100 mil versos, é preciso somar aos 18 *parvaṇas* do *Mahābhārata* o conteúdo de dois acréscimos posteriores: o *Khila Parvan* e o *Hari Vaṁśa*.

momento em que ocorre o diálogo, estão presentes, frente a frente, dois grandes exércitos adversários, prontos para iniciar um combate. Mas ambos os exércitos pertencem a uma mesma família real – a dinastia Lunar. Parentes e amigos estão perfilados em lados opostos nesta guerra, e agora deverão lutar contra velhos companheiros.

Arjuna, o comandante de um dos exércitos, acabou de soprar a sua "*śaṅkha*"[2]. O início do confronto depende apenas de ele dar o sinal para o início dos combates. No entanto, em vez disso, ele pede ao seu primo Kṛṣṇa, que é o condutor de seu carro de guerra, que o leve ao centro do campo, em uma posição da qual ele pode avistar todas as forças presentes e seus respectivos comandantes.

Esse diálogo é narrado, no mesmo instante em que acontece, para o rei cego Dhṛtarāṣṭra (pai de um grande número de comandantes adversários de Arjuna) por seu conselheiro Sañjaya. Embora eles estejam no palácio real, muito longe do campo de batalha, Sañjaya ganhou de seu mestre Vyāsa (o próprio autor atribuído do épico) o dom da visão a distância, para que pudesse narrar os eventos da guerra ao seu rei.

É Sañjaya que narra, no primeiro capítulo da *Gītā*, a visão que teve Arjuna, postado entre os dois exércitos, e a tristeza de que foi acometido. Tocado pela angústia de ter que aniquilar uma parte de sua própria família (seus primos Kauravas) e grandes líderes de seu povo, Arjuna senta-se no carro decidido a não combater.

Os demais capítulos da *Bhagavad Gītā* trazem a conversa com que Kṛṣṇa inicia Arjuna em uma sabedoria secreta que o habilitará a perceber com mais clareza qual é a atitude mais sustentável – ou seja, aquela que é coerente com o *dharma*. O *dharma*, de fato, é o principal argumento de Kṛṣṇa para convencer Arjuna a dar início à guerra. Ao final do último capítulo, Arjuna informa que seguirá a orientação de Kṛṣṇa e combaterá.

A importância do *dharma* para a *Gītā* já se nota pelo fato de a palavra "*dharma*" ser justamente a primeira desse cântico. Essa é uma palavra que não tem uma tradução muito precisa para outras línguas, pois expressa um conceito próprio da cultura sânscrita. Etimologicamente, o termo "*dharma*" deriva de uma raiz verbal que significa "sustentar", "suportar", e designa aquilo que torna nossa vida sustentável. Fazem parte do *dharma* humano o respeito à cultura, às leis humanas, à ordem natural do universo,

---

2. Uma concha búzio grande, preparada para emitir um som muito forte, que se pode ouvir mesmo no clamor da batalha.

aos deveres religiosos, desde que não estejam em conflito com a natureza própria (*svabhāva*) de cada um.

Quatro instâncias do *dharma* são mencionadas na *Bhagavad Gītā*: o *dharma* como um conceito genérico, que expressa a sabedoria dos antepassados e a ordem natural do universo; o *dharma* da guilda (*jātidharma*, verso 1,43), que expressa os segredos de ofício que um grupo de famílias protege com o voto do silêncio; o *dharma* da família (*kuladharma*, verso 1,40), que expressa o respeito aos laços familiares e aos conhecimentos e habilidades que fortalecem aquela família perante o resto da comunidade; e o *dharma* pessoal (*svadharma*, verso 2,31), que expressa a vocação de cada indivíduo. Em cada uma dessas instâncias, o *dharma* conduz à estabilidade e à perfeição, e sua ausência (*adharma*) leva à instabilidade e à destruição.

Apesar de toda essa atenção e detalhamento dados à questão do *dharma*, a *Bhagavad Gītā* não é um tratado sobre o *dharma* (*dharmaśāstra*). O corpo de informações que Kṛṣṇa utiliza para instruir Arjuna e para conduzi-lo de volta ao caminho do *dharma* é chamado por ele de "yoga" (versos 3,3 e 4,1-3). Além disso, Kṛṣṇa é chamado de "senhor do yoga" (*yogeśvara*) tanto por Arjuna (verso 11,4) quanto por Sañjaya (versos 18,75 e 18,78). A *Bhagavad Gītā* é, portanto, um tratado de yoga (*yogaśāstra*).

Para que jamais se levantassem dúvidas quanto ao fato de a *Gītā* ser um tratado de yoga, os textos de encerramento dos capítulos, assim como os nomes de cada um deles, explicitam isso para nós. Esses complementos foram adicionados há séculos em acréscimo ao texto extraído do épico *Mahābhārata*.

Cada capítulo é chamado de "yoga". Assim, o primeiro capítulo da *Gītā* recebe o nome de "o yoga da tristeza de Arjuna", o segundo chama-se "o yoga da enumeração", e assim por diante. Note que, para não confundir o leitor com a impressão de que cada capítulo trata de um tipo de yoga diferente, omitimos a palavra "yoga" nos títulos dos capítulos desta tradução. O sentido aproximado desse uso da palavra "yoga" nos títulos de cada capítulo poderia ser traduzido por "elucidação". Mas trata-se de um uso não habitual da palavra "yoga", possivelmente adotado para deixar claro que diz respeito a um tratado de yoga.

Ainda mais claro do que nos títulos dos capítulos, cada texto de encerramento de capítulo repete uma mesma fórmula: "Assim termina, na venerável *Bhagavad Gītā Upaniṣad*, na sabedoria dos *mantras*, no tratado de yoga (*yogaśāstra*)..." etc. Em todos os 18 textos de encerramento de capítulo, a *Gītā* é chamada explicitamente de "*yogaśāstra*", ou seja, é uma composição cujo objetivo é ensinar a doutrina do yoga.

Por essa razão, guardado o devido respeito àqueles que adotam a *Bhagavad Gītā* como uma escritura religiosa, traduzimos este cântico venerável como um tratado doutrinário de yoga, comparável aos *Sūtras* do Yoga. Vamos comentar um pouco mais extensamente essas características que fazem da *Gītā* um tratado de yoga. Antes, porém, faremos uma breve viagem no tempo para buscar as raízes históricas desta obra.

Quando foi composta a *Bhagavad Gītā*?

Historicamente, o reino que estava em disputa na guerra narrada pelo épico *Mahābhārata* deve ter florescido no período entre 1100 e 500 a.C. – tomando como base a análise de carbono radioativo das cerâmicas encontradas no território ocupado pelos *Kurus* e pelos *Pañcalas* (também protagonistas da guerra). A guerra teria acontecido por volta do ano 1000 a.C., dando origem ao núcleo original do *Mahābhārata*.

Essa forma primitiva da narrativa tinha um perfil de registro histórico, desprovido de cenários e personagens míticos que aparecem na redação atual do épico. Essa fundamentação histórica rendeu ao *Mahābhārata* a qualificação, pelos eruditos hindus, de documento histórico (*itihāsa*). Em geral, o mundo acadêmico aceita que a redação final do épico, com a inclusão de conteúdos mitológicos e religiosos, teria se desenvolvido ao longo de um milênio, aproximadamente entre 400 a.C. e 600 d.C.

Uma informação que nos é dada por Ugraśrava Sauti, um personagem do próprio *Mahābhārata*, afirma que a história original, composta por Kṛṣṇa Dvaipayana (Vyāsa), tinha 24 mil versos. Depois disso, com o acréscimo das muitas narrativas secundárias (*upākhyānas*), esse número subiu para 100 mil versos. A *Bhagavad Gītā* teria sido um desses acréscimos. Sua inclusão no corpo do *Mahābhārata* teria acontecido em algum momento dentro dos dois primeiros séculos de nossa Era, como consequência do crescimento do Vaishnavismo Bhagavata – que inclui a devoção a Kṛṣṇa Vāsudeva.

Essa informação, no entanto, não nos esclarece a data de composição original da *Gītā*. Ela apenas nos diz a época em que ela foi adaptada para se encaixar na narrativa do *Mahābhārata*. Mas a sua caracterização como um tratado de yoga pode nos ajudar a ter uma ideia mais precisa de sua composição original.

A doutrina do yoga foi tema de debates públicos nos quatro ou cinco séculos que antecederam sua apresentação final nos *Sūtras* de Patañjali. Se tomarmos por certo que o Patañjali do yoga é o Patañjali gramático, discípulo de Panini (o gramático que padronizou as linguagens védicas, criando o sânscrito), temos para os *Sūtras* do yoga uma data de composição entre 500 e 400 a.C. Se tomarmos também por certo que o período de debates sobre o yoga se inicia com a composição da *śvetaśvatara Upaniṣad,* por volta de 900 a.C., temos para a composição da *Gītā* o período entre 900 e 400 a.C.

Para reforçar essa localização na linha do tempo, podemos acrescentar uma referência inesperada a Kṛṣṇa Vāsudeva e Arjuna dentro do texto da gramática de Panini de aproximadamente 500 a.C.: o *sūtra* 4,3,98 que diz "*vāsudevārjunābhyāṁ vun*". Esse *sūtra* informa que Vāsudeva e Arjuna eram objeto de adoração, já naquela época. A referência aos dois juntos sugere que essa citação numa gramática tenha sido uma decorrência da popularização do diálogo entre os dois, ou seja, da *Bhagavad Gītā*.

Se aceitamos essas informações como corretas, portanto, precisamos admitir que a *Bhagavad Gītā* já era uma narrativa popular antes mesmo de ser incluída no *Mahābhārata*. E o fato de ela já ser conhecida, a ponto de seus personagens serem objeto de culto e adoração, nos permite estimar sua composição por volta de 700 a.C., como um tratado de yoga.

Mesmo se dermos por certo que a *Bhagavad Gītā* ganhou uma forma final por essa época – antes do advento do Budismo, antes da formulação da doutrina do yoga por Patañjali e antes da reforma do Jainismo –, precisamos ter em vista o fato de que sua origem tem raízes mais antigas. E que essas raízes podem ser surpreendentemente mais velhas do que usualmente imaginamos.

Na *Chandogya Upaniṣad* 3,17, o verso 6 diz o seguinte: "então Ghora Angirasa, tendo contado para Kṛṣṇa, o filho de Devaki, que ele havia se tornado livre do desejo, disse que esse (homem) deve partir, na hora da morte, levando consigo estes três (pensamentos): és o que não é destruído (*akṣita*); és o imperecível (*acyuta*[3]); és o que se move com o *prana* (...)". Esse trecho menciona Kṛṣṇa aprendendo com um sábio Angirasa algo muito parecido com aquilo que, na *Bhagavad Gītā,* ele ensina a Arjuna. Nos versos anteriores da *upaniṣad,* o sábio havia explicado como ritualizar as ações para fazer da vida um grande ato de sacrifício. A *Chāndogya*

3. Arjuna também chama Krishna de "Acyuta", como no verso 11,42.

Upaniṣad é anterior à *Śvetāśvatara Upaniṣad* e pode ter sido composta por volta de 1400 a.C.

Apesar de sugestiva, essa referência mostra que os rudimentos da *Gītā* são muito antigos, mas também nos informa que sua composição mais completa é bem posterior à época da *Chāndogya Upaniṣad.*

É possível, no entanto, encontrar raízes ainda mais antigas para a *Bhagavad Gītā*, dentro do corpo das escrituras védicas. Para citar apenas um exemplo, encontramos em um dos versos mais antigos do *Rig Veda* (6,9,1) a seguinte expressão: "*ahaś ca kṛṣṇam ahar arjunaṁ ca*" (o dia preto (*kṛṣṇa*) e o dia branco (*arjuna*), ou seja, a noite e o dia). Embora as palavras "*kṛṣṇa*" e "*arjuna*" sejam, aqui, apenas adjetivos que qualificam a palavra "*ahar*" (dia), devemos lembrar que esses versos védicos eram compostos com uma linguagem velada, que diz muito mais do que parece.

Se tomarmos o fato de que a palavra "*ahar*" designa um dos *Vasus* (ou *Vasu Devas*), junto com Indra, Agni e outros deuses, e a isso acrescentarmos que o nome do pai de Kṛṣṇa é Vasudeva, temos nessa expressão citada uma referência indireta a três personagens que estão conectados pela *Bhagavad Gītā*. Mas essa referência no *Rig Veda* pode ser datada por volta de 4000 a.C. – muito antes das datas aceitas para a época em que se acredita que Arjuna e Kṛṣṇa teriam vivido.

Seja como for, as datas a que nos referimos estão todas fundamentadas em hipóteses plausíveis, mas ainda assim são contestáveis. Há certamente muita disputa entre os historiadores da *Gītā*, e não temos a intenção de polemizar com quem quer que seja sobre esta questão. Damos por aceitável a época de 700 a.C. para a composição básica da *Gītā* no que diz respeito ao seu conteúdo como um tratado de yoga.

Vamos agora examinar esse yoga apresentado para nós pelo diálogo poético e filosófico havido entre Kṛṣṇa e Arjuna.

O yoga da *Bhagavad Gītā*

A *Bhagavad Gītā* se apresenta como um *yogaśāstra*, ou seja, um tratado de yoga, no qual Kṛṣṇa é o instrutor dessa doutrina, referido como "*yogeśvara*" (o senhor do yoga).

Interpretações surgidas na Idade Média da História da Índia dizem que a *Gītā* ensina pelo menos três modalidades de yoga: *jñāna* yoga; *karma* yoga; e *bhakti* yoga[4]. Outras formas de yoga são também identificadas por comentadores no texto da *Gītā*, como *dhyāna* yoga, *abhyāsa* yoga, *ātma* yoga e *buddhi* yoga[5]. Mas o que, de fato, diz a *Bhagavad Gītā* a esse respeito?

Percebemos, ao ler a *Gītā* sem a interferência dos comentadores, que ela traça as linhas metodológicas de apenas um único tipo de yoga, que é chamado, simplesmente, de "yoga" ou "yoga imutável" (verso 4,1). Designações como *bhakti*, *karma* ou *buddhi* estão lá como componentes da descrição desse yoga único.

Isso pede uma explicação mais detalhada.

A palavra "yoga", que é costume, no Ocidente, ser traduzida por "união", tem hoje para nós uma significação bem determinada: uma combinação variada de posturas corporais, exercícios respiratórios e práticas de caráter meditativo. Mas "yoga" evocava também, no passado, outros significados bastante frequentes, como "uso", "aplicação" ou "ajustamento". A *Bhagavad Gītā* utiliza bastante essas variações semânticas na construção de seus versos, o que acaba por dificultar a tarefa do tradutor. Veja, por exemplo, este verso:

> taṁ vidyādduḥkhasaṁyogaviyogaṁ yogasaṁjñitam |
> sa niścayena yoktavyo yogo'nirviṇṇacetasā || 6-23 ||
>
> (O yogui) deve saber que essa separação daquilo
> que nos une ao sofrimento é conhecida como "yoga".
> Esse yoga deve ser praticado resolutamente,
> com um estado de ânimo elevado.

Aqui vemos a palavra "yoga" descrita como "*viyoga*" (separação) daquilo que produz "*saṁyoga*" (união) com o sofrimento. Em um outro verso vemos a expressão "*yogakṣema*" (9,22), que significa "segurança das aquisições". Nesse caso a palavra "yoga", como sinônimo de "aquisição", nada tem a ver com a doutrina que está a ser delineada na *Gītā*. Também a expressão "*buddhiyoga*" (versos 2,49, 10,10 e 18,57), que usualmente é creditada como nome de uma modalidade de yoga, traduz-se simplesmente como "uso (ou ajustamento) da inteligência".

Para compor um desenho claro do yoga ensinado na *Gītā* precisamos tomar em consideração essas variações semânticas das palavras sânscritas. Mas também devemos lembrar que a *Gītā* foi composta como poesia, por

---

4. Yoga do conhecimento (3,3), yoga da ação (3,3) e yoga da devoção (14,26).

5. Yoga da meditação (18,52), yoga da disciplina (12,9), yoga do si-mesmo (11,47) e yoga da inteligência (2,49).

essa razão estava sujeita aos rigores da métrica e da melodicidade do canto em sânscrito. A tirania do metro poético obrigava o autor a buscar termos alternativos – o que levou a *Gītā* a usar um vocabulário técnico bem mais flexível do que, por exemplo, os *Sūtras* do Yoga.

Encontramos, por exemplo, as palavras "*manas*", "*cetas*" e "*citta*" usadas indistintamente para dizer "a mente", embora esses termos tenham significados ligeiramente diferentes entre si.

Com essas considerações iniciais, podemos percorrer com mais agilidade o conceito de yoga que a *Gītā* nos oferece. Vamos a ele, portanto.

O diálogo entre Kṛṣṇa e Arjuna retrata a difícil relação que se estabelece entre a mente e o coração, no íntimo do ser humano. Arjuna, arqueiro habilidoso, representa a mente lançando suas flechas, por meio dos sentidos, no mundo manifestado. Os sentidos são chamados de "*indriyāni*", ou seja, "relativos a Indra" – um deus védico que comanda os outros deuses, assim como a mente comanda os sentidos e os órgãos de ação. Para que não haja dúvidas com relação a esse paralelo, Arjuna é filho do deus Indra, segundo o *Mahābhārata*, por meio de um encantamento ensinado a sua mãe (Kunti) pelo temperamental sábio Durvāsas.

Indra está relacionado à região leste do espaço mítico, onde nasce o Sol. Vincula-se simbolicamente à luz e à consciência, tal como a mente que se apega às percepções trazidas pelos sentidos. Arjuna, portanto, herda também essa significação adicional.

Já Kṛṣṇa personifica a escuridão da inconsciência (*suṣupti*), que dentro da tradição hindu é uma forma de percepção superior, da qual desfruta apenas o "eu" que habita no coração de todas as criaturas. O próprio Kṛṣṇa afirma, no verso 10,20: "eu sou o si-mesmo assentado no coração de todas as criaturas". Esse si-mesmo do coração é chamado "*prajña*" na *Mandukya Upaniṣad* (verso 5), vive em estado de pura felicidade e desfruta da mais perfeita intuição. Ele é a nossa fonte interna de sabedoria, e a voz de nossa consciência.

Na *Bhagavad Gītā* há um enigmático verso (2,69) que descreve essa importância da escuridão da noite como a hora certa para descobrir a sabedoria: "Aquela que é a noite de todas as criaturas, nela o meditador (*saṁyamin*) desperta. Aquela na qual despertam as criaturas, esta é a noite do sábio (*muni*) que vê". A noite é a hora da revelação, quando a mente relaxa, arrastada pelo sono, e o coração pode assumir o comando de nossas percepções.

Kṛṣṇa assume explicitamente o papel do si-mesmo que habita o nosso coração, e suas falas refletem esse posicionamento. Essa era uma fórmula usada, no passado, para despertar a intuição e liberar o manancial de sabedoria interna de um *śiṣya* (discípulo) quando se iniciava em um conhecimento secreto. O iniciador desempenhava o papel de um personagem mítico ou falava (ou cantava) como se fosse o próprio espírito do iniciado – e a força dos mitos fazia o resto. A fé do neófito, que o fazia crer estar diante de seu próprio espírito, resultava em um profundo impacto do ritual iniciático em sua mente. Sua vida ganhava, de forma inesperada, uma profundidade e uma grandiosidade fora do usual. Um exemplo ilustrativo desse procedimento é dado pela *Katha Upaniṣad*, que descreve a iniciação do menino Naciketas no yoga, ministrada pelo próprio deus da morte (Yama).

O diálogo entre Kṛṣṇa e Arjuna descreve o processo do yoga, tal como havia se desenvolvido nas *upaniṣadas*, ou seja, como um ajustamento (yoga) do "eu" (da mente) ao "si-mesmo" (o *ātmā* presente no coração). Quando esse ajustamento acontece, abre-se no coração uma porta para o infinito. E então a perecível personalidade do indivíduo, que aprisionava o "si-mesmo" a este mundo cheio de limitações, mergulha no infinito e funde-se à natureza ilimitada do "si-mesmo" – alcançando aquilo que a *Bhagavad Gītā* chama de "extinção em Brahma" (versos 2,72; 5,24; 5,26; e 6,15). Dizendo de outra maneira, o destrutível deixa de ser destrutível porque se funde ao indestrutível.

O yoga proposto pela *Bhagavad Gītā*, portanto, consiste em ajustar a mente à natureza própria do indivíduo, de modo que ela expresse apenas o que é verdadeiro (e, portanto, imperecível) em sua personalidade. No entanto, como a mente é capaz de expressar seus pensamentos tanto por palavras quanto por ações, Kṛṣṇa começa seu discurso sobre o yoga apontando dois caminhos para a sua realização.

Vamos ver que caminhos são esses.

Dois caminhos para entender o yoga

Depois que Arjuna expõe sua angústia e informa que não combaterá (verso 2,9), porque não quer matar seus parentes e amigos, Kṛṣṇa começa a expor o yoga da *Bhagavad Gītā*. Ele inicia apresentando um arrazoado que vai do verso 2,11 ao 2,30, no qual ele diz que a morte do corpo não mata o espírito que nele reside. Ele nascerá outra vez em um novo corpo. Esse espírito misterioso que está por toda parte é eterno e imutável. E por mais que se aprenda coisas espantosas sobre ele, ninguém o conhece, de fato.

Depois disso, Kṛṣṇa cobra ânimo de Arjuna, afirmando que ele só terá prejuízo se deixar de combater, pois ele é um guerreiro a quem se ofereceu a oportunidade de uma guerra pelo *dharma*, terminando com a seguinte exortação (2,38): "Tendo tornado iguais o prazer e o sofrimento, o ganho e o prejuízo, a vitória e a derrota, então prepara-te para a batalha. Assim não incorrerás em pecado". Esta indiferença da mente em relação aos pares de opostos é um conceito importante para o yoga ensinado por Kṛṣṇa.

Kṛṣṇa diz, no verso 2,39, que esse discurso inicial faz parte do *Sāṅkhya* (enumeração), um sistema filosófico da ortodoxia hindu que descreve a Natureza racionalmente organizada. Os *sāṅkhyas* eram reconhecidamente habilidosos com as palavras e a lógica. Na *Gītā*, essa referência ao *Sāṅkhya* serve para indicar um caminho intelectual para o yoga que usa o conhecimento como ferramenta de purificação da mente.

De fato, Kṛṣṇa declara no verso 3,3 que há dois caminhos para a realização do seu yoga: "uma dupla conduta foi ensinada por mim, no passado: a dos *sāṅkhyas*, pelo ajustamento do conhecimento; e a dos *yoguis*, pelo ajustamento das ações". O primeiro caminho usa o conhecimento da Natureza para libertar a mente de suas crenças limitadoras. Assim, repetindo um ensinamento da *Katha Upaniṣad* (1,1,19), Kṛṣṇa desafia a inteligência de Arjuna, dizendo, no verso 2,19: "Aquele que acha que mata e aquele que pensa que é morto, ambos não compreendem". Seguindo esse tipo de raciocínio, o intelectual recompõe a percepção que tem do mundo e de si mesmo e a ajusta para expressar o si-mesmo indestrutível que habita em seu coração. Assim, pelo ajustamento da percepção, ele realiza o seu yoga.

Mas Kṛṣṇa também quer apresentar o assunto para Arjuna de uma forma mais prática, que o conduza a fazer o que é certo, e então ele recomeça a explicação pela perspectiva do próprio yoga. O que Kṛṣṇa chama de "yoga" se resolve em um ajustamento da inteligência (*buddhi*) ao si-mesmo (*ātmā*) (versos 2,64 a 2,66), com a finalidade de corrigir o rumo das ações produzidas por essa inteligência. Esse ajustamento liberta a mente dos limites do universo manifestado e do apego aos estímulos externos. O yoga habilita a mente a construir ações desapegadas, ou seja, ações cuja motivação não é mais a expectativa de desfrute de seus resultados.

A conduta ideal do *yogui* (2,64) faz os sentidos, já sob o comando do si-mesmo, se voltarem para os objetos, com a mente liberta tanto do desejo quanto da aversão. O estado em que se estabelece essa linha de comando, na qual o si-mesmo comanda a mente e a mente comanda os sentidos do corpo, é chamado, no yoga, de *samādhi*. Estabelecido no *samādhi*, o *yogui* passa a ter uma inteligência ou intuição firme, e encontra a serenidade.

O ajustamento da inteligência ao si-mesmo pode não ser assim tão fácil de se conseguir, porque, segundo o verso 3,40, o desejo se oculta nos sentidos, na mente e na inteligência. Talvez por isso, Kṛṣṇa propõe um caminho mais simples para encontrar o *samādhi*: o ajustamento das ações (*karma yoga*). Ele consiste essencialmente em ritualizar as ações, convertendo cada uma delas em um pequeno ritual de sacrifício. Todas as ações devem ser dedicadas ao si-mesmo, sem que haja a expectativa, pela mente, do desfrute de seus (bons ou maus) resultados.

Para facilitar ainda mais o caminho, o *yogui* deve dar andamento apenas às ações condizentes com sua própria natureza pessoal. Sua vocação deve ser seguida rigorosamente, sem deixar de cumprir qualquer de suas obrigações devidas à sua natureza. Essas ações vocacionadas por sua natureza constituem o seu "*dharma* pessoal" (*svadharma*), sobre o qual Kṛṣṇa afirma (3,35): "É melhor o seu próprio *dharma* sem qualidade do que o *dharma* de outro bem executado".

O ajustamento da ação pressupõe a capacidade de discernir entre a ação, a não ação e a ação imprópria (versos 4,16 e 4,17). A ação apropriada é aquela que condiz com a natureza própria de quem a faz, tendo renunciado aos seus frutos. A não ação é a própria ação, quando é feita sem apego a seus frutos (versos 4,18 e 4,20). A ação imprópria é conduzida pelo desejo ou pela ira (verso 3,37), e jamais deveria ser executada. Mas o ajustamento da ação depende de um ajustamento do conhecimento (*jñānayoga*), porque, ainda de acordo com a *Gītā*, toda ação se resolve em conhecimento (verso 4,33).

Foram enunciados, portanto, dois caminhos para a realização do yoga, um através do conhecimento (*Sāṅkhya*) e outro por meio do ajustamento das ações (yoga). Mas, se um depende do outro, qualquer um deles levará ao mesmo resultado. Esta é justamente a afirmação de Kṛṣṇa no verso 5,4: "os imaturos – e não os instruídos (*paṇḍitas*) – afirmam que o *Sāṅkhya* e o Yoga são diferentes, (mas) mesmo aquele que corretamente pratica apenas um, alcança resultado nos dois".

Devemos acrescentar a isso o fato de que os dois caminhos dependem do renunciamento (veja o capítulo 5) para produzir qualquer resultado. O segredo da renúncia, no yoga, é entregar o comando das ações ao si-mesmo (*ātmā*). Para isso, no entanto, é necessário reconhecê-lo com precisão. O conhecimento do si-mesmo é aquele conhecimento especial, referido por Kṛṣṇa (verso 4,35), que liberta o *yogui* da ilusão e o conduz para a serenidade.

O poder do si-mesmo

O *ātmā*, ou "si-mesmo", é, essencialmente, o eu que habita dentro de nós. A *Gītā* diz que precisamos conhecê-lo para alcançar a libertação final. Mas não é fácil conhecê-lo, pois ele tem várias instâncias nas quais se manifesta de forma incompleta ou imperfeita. Ele é o "*dehin*" (o espírito encarnado), mas é também o espírito imutável (*avyaya*) que nos anima, e é ainda a personalidade que, limitada pela mente e pelos sentidos, se apega aos objetos do mundo externo. Ele é também o si-mesmo universal, personificado por Brahma, e é o si-mesmo que está além de Brahma. O si-mesmo, manifestado em uma de suas instâncias, pode se tornar um obstáculo para si mesmo, pela perspectiva de outra de suas instâncias.

Mas há mais um elemento complicador nesse conceito hindu do si-mesmo: o si-mesmo que habita dentro de nós também está presente em todas as demais criaturas. O verso 6,29 diz: "o si-mesmo ajustado pelo yoga vê com equanimidade, por toda parte, o si-mesmo em todas as criaturas, e todas as criaturas no si-mesmo". Embora isso possa estimular os sentimentos de empatia e compaixão, a identificação do si-mesmo no outro pode nos conduzir a tomar o outro indivíduo como modelo, com prejuízo para nosso próprio *dharma*.

A tarefa mais importante para um *yogui* é identificar a instância superior desse si-mesmo em si mesmo e entregar o controle de sua vida a ele (ou seja, a si mesmo). Assim ele eleva todas as manifestações do si-mesmo para que expressem apenas a sua verdadeira natureza, que é aquela da instância superior. Kṛṣṇa afirma, no verso 6,5, que o sábio que aspira tornar-se um *yogui* "deve elevar o si-mesmo por si mesmo, e não deve enfraquecer o si-mesmo. O si-mesmo é o único aliado de si mesmo, e o único adversário de si mesmo".

É preciso estar seguro de si, pois "aquele que tem dúvidas sobre si mesmo é destruído, ignorante e sem fé" (verso 4,40). "No entanto, para aqueles cuja ignorância é destruída pelo conhecimento do si-mesmo, seu conhecimento, como o Sol, ilumina a meta final" (verso 5,16). Kṛṣṇa, na *Bhagavad Gītā*, personifica o si-mesmo dentro de nós. Grande parte do conteúdo da *Gītā* são indicações dadas por Kṛṣṇa para que possamos identificar o si-mesmo e dar a ele o comando sobre nossos atos.

Uma dessas indicações de Kṛṣṇa, que parecerá bastante familiar para quem estuda a literatura do yoga, aparece nos versos 10 a 15 do capítulo 6. Esses versos retratam o *yogui* tradicional em meditação, com a mente recolhida no si-mesmo. A descrição desse modo de perceber o si-mesmo se estende até o verso 28 do mesmo capítulo e diz que, seguindo por este caminho, o *yogui* se torna Brahma.

Antes de falar sobre Brahma (que é uma das instâncias do si-mesmo), Kṛṣṇa estabelece uma distinção entre dois modos diferentes de conhecer: "*jñāna*" e "*vijñāna*". Este último é o conhecimento intelectual que se obtém com a mente, pela observação e descrição dos objetos dos sentidos. Jñāna, por outro lado, é o conhecimento vivencial, que não se pode obter por meio de uma descrição, mas apenas "vivendo" ou "sendo" aquilo que se quer conhecer. Kṛṣṇa exemplifica esse conhecimento com o sabor, o perfume, o esplendor do fogo ou a vida nas criaturas, entre outros que não é possível conhecer senão vivencialmente (presenciando ou experimentando).

O si-mesmo é um exemplo típico de algo que não se pode conhecer, senão sendo o próprio si-mesmo – porque o "eu" não é o objeto observado, mas apenas o observador que pode conhecer esse objeto. Kṛṣṇa diz no verso 7,26: "eu conheço todos os seres (...). No entanto, ninguém me conhece". O eu não pode ser visto, nem pode ver a si-mesmo. Apenas *sendo* ele mesmo ele se torna capaz de perceber o "eu" que é, para o qual convergem todas as suas percepções e memórias.

Quem vivencia o eu e o reconhece como o único, o eterno imutável, rompe a barreira do poder ilusório que criou o mundo, chamado por Kṛṣṇa de "*yogamāyā*" – a ilusão que oculta a percepção do si-mesmo (verso 7,25). Livre da influência dessa ilusão, o *yogui* se habilita a conhecer Brahma, que personifica o conhecimento verdadeiro, a verdade suprema. Não há conhecimento melhor do que esse, pois "Brahma é a perfeição final do conhecimento" (verso 18,50).

Brahma é o assunto de que trata o capítulo 8 da *Gītā*. A semelhança do yoga proposto na *Bhagavad Gītā* com o yoga que transparece nas *upaniṣadas* fez a *Gītā* ser informalmente qualificada como uma "*upaniṣad*". É nas *upaniṣadas* que se formula a equação "o si-mesmo é Brahma" e ali também se ensina um caminho para conhecer Brahma no si-mesmo. E esse caminho é muito parecido com o que é ensinado no capítulo da *Gītā* que trata de Brahma.

A *Katha Upaniṣad* descreve o yoga desta maneira: "quando os cinco sentidos se assentam junto com a mente, e a inteligência já não se expressa, a isso chamam 'o caminho supremo'. Isso é o que acreditam ser o yoga: a sustentação (*dhāraṇā*) firme dos sentidos. Atento, então, se torna (o *yogui*). O yoga de fato é a fonte e a desembocadura"[6]. E também: "A cidade de onze portas (o corpo) pertence a um comandante cuja inteligência não está distorcida. (...). Este (comandante) é Brahma, de fato"[7].

A *Gītā* diz o seguinte: "Tendo controlado todas as portas, e tendo recolhido a mente no coração, tendo colocado o próprio *prāṇa* no topo da cabeça, permanecendo na sustentação (*dhāraṇā*) do yoga, pronunciando Brahma em uma sílaba, o *Om*, lembrando-se de mim, aquele que segue assim, vai para o caminho supremo"[8].

Nota-se com clareza que a *Gītā* herdou das *upaniṣadas* mais antigas a formulação primária do seu yoga, mas também elaborou algumas inovações que enriqueceram sua apresentação com a sugestão de que o yoga é o segredo dos poderosos. A inclusão do poder (*vibhuti*) resultante do ajustamento do "eu" ao si-mesmo pode ter sido uma adaptação necessária para encaixar o cântico original da *Gītā* ao enredo do épico, mas o fato é que a composição final ficou tão convincente que o capítulo que trata do poder resultante do yoga também foi incluído nos *Sūtras* do Yoga – a doutrina final do yoga.

O segredo dos poderosos, assunto do capítulo 9 da *Bhagavad Gītā*, é reconhecer a presença do próprio criador do universo dentro de si mesmo. E devotar a ele sua vida. Mas para quem não é capaz de perceber a grandiosidade do si-mesmo em si mesmo, esse capítulo ensina a devotar a atenção ao si-mesmo para, dessa maneira, integrar-se ao *ātmā* (o si-mesmo, ou seja, Brahma). Essa devoção é descrita no último verso (9,34) desse capítulo:

---

6. *Katha Upaniṣat, adhyaya* 2, *valli* 3, 10-11.

7. *Katha Upaniṣat, adhyaya* 2, *valli* 2, 1.

8. *Bhagavad Gītā*, capítulo 8, versos 12 e 13.

"Torna-te aquele que fixa a mente em mim, aquele que me adora, aquele que sacrifica para mim, curva-te para mim. Tendo assim te ajustado a ti mesmo, tendo-me como meta suprema, virás somente a mim".

Arjuna pergunta a Kṛṣṇa, ainda sobre o poder do si-mesmo: "em quais aparências podes ser percebido por mim, ó Bhagavān? Descreva novamente, em detalhes, o yoga e o poder do si-mesmo (...)"[9]. Em sua resposta, Kṛṣṇa afirma que ele é uma série de personagens míticos, que se destacam como os melhores ou mais poderosos de sua categoria. Mas antes de enunciar essa lista, ele diz, simplesmente: "eu sou o si-mesmo (*ātmā*) assentado no coração de todas as criaturas".

Mas, se tomarmos em conta que Kṛṣṇa pede para ser adorado, com devoção exclusiva, e, ao mesmo tempo, afirma que ele é o si-mesmo que habita em nosso coração, isso conduz à egolatria – a adoração de si mesmo. Não há como escapar desta armadilha conceitual, a menos que tomemos o termo "devoção" (*bhakti*) por um outro sentido, que não seja o religioso.

Vamos então examinar melhor essa questão da devoção, pela perspectiva do yoga da *Bhagavad Gītā*.

O conceito de devoção na *Bhagavad Gītā*

Para uma parcela significativa dos hindus a *Bhagavad Gītā* é uma composição religiosa, que dá fundamento para um credo muito popular, na Índia. No entanto, encontramos na *Gītā* pelo menos uma afirmação que contradiz a sua interpretação como uma escritura religiosa. A afirmação de Kṛṣṇa de que ele é o "eu" que habita no coração de todas as criaturas entra em conflito com o princípio religioso que afirma que a natureza do deus que é adorado deve ser inteiramente distinta da natureza do adorador. E a *Gītā* não deixa dúvidas quanto à sua exigência da devoção (*bhakti*), pois ela faz afirmações bastante claras, como no verso 8,22, que diz: "o homem (*puruṣa*) supremo (é) alcançado pela devoção, e por nenhum outro meio".

Essa contradição aparece também em composições que antecedem a *Gītā* e, como ela, falam sobre o yoga. As *upaniṣadas* afirmam, da mesma forma, que Brahma é a essência divina do universo, de natureza superior até mesmo aos próprios deuses, e depois asseveram que Brahma é o si-mesmo no coração de todas as criaturas.

---

9. *Bhagavad Gītā*, capítulo 10, versos 17 e 18.

Já advertimos anteriormente que a *Bhagavad Gītā* se apresenta como um tratado de yoga. Se fizermos sua leitura como um "*yogaśāstra*", a aparente contradição desaparece, porque a perspectiva do yoga tem fundamento em uma visão diferente desses conceitos de devoção ou adoração referidos na *Gītā*.

As palavras de Kṛṣṇa no capítulo 12, que trata justamente da devoção, fazem referência ao devoto da seguinte maneira: "eu me torno, em pouco tempo, o que resgata do oceano da morte e do ciclo dos renascimentos aqueles que em minha natureza adentram com suas mentes (...). Coloca tua mente apenas em mim, faz tua inteligência entrar em mim. Sem dúvida, daqui para a frente residirás apenas em mim"[10]. Tendo em vista que Kṛṣṇa personifica o si-mesmo, o devoto é alguém que ajustou sua mente ao si-mesmo – ou seja, é um *yogui*.

Para que não haja dúvidas quanto ao fato de a devoção ser praticada através do ajustamento a si-mesmo, ou seja, por intermédio do yoga, vemos Kṛṣṇa dizer, um pouco adiante: "(...) devoção permanente a mim, por meio de um yoga exclusivo (...)"[11]. O yoga "exclusivo" (*ananyayoga*) é aquele pelo qual se faz o ajustamento da mente apenas ao si-mesmo, e a nada mais. E esse yoga exclusivo é praticado como uma meditação (*dhyāna* – do verbo *dhyai*, meditar), como deixa claro o verso 12,6 que usa a expressão "meditando com um yoga exclusivo".

A devoção na *Gītā*, portanto, poderia ser descrita como a atenção que somos capazes de dedicar para o nosso ajustamento ao si-mesmo. Quando alcançamos essa devoção, nossa mente penetra na natureza do si-mesmo, tornando-se capaz de manifestar seu potencial intuitivo. Para dar suporte à cognição intuitiva é preciso ser "possuidor de uma fé absoluta"[12]. A fé, aqui, está longe de ser uma aceitação cega de qualquer dogma religioso, e sugere a ideia de uma assimilação de revelações trazidas, pelo si-mesmo, para o alcance da mente do *yogui*.

A natureza impressionante dessas revelações é ilustrada pela visão da forma universal, narrada no capítulo 11. Arjuna vê a forma cósmica do si-mesmo como o tempo devorador que tudo consome, e acredita ser verdadeira essa imagem que lhe é trazida pela visão divina (e não por seus

---

10. *Bhagavad Gītā,* capítulo 12, versos 7 e 8.

11. *Bhagavad Gītā,* capítulo 13, verso 11.

12. *Bhagavad Gītā,* capítulo 12, verso 2.

olhos naturais). Ele põe fé nessa visão, que aceita como uma revelação, mas ela é tão assustadora que Arjuna implora a Kṛṣṇa que retorne à sua forma habitual, pois sua mente não suportaria mais aquelas imagens terríveis de destruição.

A importância da fé para a realização do yoga foi assunto que certamente permeou os debates que, atravessando séculos, culminaram na formulação da doutrina do yoga. Nos Sutras do Yoga (1,20), por exemplo, a fé é elencada como um componente essencial (junto com a vontade e a memória) para a retenção da percepção intuitiva, no estado de *samādhi*.

Bem antes da composição da *Gītā*, a *Chāndogya Upaniṣad* enunciava (5,10,1) a fé como sinônimo de ascese (*tapas*), ou seja, a fé era vista como um procedimento de purificação. E essa mesma *upaniṣad* esclarece que se trata de uma purificação da mente, ao dizer (7,19,1): "quando (alguém) tem fé, pensa. O desprovido de fé não pensa. (...)".

A palavra sânscrita para "fé" (*śraddhā*) deriva da palavra "*śrat*" – que significa "verdade" ou "coração" (que é o assento da verdade e da intuição) – conectada ao verbo "*dhā*" ("colocar" ou "pensar"). Pela etimologia da palavra, podemos entender que ter fé é colocar a mente estabelecida, com firmeza, na verdade ou no coração. Pela fé em si mesmo, o *yogui* passa a pensar verdadeiramente e manifesta a força e a presença do si-mesmo em seu coração. Com isso, torna firme o seu *samādhi*.

Note que a palavra *samādhi* também deriva do verbo *dhā*, significando, *grosso modo*, "colocar (a mente) junto de si mesmo". E há ainda uma outra palavra sânscrita importante para o yoga, que da mesma forma deriva do verbo *dhā*, é "*avadhāna*" (atenção), que expressa a intensidade com que a mente se envolve com um objeto ou uma tarefa.

A fé, na *Gītā*, parece se afastar do *dharma* religioso para mergulhar no si-mesmo. Kṛṣṇa afirma, com clareza: "a fé de todos ganha forma de conformidade com a natureza (de cada um), ó Bhārata. O homem é feito de fé: qualquer que seja a sua fé, assim mesmo ele é"[13]. É evidente nesse verso a conexão que se estabelece entre a fé e o si-mesmo, perfeitamente compatível com a doutrina do yoga.

Cabe aqui uma reflexão adicional sobre o sentido da palavra "*bhakti*" (devoção) dentro do contexto da *Bhagavad Gītā*. A notável contradição que destacamos no início deste comentário sobre o conceito de devoção – pela

13. *Bhagavad Gītā*, capítulo 17, verso 3.

qual o objeto de devoção ou adoração do devoto torna-se seu próprio "eu" – é contornada de variadas maneiras por diversos comentadores hindus. Não se podem descartar essas interpretações de cunho religioso, todas elas aceitáveis se forem também aceitos seus pressupostos, que dão a Kṛṣṇa o *status* de um deus com uma natureza distinta do "eu" que reside no coração do devoto. Apenas queremos destacar que nossa opção foi traduzir a *Gītā* como uma obra que se declara explicitamente um *tratado de yoga*.

Com isso queremos dizer que esse conceito de devoção que apresentamos em nossos comentários, embora não seja compartilhado pela maioria dos comentadores da *Gītā*, está de acordo com a literatura védica das *upaniṣadas* e encontra amparo na literatura específica do yoga.

Posto isso, vamos aprofundar um pouco mais nosso exame do yoga da *Bhagavad Gītā*, descendo agora das alturas das especulações metafísicas para a esfera dos fenômenos naturais e do corpo humano.

O corpo e a Natureza

Apesar de nos conduzir às alturas desse voo metafísico que é a busca do si-mesmo, a narrativa da *Gītā* mantém-se firmemente ancorada no mundo natural. Com seus elegantes argumentos fundamentados nas *upaniṣadas*, Kṛṣṇa demonstra também que o corpo e a Natureza são componentes importantes e respeitáveis do processo do yoga.

Talvez o praticante moderno do yoga postural se decepcione com a maneira pela qual o corpo conquista sua importância aqui, pois Kṛṣṇa não fala sobre posturas corporais, *bandhas*, *mudrās* ou exercícios respiratórios. Longe disso, o corpo e a Natureza são abordados como um campo de ajustamento, no qual o *yogui* pode encontrar as portas de acesso à sua verdadeira natureza. Nesse campo, ele encontra também as ferramentas para se apropriar de sua própria vida.

Nesse campo do corpo e da Natureza, as características do caminho pelo qual sua vida segue se tornam perceptíveis para o *yogui*. Dois caminhos genéricos e opostos são descritos por Kṛṣṇa no capítulo 16, reduzindo dessa forma todas as opções de vida a duas. Ele diz: "há dois tipos de criaturas neste mundo, que são os divinos e os demoníacos, apenas"[14]. A conduta

14. *Bhagavad Gītā*, capítulo 16, verso 6.

divina leva à libertação, e a conduta demoníaca leva ao aprisionamento do si-mesmo ao mundo perecível.

Este reducionismo da *Gītā* tem fundamento na tese yóguica da necessidade de se fazer o ajustamento interno da mente ao si-mesmo. O si-mesmo (*ātmā*) é a estreita porta que nos revela nossa própria natureza divina. Para perceber a presença sutil do si-mesmo, a mente precisa alcançar um estado de serenidade meditativa, no qual ela pode conhecer vivencialmente o si-mesmo que lhe dá a sustentação. Se a mente alcança esse estado, de modo contínuo, sua tendência divina prevalece e ela caminha resoluta para a via da libertação.

Mas a mente às vezes se confunde e projeta fantasiosamente o si-mesmo onde ele não está. A natureza material e o corpo recebem com frequência essas projeções da mente ansiosa por tomar para si o valor e o poder do si-mesmo. Produzidas em momentos de agitação e desconforto, essas falsas percepções criadas pela mente são pura ilusão, e conduzem inevitavelmente ao erro e ao aprisionamento. Em lugar de realizar seu próprio *dharma*, o iludido trilha pelo caminho alheio, que o leva ao ciclo dos renascimentos ou à destruição de sua integridade.

Para evitar esse erro, Kṛṣṇa chama a atenção de Arjuna, no capítulo 15, para a ideia de que existe, dentro de cada um de nós, um si-mesmo – o *Jīvātmā* – que está ligado ao corpo e que tem o poder de arrastar consigo a mente e os sentidos. Para aqueles *yoguis* que o veem presente no si-mesmo, ele é o Īśvara, o comandante da mente e do corpo, assentado no coração de todos. Já os tolos não o veem, mesmo que se esforcem, por isso entregam o comando de suas vidas à sua mente desgovernada, continuamente arrastada pelas impressões trazidas pelos sentidos e pela agitação do mundo.

Isso tipifica as duas opções de vida mencionadas no capítulo 16: a opção do tolo, que não entrega o comando de sua mente ao sereno Īśvara, e é tomado pela falsidade, vaidade, orgulho, ira, rudeza e ignorância[15]; e a opção do *yogui*, que reconhece a presença de Īśvara em seu próprio corpo, em sua mente e em seu coração – e se devota a ele com todo o seu ser. Os tolos seguem a tendência chamada pela *Gītā* de demoníaca, enquanto os *yoguis* seguem o impulso divino presente no coração.

A presença do si-mesmo no corpo é tomada literalmente pela *Gītā*, e não de forma figurativa. Essa presença é descrita como o sacrifício mais

---

15. *Bhagavad Gītā*, capítulo 16, verso 4.

elevado[16]: o sacrifício do si-mesmo que, sem abandonar suas instâncias superiores, se submete a todo tipo de limitações para estar presente no corpo dos encarnados. Por essa razão, aquele que maltrata o corpo é considerado um demônio, um adversário do divino si-mesmo:

> Aquelas pessoas que se entregam a uma ascese violenta, (...) enfraquecendo o conjunto dos elementos componentes do corpo, e a mim mesmo, que estou presente dentro do corpo, saiba que essas (pessoas) são demônios, sem dúvida.[17]

O si-mesmo é aprisionado ao corpo pelo apego e pela não ação (passividade – ou seja, a perda do comando). Esse aprisionamento ao corpo é explicado, no capítulo 14 (versos 5 a 8), como decorrente das três qualidades da Natureza (*sattva, rajas* e *tamas*). Essas qualidades são importantes porque constroem no universo impermanente o campo de ajustamento da mente ao si-mesmo. E sua importância decorre também do fato de que o si-mesmo não produz nem recebe ações, senão por meio dessas qualidades. Kṛṣṇa diz: "aquele que vê o si-mesmo como único agente, essa pessoa de entendimento limitado por sua falta de inteligência, não vê corretamente"[18].

O si-mesmo, uma vez aprisionado ao campo de ajustamento (o corpo), torna-se o único "conhecedor do campo". Ele é aquele que desfruta dessas qualidades nascidas da Natureza. Ele não é o agente das ações, pois apenas as três qualidades da Natureza são esse agente. Na condição de observador das ações, o si-mesmo pode conduzi-las intuitivamente, em certa medida, mas somente se a inteligência do *yogui* estiver ajustada ao si-mesmo.

As ações são produzidas pela combinação de cinco componentes, descritos no verso 14 do capítulo 18: o corpo; a mente; os sentidos; o movimento (*prāṇa*); e o "divino". Este último componente é justamente a participação indireta do si-mesmo no processo de tomada de decisão, por meio da intuição. Nota-se claramente a importância do corpo e da Natureza no yoga da *Bhagavad Gītā*.

Para aquele cuja mente se desapega dos sentimentos de "eu" e "meu", e que vê apenas a Natureza realizando as ações por toda parte, o corpo deixa de ser um obstáculo à libertação final, para se tornar um dos meios apropriados para se entrar no caminho supremo de libertação.

---

16. *Bhagavad Gītā*, capítulo 8, verso 4.

17. *Bhagavad Gītā*, capítulo 17, versos 5 e 6.

18. *Bhagavad Gītā*, capítulo 18, verso 16.

Resumo final

Quem deseja ler um resumo da *Bhagavad Gītā*, repassando os principais pontos da doutrina ensaiada na obra, pode ir diretamente para o seu último capítulo. Ali também se descreve a maneira como se integram as características da Natureza manifestada, em especial suas três qualidades fundamentais, com os vários componentes subjetivos do yoga.

O abandono da ação, o conhecimento, o conhecedor, a inteligência, a firmeza, o bem-estar, a vocação inata, tudo é revisto em seu entrelaçamento com as qualidades da Natureza. A importância de compreender esse entrelaçamento é que ele traz para as forças da Natureza a inteira responsabilidade por qualquer ação que venhamos a protagonizar. Se percebemos esse fato e renunciamos à autoria e à apropriação dos resultados dessas ações, alcançamos a liberdade suprema.

Nesse último capítulo, a *Gītā* resume o processo do yoga nos seis versos que reproduzimos a seguir:

> Tendo-me como meta suprema, tendo renunciado a meu favor todas as (tuas) ações, tendo buscado refúgio no ajustamento da inteligência, fica sempre com a mente voltada para mim. Com a mente voltada para mim, por minha graça atravessarás todas as dificuldades. Mas se, tomado pelo senso do "eu", não (me) ouvires, perecerás. Pois se, tendo se envolvido com a egoidade, pensas "não combaterei", essa decisão tua é equivocada. A Natureza te ajustará (ao que deve ser feito). Ó Kaunteya, preso à tua própria ação, nascida de tua própria natureza, que não queres fazer por estares iludido, (essa mesma ação) farás, ainda que contra a vontade. O senhor (Īśvara) está no território do coração de todas as criaturas, ó Arjuna, fazendo que se movam, pelo seu poder de ilusão (como se estivessem), montadas sobre um mecanismo. Busca refúgio nele, apenas, com todo o teu ser, ó Bhārata. Por sua graça obterás uma posição de paz suprema permanente.[19]

Este resumo nos ajuda a entender melhor o sentido da "entrega a Īśvara" proposta nos *Sūtras* do Yoga, que se resolve na entrega de nossas decisões para o si-mesmo que reside, soberano, em nosso coração. Ser autenticamente aquilo que somos é dar voz e mãos para o comandante interno, é nos tornamos devotos do Īśvara que habita dentro de nós mesmos.

---

19. *Bhagavad Gītā*, capítulo 18, versos 57 a 62.

Essa compreensão do yoga da *Bhagavad Gītā* nos esclarece também uma sutileza que aparece no título tradicionalmente atribuído ao último capítulo, a "renúncia à libertação". Parece um contrassenso, se pensarmos que a *Gītā* apresenta claramente a libertação como um objetivo buscado pelo *yogui*, e que em nenhum de seus 701 versos predica a renúncia a esse objetivo.

Mas, se pensarmos que a raiz do "eu" dentro de nós é o si-mesmo e se observarmos o que diz Kṛṣṇa no verso 4,6 sobre si mesmo, talvez o sentido desse título do último capítulo fique evidente para nós: "Mesmo sendo o si-mesmo (*ātmā*) imutável, não nascido, mesmo sendo o senhor das criaturas, tendo me apoiado na própria Natureza, me manifesto por meio da minha própria força de criação".

Para quem conhece o Hinduísmo, não há novidade nesse verso. O si--mesmo que habita em nosso coração é imutável, e, portanto, não está sujeito às limitações da Natureza – na qual ele se apoia para promover a criação. Desde o momento de nosso nascimento, ele não se aperfeiçoa, porque já é perfeito, e também não ultrapassa limites, porque é ilimitado.

Assim, também, ele não precisa se libertar, porque a liberdade é sua condição natural, que ele voluntariamente sacrifica para nos dar a existência. Este é justamente o sacrifício mais elevado[20], através do qual o si-mesmo se instala dentro dos limites de nosso corpo e de nossa mente. Mas, ainda assim, ele preserva suas características e continua a ser perfeito, imutável e ilimitado. Não é ele quem renuncia à libertação, simplesmente porque o si-mesmo não precisa dela.

Quem busca pela libertação é a mente, acreditando que, ao se libertar, alcançará o bem-estar e a estabilidade pelos quais aspira permanentemente. É, pois, a própria mente que, no passo final do yoga, deve renunciar à sua liberdade para permitir que o si-mesmo se torne o comandante e assuma o controle sobre nossa vida.

É nisso que se resolve a libertação final do *yogui*. O ajustamento de sua inteligência ao si-mesmo se faz pela renúncia da mente à sua própria libertação. Então a mente torna-se uma obediente e devotada servidora do Īśvara – o comandante supremo estabelecido na fortaleza de nosso coração.

20. *Bhagavad Gītā*, capítulo 8, verso 4.

॥ भगवद्गीता ॥

|| bhagavadgītā ||

॥ ॐ श्री परमात्मने नमः ॥

|| OM śrī paramātmane namaḥ ||

॥ अथ श्रीमद्भगवद्गीता ॥

|| atha śrīmadbhagavadgītā ||

Bhagavad Gītā

OM

Saudações ao sagrado supremo ātmā*!*

Eis a venerável Canção do Bhagavān

अथ प्रथमोऽध्यायः ।

atha prathamo'dhyāyaḥ |

अर्जुनविषादयोगः

arjunaviṣādayogaḥ

धृतराष्ट्र उवाच ।
dhṛtarāṣṭra uvāca |

धर्मक्षेत्रे कुरुक्षेत्रे समवेता युयुत्सवः ।
dharmakṣetre kurukṣetre samavetā yuyutsavaḥ |

मामकाः पाण्डवाश्चैव किमकुर्वत सञ्जय ॥ १-१ ॥
māmakāḥ pāṇḍavāścaiva kimakurvata sañjaya || 1-1 ||

सञ्जय उवाच ।
sañjaya uvāca |

दृष्ट्वा तु पाण्डवानीकं व्यूढं दुर्योधनस्तदा ।
dṛṣṭvā tu pāṇḍavānīkaṁ vyūḍhaṁ duryodhanastadā |

आचार्यमुपसंगम्य राजा वचनमब्रवीत् ॥ १-२ ॥
ācāryamupasaṁgamya rājā vacanamabravīt || 1-2 ||

पश्यैतां पाण्डुपुत्राणामाचार्य महतीं चमूम् ।
paśyaitāṁ pāṇḍuputrāṇāmācārya mahatīṁ camūm |

व्यूढां द्रुपदपुत्रेण तव शिष्येण धीमता ॥ १-३ ॥
vyūḍhāṁ drupadaputreṇa tava śiṣyeṇa dhīmatā || 1-3 ||

अत्र शूरा महेष्वासा भीमार्जुनसमा युधि ।
atra śūrā maheṣvāsā bhīmārjunasamā yudhi |

युयुधानो विराटश्च द्रुपदश्च महारथः ॥ १-४ ॥
yuyudhāno virāṭaśca drupadaśca mahārathaḥ || 1-4 ||

Primeiro capítulo

A tristeza de Arjuna

Dhṛtarāṣṭra disse:

1. No campo do Dharma,
no campo dos *Kurus,*
reunidos e prontos para a batalha,
o que fizeram os meus e os *Pāṇḍavas,*
ó Sañjaya?

Sañjaya disse:

2. O rei Duryodhana, no entanto,
tendo visto naquele momento
o exército dos *Pāṇḍavas* organizado
(no campo de batalha),
tendo se aproximado respeitosamente
de seu mestre (Droṇa),
disse esta fala:

3. Vê, mestre,
este grandioso exército
dos filhos de Paṇḍu,
organizado pelo teu inteligente discípulo,
o filho de Drupada.

4. Aqui estão guerreiros
e grandes arqueiros,
semelhantes na batalha a Bhīma e Arjuna:
Yuyudhana, Virāṭa, Drupada,
o grande condutor de carros de batalha,

धृष्टकेतुश्चेकितानः काशिराजश्च वीर्यवान् ।
dhṛṣṭaketuścekitānaḥ kāśirājaśca vīryavān |

पुरुजित्कुन्तिभोजश्च शैब्यश्च नरपुंगवः ॥ १-५ ॥
purujitkuntibhojaśca śaibyaśca narapuṁgavaḥ || 1-5 ||

युधामन्युश्च विक्रान्त उत्तमौजाश्च वीर्यवान् ।
yudhāmanyuśca vikrānta uttamaujāśca vīryavān |

सौभद्रो द्रौपदेयाश्च सर्व एव महारथाः ॥ १-६ ॥
saubhadro draupadeyāśca sarva eva mahārathāḥ || 1-6 ||

अस्माकं तु विशिष्टा ये तान्निबोध द्विजोत्तम ।
asmākaṁ tu viśiṣṭā ye tānnibodha dvijottama |

नायका मम सैन्यस्य संज्ञार्थं तान्ब्रवीमि ते ॥ १-७ ॥
nāyakā mama sainyasya saṁjñārthaṁ tānbravīmi te || 1-7 ||

भवान्भीष्मश्च कर्णश्च कृपश्च समितिञ्जयः ।
bhavānbhīṣmaśca karṇaśca kṛpaśca samitiñjayaḥ |

अश्वत्थामा विकर्णश्च सौमदत्तिस्तथैव च ॥ १-८ ॥
aśvatthāmā vikarṇaśca saumadattistathaiva ca || 1-8 ||

अन्ये च बहवः शूरा मदर्थे त्यक्तजीविताः ।
anye ca bahavaḥ śūrā madarthe tyaktajīvitāḥ |

नानाशस्त्रप्रहरणाः सर्वे युद्धविशारदाः ॥ १-९ ॥
nānāśastrapraharaṇāḥ sarve yuddhaviśāradāḥ || 1-9 ||

अपर्याप्तं तदस्माकं बलं भीष्माभिरक्षितम् ।
aparyāptaṁ tadasmākaṁ balaṁ bhīṣmābhirakṣitam |

पर्याप्तं त्विदमेतेषां बलं भीमाभिरक्षितम् ॥ १-१० ॥
paryāptaṁ tvidameteṣāṁ balaṁ bhīmābhirakṣitam || 1-10 ||

अयनेषु च सर्वेषु यथाभागमवस्थिताः ।
ayaneṣu ca sarveṣu yathābhāgamavasthitāḥ |

भीष्ममेवाभिरक्षन्तु भवन्तः सर्व एव हि ॥ १-११ ॥
bhīṣmamevābhirakṣantu bhavantaḥ sarva eva hi || 1-11 ||

5. Dhṛṣṭaketu, Chekitāna
e o poderoso rei de Kāśi (Varanasi),
Purujit e Kuntibhoja e o rei dos *Shibis*,
um touro entre os homens,

6. E o corajoso Yudhamanyu,
e o poderoso Uttamaujas, o filho de Subhadra
e os filhos de Draupadi, todos de fato
grandes guerreiros em carros de batalha.

7. Sabe também aqueles
que se destacam entre os nossos,
ó melhor entre os *brāhmanes*.
Falo (agora) para ti, para que saibas,
os líderes de minhas tropas.

8. O senhor (Droṇa), Bhīṣma, Karṇa
e Kṛpa, vencedor nas batalhas,
Aśvatthāmā e Vikarṇa,
assim como o filho de Somadatta, também.

9. Muitos outros guerreiros,
prontos para dar suas vidas por mim,
todos eles combatentes
com inúmeras armas,
experientes na guerra.

10. Insuficiente, a nossa força
está guardada por Bhīṣma.
Mas a força completa destes aqui
está guardada por Bhīma.

11. E em todas as passagens,
em cuja proximidade estão estabelecidos,
(que os nossos guerreiros)
protejam apenas Bhīṣma, por certo!

तस्य सञ्जनयन्हर्षं कुरुवृद्धः पितामहः ।
tasya sañjanayanharṣaṁ kuruvṛddhaḥ pitāmahaḥ |

सिंहनादं विनद्योच्चैः शङ्खं दध्मौ प्रतापवान् ॥ १-१२ ॥
siṁhanādaṁ vinadyoccaiḥ śaṅkhaṁ dadhmau pratāpavān || 1-12 ||

ततः शङ्खाश्च भेर्यश्च पणवानकगोमुखाः ।
tataḥ śaṅkhāśca bheryaśca paṇavānakagomukhāḥ |

सहसैवाभ्यहन्यन्त स शब्दस्तुमुलोऽभवत् ॥ १-१३ ॥
sahasaivābhyahanyanta sa śabdastumulo'bhavat || 1-13 ||

ततः श्वेतैर्हयैर्युक्ते महति स्यन्दने स्थितौ ।
tataḥ śvetairhayairyukte mahati syandane sthitau |

माधवः पाण्डवश्चैव दिव्यौ शङ्खौ प्रदध्मतुः ॥ १-१४ ॥
mādhavaḥ pāṇḍavaścaiva divyau śaṅkhau pradadhmatuḥ || 1-14 ||

पाञ्चजन्यं हृषीकेशो देवदत्तं धनञ्जयः ।
pāñcajanyaṁ hṛṣīkeśo devadattaṁ dhanañjayaḥ |

पौण्ड्रं दध्मौ महाशङ्खं भीमकर्मा वृकोदरः ॥ १-१५ ॥
pauṇḍraṁ dadhmau mahāśaṅkhaṁ bhīmakarmā vṛkodaraḥ || 1-15 ||

अनन्तविजयं राजा कुन्तीपुत्रो युधिष्ठिरः ।
anantavijayaṁ rājā kuntīputro yudhiṣṭhiraḥ |

नकुलः सहदेवश्च सुघोषमणिपुष्पकौ ॥ १-१६ ॥
nakulaḥ sahadevaśca sughoṣamaṇipuṣpakau || 1-16 ||

काश्यश्च परमेष्वासः शिखण्डी च महारथः ।
kāśyaśca parameṣvāsaḥ śikhaṇḍī ca mahārathaḥ |

धृष्टद्युम्नो विराटश्च सात्यकिश्चापराजितः ॥ १-१७ ॥
dhṛṣṭadyumno virāṭaśca sātyakiścāparājitaḥ || 1-17 ||

द्रुपदो द्रौपदेयाश्च सर्वशः पृथिवीपते ।
drupado draupadeyāśca sarvaśaḥ pṛthivīpate |

सौभद्रश्च महाबाहुः शङ्खान्दध्मुः पृथक्पृथक् ॥ १-१८ ॥
saubhadraśca mahābāhuḥ śaṅkhāndadhmuḥ pṛthakpṛthak || 1-18 ||

12. Fazendo nascer empolgação,
seu avô (Bhīṣma), o ancião dos *Kurus,*
tendo gritado bem alto o rugido de um leão,
soou seu búzio, majestoso.

13. Então, imediatamente,
foram tocados búzios e tamboretes (*bherī*),
címbalos (*paṇava*), tambores (*ānaka*)
e trombetas (*gomukha*).
Aquele som era um tumulto!

14. Então, assentados num grande carro de guerra
atrelado a cavalos brancos,
o descendente de Madhu (*Kṛṣṇa*)
e o filho de Paṇḍu (Arjuna)
soaram seus búzios divinos.

15. Hṛṣīkeśa (Kṛṣṇa) (soou) Panchajanya.
Dhanañjaya (soou) Devadatta.
Vrikodara ("barriga de lobo", Bhīma) das ações
terríveis soou o enorme búzio Paundra.

16. O filho de Kunti,
o rei Yudhishthira (soou)
Anantavijaya, Nakula e Sahadeva (soaram)
Sughosha e Manipushpaka.

17. O rei de Kashi, supremo arqueiro,
e Shikhandin, do grande carro de guerra,
Drishtadyumna e Virāṭa,
e Satyaki, jamais vencido,

18. Drupada e os filhos de Draupadi,
todos juntos, ó senhor da terra,
e Saubhadra, dos braços fortes,
soaram os búzios, um a um.

स घोषो धार्तराष्ट्राणां हृदयानि व्यदारयत् ।
sa ghoṣo dhārtarāṣṭrāṇāṁ hṛdayāni vyadārayat |

नभश्च पृथिवीं चैव तुमुलोऽभ्यनुनादयन् ॥ १-१९ ॥
nabhaśca pṛthivīṁ caiva tumulo'bhyanunādayan || 1-19 ||

अथ व्यवस्थितान्दृष्ट्वा धार्तराष्ट्रान्कपिध्वजः ।
atha vyavasthitāndṛṣṭvā dhārtarāṣṭrānkapidhvajaḥ |

प्रवृत्ते शस्त्रसम्पाते धनुरुद्यम्य पाण्डवः ॥ १-२० ॥
pravṛtte śastrasampāte dhanurudyamya pāṇḍavaḥ || 1-20 ||

हृषीकेशं तदा वाक्यमिदमाह महीपते ।
hṛṣīkeśaṁ tadā vākyamidamāha mahīpate |

अर्जुन उवाच ।
arjuna uvāca |

सेनयोरुभयोर्मध्ये रथं स्थापय मेऽच्युत ॥ १-२१ ॥
senayorubhayormadhye rathaṁ sthāpaya me'cyuta || 1-21 ||

यावदेतान्निरीक्षेऽहं योद्धुकामानवस्थितान् ।
yāvadetānnirīkṣe'haṁ yoddhukāmānavasthitān |

कैर्मया सह योद्धव्यमस्मिन्रणसमुद्यमे ॥ १-२२ ॥
kairmayā saha yoddhavyamasminraṇasamudyame || 1-22 ||

योत्स्यमानानवेक्षेऽहं य एतेऽत्र समागताः ।
yotsyamānānavekṣe'haṁ ya ete'tra samāgatāḥ |

धार्तराष्ट्रस्य दुर्बुद्धेर्युद्धे प्रियचिकीर्षवः ॥ १-२३ ॥
dhārtarāṣṭrasya durbuddheryuddhe priyacikīrṣavaḥ || 1-23 ||

सञ्जय उवाच ।
sañjaya uvāca |

एवमुक्तो हृषीकेशो गुडाकेशेन भारत ।
evamukto hṛṣīkeśo guḍākeśena bhārata |

सेनयोरुभयोर्मध्ये स्थापयित्वा रथोत्तमम् ॥ १-२४ ॥
senayorubhayormadhye sthāpayitvā rathottamam || 1-24 ||

19. Esse grande barulho fez enfraquecerem
os corações dos (guerreiros) de Dhṛtarāṣṭra,
o tumulto fazendo ressoar
até mesmo o céu e a terra.

20. Eis que, tendo visto os (guerreiros)
de Dhṛtarāṣṭra organizados
naquele que se tornava
o ponto de confluência das armas,
o Pāṇḍava que tem o macaco por estandarte
(Arjuna) tendo erguido seu arco,

21. ...Disse, então, esta fala para Hṛṣīkeśa,
ó grande senhor:

Arjuna disse:

"Ó Acyuta (Kṛṣṇa), coloca para mim
o carro entre ambos os exércitos..."

22. "...De tal maneira que eu possa ver
estes (soldados) assentados,
desejosos por combater.
Quais, por mim devem ser combatidos?"

23. "Quero descobrir dentre estes
que aqui se reúnem e que combaterão,
aqueles que em combate
desejam agradar o filho perverso
de Dhṛtarāṣṭra (Duryoddhana)."

Sañjaya disse:

24. Tendo assim falado Guḍākeśa (Arjuna)
a Hṛṣīkeśa, ó Bhārata,
este colocou o carro principal
entre os dois exércitos.

भीष्मद्रोणप्रमुखतः सर्वेषां च महीक्षिताम् ।
bhīṣmadroṇapramukhataḥ sarveṣāṁ ca mahīkṣitām |

उवाच पार्थ पश्यैतान्समवेतान्कुरूनिति ॥ १-२५ ॥
uvāca pārtha paśyaitānsamavetānkurūniti || 1-25 ||

तत्रापश्यत्स्थितान्पार्थः पितॄनथ पितामहान् ।
tatrāpaśyatsthitānpārthaḥ pitṝnatha pitāmahān |

आचार्यान्मातुलान्भ्रातृन्पुत्रान्पौत्रान्सखींस्तथा ॥ १-२६ ॥
ācāryānmātulānbhrātṛnputrānpautrānsakhīṁstathā || 1-26 ||

श्वशुरान्सुहृदश्चैव सेनयोरुभयोरपि ।
śvaśurānsuhṛdaścaiva senayorubhayorapi |

तान्समीक्ष्य स कौन्तेयः सर्वान्बन्धूनवस्थितान् ॥ १-२७ ॥
tānsamīkṣya sa kaunteyaḥ sarvānbandhūnavasthitān || 1-27 ||

कृपया परयाविष्टो विषीदन्निदमब्रवीत् ।
kṛpayā parayāviṣṭo viṣīdannidamabravīt |

अर्जुन उवाच ।
arjuna uvāca |

दृष्ट्वेमं स्वजनं कृष्ण युयुत्सुं समुपस्थितम् ॥ १-२८ ॥
dṛṣṭvemaṁ svajanaṁ kṛṣṇa yuyutsuṁ samupasthitam || 1-28 ||

सीदन्ति मम गात्राणि मुखं च परिशुष्यति ।
sīdanti mama gātrāṇi mukhaṁ ca pariśuṣyati |

वेपथुश्च शरीरे मे रोमहर्षश्च जायते ॥ १-२९ ॥
vepathuśca śarīre me romaharṣaśca jāyate || 1-29 ||

गाण्डीवं स्रंसते हस्तात्त्वक्चैव परिदह्यते ।
gāṇḍīvaṁ sraṁsate hastāttvakcaiva paridahyate |

न च शक्नोम्यवस्थातुं भ्रमतीव च मे मनः ॥ १-३० ॥
na ca śaknomyavasthātuṁ bhramatīva ca me manaḥ || 1-30 ||

निमित्तानि च पश्यामि विपरीतानि केशव ।
nimittāni ca paśyāmi viparītāni keśava |

न च श्रेयोऽनुपश्यामि हत्वा स्वजनमाहवे ॥ १-३१ ॥
na ca śreyo'nupaśyāmi hatvā svajanamāhave || 1-31 ||

25. Diante de Bhīṣma, Droṇa
e de todos os reis, disse:
"vê, Pārtha (Arjuna),
estes *Kurus* reunidos".

26. Pārtha (Arjuna) viu então, lá parados,
pais, avós, mestres, tios, irmãos, filhos,
assim como amigos,

27. Sogros, e ainda companheiros,
também, em ambos os exércitos.
Kaunteya (Arjuna), tendo observado
todos aqueles conhecidos perfilados,

28. Tomado de profunda piedade,
deprimido, falou isto:

Arjuna disse:

Tendo visto, ó Kṛṣṇa, esta minha gente[1]
perfilada para a batalha,

29. Meus membros desfalecem,
minha boca seca, há tremores em meu corpo
e os pelos de meu corpo se eriçam.

30. Gāṇḍīva (o arco de Arjuna)
cai de minha mão
e minha pele se queima toda,
nem consigo me firmar,
e minha mente se agita.

31. E vejo sinais desfavoráveis,
ó Keśava (Kṛṣṇa),
e nenhum auspicioso percebo
tendo matado minha gente em batalha.

1. "*Svajanam*" – literalmente "sua própria pessoa", é um termo abstrato que se refere, no singular, ao conjunto de parentes, amigos e súditos leais. Para melhor compreensão do seu sentido, optamos pela forma "minha gente".

न काङ्क्षे विजयं कृष्ण न च राज्यं सुखानि च ।
na kāṅkṣe vijayaṁ kṛṣṇa na ca rājyaṁ sukhāni ca |

किं नो राज्येन गोविन्द किं भोगैर्जीवितेन वा ॥ १-३२ ॥
kiṁ no rājyena govinda kiṁ bhogairjīvitena vā || 1-32 ||

येषामर्थे काङ्क्षितं नो राज्यं भोगाः सुखानि च ।
yeṣāmarthe kāṅkṣitaṁ no rājyaṁ bhogāḥ sukhāni ca |

त इमेऽवस्थिता युद्धे प्राणांस्त्यक्त्वा धनानि च ॥ १-३३ ॥
ta ime'vasthitā yuddhe prāṇāṁstyaktvā dhanāni ca || 1-33 ||

आचार्याः पितरः पुत्रास्तथैव च पितामहाः ।
ācāryāḥ pitaraḥ putrāstathaiva ca pitāmahāḥ |

मातुलाः श्वशुराः पौत्राः श्यालाः सम्बन्धिनस्तथा ॥ १-३४ ॥
mātulāḥ śvaśurāḥ pautrāḥ śyālāḥ sambandhinastathā || 1-34 ||

एतान्न हन्तुमिच्छामि घ्नतोऽपि मधुसूदन ।
etānna hantumicchāmi ghnato'pi madhusūdana |

अपि त्रैलोक्यराज्यस्य हेतोः किं नु महीकृते ॥ १-३५ ॥
api trailokyarājyasya hetoḥ kiṁ nu mahīkṛte || 1-35 ||

निहत्य धार्तराष्ट्रान्नः का प्रीतिः स्याज्जनार्दन ।
nihatya dhārtarāṣṭrānnaḥ kā prītiḥ syājjanārdana |

पापमेवाश्रयेदस्मान्हत्वैतानाततायिनः ॥ १-३६ ॥
pāpamevāśrayedasmānhatvaitānātatāyinaḥ || 1-36 ||

तस्मान्नार्हा वयं हन्तुं धार्तराष्ट्रान्स्वबान्धवान् ।
tasmānnārhā vayaṁ hantuṁ dhārtarāṣṭrānsvabāndhavān |

स्वजनं हि कथं हत्वा सुखिनः स्याम माधव ॥ १-३७ ॥
svajanaṁ hi kathaṁ hatvā sukhinaḥ syāma mādhava || 1-37 ||

यद्यप्येते न पश्यन्ति लोभोपहतचेतसः ।
yadyapyete na paśyanti lobhopahatacetasaḥ |

कुलक्षयकृतं दोषं मित्रद्रोहे च पातकम् ॥ १-३८ ॥
kulakṣayakṛtaṁ doṣaṁ mitradrohe ca pātakam || 1-38 ||

32. Não desejo a vitória, ó Kṛṣṇa,
nem a realeza nem os confortos.
O que vem, para nós, pela realeza,
ó Govinda (Kṛṣṇa)?
O que vem pelo desfrute ou pela vida?

33. Aqueles em cujo interesse
são desejados por nós a realeza,
os desfrutes e os confortos, eles mesmos
estão presentes nesta guerra,
tendo renunciado às suas vidas e aos seus bens.

34. Mestres, pais, filhos, assim como também avós,
tios, sogros, netos, genros e (outros) parentes,

35. Estes não quero matar,
ainda que sejam matadores[2],
ó Madhusūdana (Kṛṣṇa),
mesmo que fosse para obter o reinado
sobre os três mundos,
muito menos ainda por um reino terrestre.

36. Que alegria poderia haver para nós,
ó Janārdana (Kṛṣṇa),
tendo destruído os (aliados) de Dhṛtarāṣṭra?
Apenas o pecado vai se juntar a nós,
tendo matado esses matadores.

37. Por isso não temos o direito de matar
nossos parentes aliados de Dhṛtarāṣṭra.
Como podemos estar confortáveis,
ó Mādhava (Kṛṣṇa), tendo matado nossa gente?

38. E ainda se estes não enxergam,
com a consciência obscurecida pela cobiça,
o erro da destruição de uma família
e o crime da traição aos amigos,

2. "*Ghnat*" – matador, é o guerreiro que se preparou para o combate.

कथं न ज्ञेयमस्माभिः पापादस्मान्निवर्तितुम् ।
katham na jñeyamasmābhiḥ pāpādasmānnivartitum |

कुलक्षयकृतं दोषं प्रपश्यद्भिर्जनार्दन ॥ १-३९ ॥
kulakṣayakṛtaṁ doṣaṁ prapaśyadbhirjanārdana || 1-39 ||

कुलक्षये प्रणश्यन्ति कुलधर्माः सनातनाः ।
kulakṣaye praṇaśyanti kuladharmāḥ sanātanāḥ |

धर्मे नष्टे कुलं कृत्स्नमधर्मोऽभिभवत्युत ॥ १-४० ॥
dharme naṣṭe kulaṁ kṛtsnamadharmo'bhibhavatyuta || 1-40 ||

अधर्माभिभवात्कृष्ण प्रदुष्यन्ति कुलस्त्रियः ।
adharmābhibhavātkṛṣṇa praduṣyanti kulastriyaḥ |

स्त्रीषु दुष्टासु वार्ष्णेय जायते वर्णसङ्करः ॥ १-४१ ॥
strīṣu duṣṭāsu vārṣṇeya jāyate varṇasaṅkaraḥ || 1-41 ||

सङ्करो नरकायैव कुलघ्नानां कुलस्य च ।
saṅkaro narakāyaiva kulaghnānāṁ kulasya ca |

पतन्ति पितरो ह्येषां लुप्तपिण्डोदकक्रियाः ॥ १-४२ ॥
patanti pitaro hyeṣāṁ luptapiṇḍodakakriyāḥ || 1-42 ||

दोषैरेतैः कुलघ्नानां वर्णसङ्करकारकैः ।
doṣairetaiḥ kulaghnānāṁ varṇasaṅkarakārakaiḥ |

उत्साद्यन्ते जातिधर्माः कुलधर्माश्च शाश्वताः ॥ १-४३ ॥
utsādyante jātidharmāḥ kuladharmāśca śāśvatāḥ || 1-43 ||

उत्सन्नकुलधर्माणां मनुष्याणां जनार्दन ।
utsannakuladharmāṇāṁ manuṣyāṇāṁ janārdana |

नरके नियतं वासो भवतीत्यनुशुश्रुम ॥ १-४४ ॥
narake niyataṁ vāso bhavatītyanuśuśruma || 1-44 ||

अहो बत महत्पापं कर्तुं व्यवसिता वयम् ।
aho bata mahatpāpaṁ kartuṁ vyavasitā vayam |

यद्राज्यसुखलोभेन हन्तुं स्वजनमुद्यताः ॥ १-४५ ॥
yadrājyasukhalobhena hantuṁ svajanamudyatāḥ || 1-45 ||

39. Como o erro da destruição da família
não seria reconhecido por nós,
com (nossa) sensibilidade,
para nos fazer livres do pecado, ó Janārdana?

40. Na destruição da família,
são destruídos os *dharmas* eternos da família.[3]
Na destruição do *dharma*,
o *adharma* se dissemina pela família inteira, de fato.

41. Por causa da disseminação do *adharma*, ó Kṛṣṇa,
as mulheres da família se corrompem.
Na decadência das mulheres,
ó Vārṣṇeya (Kṛṣṇa),
nasce a mistura de castas.[4]

42. Essa mistura é (a condução)
para o inferno (*Naraka*)
dos destruidores da família e da própria família.
Decaem os antepassados pela falta
das oferendas rituais de água e bolinho de arroz.[5]

43. Por causa dos erros destes,
dos destruidores da família,
pelos quais se perpetua a mistura de castas
são destruídos os *dharmas* de guilda (*Jātidharma*)
e os *dharmas* de família (*kuladharma*) eternos.

44. "A residência dos homens
cujo *dharma* de família foi destruído
está restrita ao inferno (*Naraka*)",
assim ouvimos (da tradição), ó Janārdana.

45. Ai, ai, nós resolvemos fazer um grande pecado,
que pela cobiça do conforto e da realeza,
estamos preparados para matar nossa gente!

3. Os *dharmas* da família são as tradições que preservam a sabedoria dos ancestrais, e que representam as qualidades únicas daquela família. Em certo sentido são a alma de uma família, que lhe dá a força e a continuidade no tempo. Por essa razão cada *dharma* familiar é definido como eterno (*sanatana dharma*), mas não como indestrutível.

4. Este verso ilustra a crença hindu de que a elevação moral de uma mulher depende em grande medida de sua obediência às normas familiares, definidas pelas tradições herdadas dos antepassados. A falta dessas normas descaracteriza a ordem social e começa a haver a confusão entre as castas – as diferenças entre elas deixam de existir. O texto fala em "*varṇa*" ("cor" ou "casta"), mas engloba outras instâncias do conceito de casta, como "*gotra*" (família espiritual) ou "*jāti*" ("casta" de ofício, uma guilda).

5. As oferendas rituais mantêm vivos, entre os deuses, os espíritos dos antepassados, até pelo menos o décimo quarto grau de parentesco. Sem esses ritos familiares, até mesmo os espíritos dos antepassados caem, desonrados por seus descendentes.

यदि मामप्रतीकारमशस्त्रं शस्त्रपाणयः ।
yadi māmapratīkāramaśastraṁ śastrapāṇayaḥ |

धार्तराष्ट्रा रणे हन्युस्तन्मे क्षेमतरं भवेत् ॥ १-४६ ॥
dhārtarāṣṭrā raṇe hanyustanme kṣemataraṁ bhavet || 1-46 ||

सञ्जय उवाच ।
sañjaya uvāca |

एवमुक्त्वार्जुनः सङ्ख्ये रथोपस्थ उपाविशत् ।
evamuktvārjunaḥ saṅkhye rathopastha upāviśat |

विसृज्य सशरं चापं शोकसंविग्नमानसः ॥ १-४७ ॥
visṛjya saśaraṁ cāpaṁ śokasaṁvignamānasaḥ || 1-47 ||

ॐ तत्सदिति श्रीमद्भगवद्गीतायामुपनिषदि
OM tatsaditi śrīmadbhagavadgītāyāmupaniṣadi

ब्रह्मविद्यायां योगशास्त्रे श्रीकृष्णार्जुनसंवादे
brahmavidyāyāṁ yogaśāstre śrīkṛṣṇārjunasaṁvāde

अर्जुनविषादयोगो नाम प्रथमोऽध्यायः ॥ १ ॥
arjunaviṣādayogo nāma prathamo'dhyāyaḥ || 1 ||

46. Se os guerreiros armados de Dhṛtarāṣṭra
pudessem me matar,
irremediavelmente desarmado
no campo de batalha,
isso poderia ser, para mim, mais confortante.

Sañjaya disse:

47. Tendo falado assim,
Arjuna sentou-se no seu carro,
no campo de batalha,
o arco com a flecha pronta,
a mente agitada pela tristeza.

OM tat sat!

Assim (termina)
na venerável *Bhagavad Gītā Upaniṣad,*
na sabedoria dos *mantras* (*Brahmavidyā*),
no tratado de Yoga,
no diálogo entre o senhor Kṛṣṇa e Arjuna,
o primeiro capítulo,
denominado "o yoga da tristeza de Arjuna".

अथ द्वितीयोऽध्यायः ।

atha dvitīyo'dhyāyaḥ |

साङ्ख्ययोगः

sāṅkhyayogaḥ

सञ्जय उवाच ।

sañjaya uvāca |

तं तथा कृपयाविष्टमश्रुपूर्णाकुलेक्षणम् ।
taṁ tathā kṛpayāviṣṭamaśrupūrṇākulekṣaṇam |

विषीदन्तमिदं वाक्यमुवाच मधुसूदनः ॥ २-१ ॥
viṣīdantamidaṁ vākyamuvāca madhusūdanaḥ || 2-1 ||

श्रीभगवानुवाच ।

śrībhagavānuvāca |

कुतस्त्वा कश्मलमिदं विषमे समुपस्थितम् ।
kutastvā kaśmalamidaṁ viṣame samupasthitam |

अनार्यजुष्टमस्वर्ग्यमकीर्तिकरमर्जुन ॥ २-२ ॥
anāryajuṣṭamasvargyamakīrtikaramarjuna || 2-2 ||

क्लैब्यं मा स्म गमः पार्थ नैतत्त्वय्युपपद्यते ।
klaibyaṁ mā sma gamaḥ pārtha naitattvayyupapadyate |

क्षुद्रं हृदयदौर्बल्यं त्यक्त्वोत्तिष्ठ परन्तप ॥ २-३ ॥
kṣudraṁ hṛdayadaurbalyaṁ tyaktvottiṣṭha parantapa || 2-3 ||

अर्जुन उवाच ।

arjuna uvāca |

कथं भीष्ममहं सङ्ख्ये द्रोणं च मधुसूदन ।
kathaṁ bhīṣmamahaṁ saṅkhye droṇaṁ ca madhusūdana |

इषुभिः प्रतियोत्स्यामि पूजार्हावरिसूदन ॥ २-४ ॥
iṣubhiḥ pratiyotsyāmi pūjārhāvarisūdana || 2-4 ||

Segundo capítulo
A enumeração (*Sāṅkhya*)

Sañjaya disse:

1. A ele que estava entristecido,
invadido pela compaixão,
com o olhar transbordante de lágrimas,
Madhusūdana (Kṛṣṇa) disse estas palavras:

Senhor Bhagavān disse:

2. De onde, no momento da dificuldade,
se assenta em ti esta fraqueza de ânimo,
indesejável para um nobre,
não conducente ao céu,
e inglória, ó Arjuna?

3. Não caminhes com a covardia,
ó Pārtha (Arjuna),
isto não é adequado para ti.
Tendo abandonado
(essa) diminuta fraqueza do coração,
levanta-te, ó destruidor de inimigos!

Arjuna disse:

4. Como, ó Madhusūdana (Kṛṣṇa),
posso eu responder com flechas
a Bhīṣma e Droṇa, na batalha,
ambos dignos de veneração?
Ó destruidor de inimigos.

गुरूनहत्वा हि महानुभावान् श्रेयो भोक्तुं भैक्ष्यमपीह लोके ।
gurūnahatvā hi mahānubhāvān śreyo bhoktuṁ bhaikṣyamapīha loke |

हत्वार्थकामांस्तु गुरूनिहैव भुञ्जीय भोगान्रुधिरप्रदिग्धान् ॥ २-५ ॥
hatvārthakāmāṁstu gurūnihaiva bhuñjīya bhogānrudhirapradigdhān || 2-5 ||

न चैतद्विद्मः कतरन्नो गरीयो यद्वा जयेम यदि वा नो जयेयुः ।
na caitadvidmaḥ kataranno garīyo yadvā jayema yadi vā no jayeyuḥ |

यानेव हत्वा न जिजीविषामः तेऽवस्थिताः प्रमुखे धार्तराष्ट्राः ॥ २-६ ॥
yāneva hatvā na jijīviṣāmaḥ te'vasthitāḥ pramukhe dhārtarāṣṭrāḥ || 2-6 ||

कार्पण्यदोषोपहतस्वभावः पृच्छामि त्वां धर्मसम्मूढचेताः ।
kārpaṇyadoṣopahatasvabhāvaḥ pṛcchāmi tvāṁ dharmasammūḍhacetāḥ |

यच्छ्रेयः स्यान्निश्चितं ब्रूहि तन्मे
शिष्यस्तेऽहं शाधि मां त्वां प्रपन्नम् ॥ २-७ ॥
yacchreyaḥ syānniścitaṁ brūhi tanme
śiṣyaste'haṁ śādhi māṁ tvāṁ prapannam || 2-7 ||

न हि प्रपश्यामि ममापनुद्याद् यच्छोकमुच्छोषणमिन्द्रियाणाम् ।
na hi prapaśyāmi mamāpanudyād yacchokamucchoṣaṇamindriyāṇām |

अवाप्य भूमावसपत्नमृद्धं राज्यं सुराणामपि चाधिपत्यम् ॥ २-८ ॥
avāpya bhūmāvasapatnamṛddhaṁ rājyaṁ surāṇāmapi cādhipatyam || 2-8 ||

सञ्जय उवाच ।
sañjaya uvāca |

एवमुक्त्वा हृषीकेशं गुडाकेशः परन्तपः ।
evamuktvā hṛṣīkeśaṁ guḍākeśaḥ parantapaḥ |

न योत्स्य इति गोविन्दमुक्त्वा तूष्णीं बभूव ह ॥ २-९ ॥
na yotsya iti govindamuktvā tūṣṇīṁ babhūva ha || 2-9 ||

तमुवाच हृषीकेशः प्रहसन्निव भारत ।
tamuvāca hṛṣīkeśaḥ prahasanniva bhārata |

सेनयोरुभयोर्मध्ये विषीदन्तमिदं वचः ॥ २-१० ॥
senayorubhayormadhye viṣīdantamidaṁ vacaḥ || 2-10 ||

5. É melhor desfrutar
ainda que de esmolas neste mundo,
não tendo matado tais preceptores (gurus) generosos.
Tendo matado preceptores,
mesmo que eles estejam desejosos de riquezas,
(eu) só poderia gozar de desfrutes
manchados de sangue.

6. E isto não sabemos:
qual alternativa é melhor para nós,
se vencemos ou se nos vencem?
Aquelas pessoas que, por tê-las matado,
perderíamos o gosto pela vida,
são os aliados de Dhṛtarāṣṭra,
que estão bem diante de nós.

7. Com minha atitude afetada pelo erro
(do excesso de) piedade, com a inteligência
incapacitada para perceber o *Dharma*, te pergunto
– o que seria melhor, diz isso para mim, com clareza.
Eu sou teu discípulo. Corrige-me, estou entregue a ti.

8. Não vejo em mim nada que possa remover
essa tristeza que enfraquece meus sentidos,
(mesmo) tendo alcançado
uma próspera realeza sem rivais, na terra,
e também a soberania sobre os deuses.

Sañjaya disse:

9. Tendo assim falado a Hṛṣīkeśa (Kṛṣṇa),
Guḍākeśa (Arjuna), o destruidor de inimigos,
disse para Govinda (Kṛṣṇa) "não lutarei", e calou-se.

10. A ele, ali sentado entre os dois exércitos,
falou Hṛṣīkeśa, como que sorrindo,
ó Bhārata (Dhṛtarāṣṭra), estas palavras:

श्रीभगवानुवाच ।
śrībhagavānuvāca |

अशोच्यानन्वशोचस्त्वं प्रज्ञावादांश्च भाषसे ।
aśocyānanvaśocastvaṁ prajñāvādāṁśca bhāṣase |

गतासूनगतासूंश्च नानुशोचन्ति पण्डिताः ॥ २-११ ॥
gatāsūnagatāsūṁśca nānuśocanti paṇḍitāḥ || 2-11 ||

न त्वेवाहं जातु नासं न त्वं नेमे जनाधिपाः ।
na tvevāhaṁ jātu nāsaṁ na tvaṁ neme janādhipāḥ |

न चैव न भविष्यामः सर्वे वयमतः परम् ॥ २-१२ ॥
na caiva na bhaviṣyāmaḥ sarve vayamataḥ param || 2-12 ||

देहिनोऽस्मिन्यथा देहे कौमारं यौवनं जरा ।
dehino'sminyathā dehe kaumāraṁ yauvanaṁ jarā |

तथा देहान्तरप्राप्तिर्धीरस्तत्र न मुह्यति ॥ २-१३ ॥
tathā dehāntaraprāptirdhīrastatra na muhyati || 2-13 ||

मात्रास्पर्शास्तु कौन्तेय शीतोष्णसुखदुःखदाः ।
mātrāsparśāstu kaunteya śītoṣṇasukhaduḥkhadāḥ |

आगमापायिनोऽनित्यास्तांस्तितिक्षस्व भारत ॥ २-१४ ॥
āgamāpāyino'nityāstāṁstitikṣasva bhārata || 2-14 ||

यं हि न व्यथयन्त्येते पुरुषं पुरुषर्षभ ।
yaṁ hi na vyathayantyete puruṣaṁ puruṣarṣabha |

समदुःखसुखं धीरं सोऽमृतत्वाय कल्पते ॥ २-१५ ॥
samaduḥkhasukhaṁ dhīraṁ so'mṛtatvāya kalpate || 2-15 ||

नासतो विद्यते भावो नाभावो विद्यते सतः ।
nāsato vidyate bhāvo nābhāvo vidyate sataḥ |

उभयोरपि दृष्टोऽन्तस्त्वनयोस्तत्त्वदर्शिभिः ॥ २-१६ ॥
ubhayorapi dṛṣṭo'ntastvanayostattvadarśibhiḥ || 2-16 ||

अविनाशि तु तद्विद्धि येन सर्वमिदं ततम् ।
avināśi tu tadviddhi yena sarvamidaṁ tatam |

विनाशमव्ययस्यास्य न कश्चित्कर्तुमर्हति ॥ २-१७ ॥
vināśamavyayasyāsya na kaścitkartumarhati || 2-17 ||

Senhor Bhagavān disse:

11. Afliges-te por quem não merece tua aflição
e falas palavras de sabedoria,
(mas) os sábios[6] não se afligem
nem pelos mortos, nem pelos vivos.

12. No entanto, nunca eu deixei de existir,
nem tu nem estes reis, e também jamais
deixaremos de existir, todos nós, daqui para a frente.

13. Assim como o (espírito) encarnado tem,
neste corpo, a infância, a juventude (e) a velhice,
da mesma forma (ele) também obtém um outro corpo.
O sábio não se ilude quanto a isso.

14. Os contatos com a matéria,
porém, ó Kaunteya (Arjuna),
dão o frio, o calor, o prazer e o sofrimento.
Eles vêm e desaparecem, são impermanentes.
Sê paciente com eles, ó Bhārata.

15. Aquela pessoa que estes
(contatos com a matéria) de fato não perturbam,
ó melhor entre os homens (Arjuna),
e que permanece a mesma no sofrimento
e no prazer, este é o sábio.
(Ele) se prepara para a imortalidade.

16. Não há existência no não ser,
não há inexistência no ser.
Mas o limite entre esses dois é percebido
pelos que enxergam a verdade[7].

17. Mas saiba que é indestrutível aquilo
por meio de que todo este mundo é estendido.
A destruição deste imutável ninguém é capaz de fazer.

6. *Pânditas* – eruditos que, pelo estudo e pela prática, tornam-se referência de sabedoria para sua comunidade.

7. A palavra "verdade" (*tattvam*) pode ser traduzida também por "Natureza".

अन्तवन्त इमे देहा नित्यस्योक्ताः शरीरिणः।
antavanta ime dehā nityasyoktāḥ śarīriṇaḥ |

अनाशिनोऽप्रमेयस्य तस्माद्युध्यस्व भारत ॥ २-१८ ॥
anāśino'prameyasya tasmādyudhyasva bhārata || 2-18 ||

य एनं वेत्ति हन्तारं यश्चैनं मन्यते हतम्।
ya enaṁ vetti hantāraṁ yaścainaṁ manyate hatam |

उभौ तौ न विजानीतो नायं हन्ति न हन्यते ॥ २-१९ ॥
ubhau tau na vijānīto nāyaṁ hanti na hanyate || 2-19 ||

न जायते म्रियते वा कदाचिन्
नायं भूत्वा भविता वा न भूयः।
na jāyate mriyate vā kadācin
nāyaṁ bhūtvā bhavitā vā na bhūyaḥ |

अजो नित्यः शाश्वतोऽयं पुराणो
न हन्यते हन्यमाने शरीरे ॥ २-२० ॥
ajo nityaḥ śāśvato'yaṁ purāṇo
na hanyate hanyamāne śarīre || 2-20 ||

वेदाविनाशिनं नित्यं य एनमजमव्ययम्।
vedāvināśinaṁ nityaṁ ya enamajamavyayam |

कथं स पुरुषः पार्थ कं घातयति हन्ति कम् ॥ २-२१ ॥
kathaṁ sa puruṣaḥ pārtha kaṁ ghātayati hanti kam || 2-21 ||

वासांसि जीर्णानि यथा विहाय नवानि गृह्णाति नरोऽपराणि।
vāsāṁsi jīrṇāni yathā vihāya navāni gṛhṇāti naro'parāṇi |

तथा शरीराणि विहाय जीर्णानि
अन्यानि संयाति नवानि देही ॥ २-२२ ॥
tathā śarīrāṇi vihāya jīrṇāni
anyāni saṁyāti navāni dehī || 2-22 ||

नैनं छिन्दन्ति शस्त्राणि नैनं दहति पावकः।
nainaṁ chindanti śastrāṇi nainaṁ dahati pāvakaḥ |

न चैनं क्लेदयन्त्यापो न शोषयति मारुतः ॥ २-२३ ॥
na cainaṁ kledayantyāpo na śoṣayati mārutaḥ || 2-23 ||

18. São limitados, se diz,
estes corpos do eterno (espírito) encarnado,
indestrutível, imensurável.
Por essa razão, luta, ó Bhārata.

19. Aquele que se acha matador
e aquele que pensa que é morto,
ambos não compreendem.
Este (espírito) não mata nem é morto.

20. Não nasce nem morre jamais.
Este (espírito), tendo surgido (uma vez),
não surge uma outra vez.
Não nascido, eterno, imutável,
este (espírito) antigo não é morto,
no corpo que morre.

21. Aquele que percebe
como indestrutível, eterno,
este (espírito) não nascido, imutável,
como pode essa pessoa,
ó Pārtha (Arjuna),
fazer que alguém seja morto,
ou matar alguém?

22. Da mesma forma como um homem,
tendo abandonado
(suas) vestimentas envelhecidas
pega outras, novas, assim também,
tendo abandonado seus corpos envelhecidos,
o encarnado (espírito) se move para outros, novos.

23. As espadas não o cortam.
O fogo não o queima.
E não o molham as águas,
nem o vento o seca.

अच्छेद्योऽयमदाह्योऽयमक्लेद्योऽशोष्य एव च ।
acchedyo'yamadāhyo'yamakledyo'śoṣya eva ca |

नित्यः सर्वगतः स्थाणुरचलोऽयं सनातनः ॥ २-२४ ॥
nityaḥ sarvagataḥ sthāṇuracalo'yaṁ sanātanaḥ || 2-24 ||

अव्यक्तोऽयमचिन्त्योऽयमविकार्योऽयमुच्यते ।
avyakto'yamacintyo'yamavikāryo'yamucyate |

तस्मादेवं विदित्वैनं नानुशोचितुमर्हसि ॥ २-२५ ॥
tasmādevaṁ viditvainaṁ nānuśocitumarhasi || 2-25 ||

अथ चैनं नित्यजातं नित्यं वा मन्यसे मृतम् ।
atha cainaṁ nityajātaṁ nityaṁ vā manyase mṛtam |

तथापि त्वं महाबाहो नैवं शोचितुमर्हसि ॥ २-२६ ॥
tathāpi tvaṁ mahābāho naivaṁ śocitumarhasi || 2-26 ||

जातस्य हि ध्रुवो मृत्युर्ध्रुवं जन्म मृतस्य च ।
jātasya hi dhruvo mṛtyurdhruvaṁ janma mṛtasya ca |

तस्मादपरिहार्येऽर्थे न त्वं शोचितुमर्हसि ॥ २-२७ ॥
tasmādaparihārye'rthe na tvaṁ śocitumarhasi || 2-27 ||

अव्यक्तादीनि भूतानि व्यक्तमध्यानि भारत ।
avyaktādīni bhūtāni vyaktamadhyāni bhārata |

अव्यक्तनिधनान्येव तत्र का परिदेवना ॥ २-२८ ॥
avyaktanidhanānyeva tatra kā paridevanā || 2-28 ||

आश्चर्यवत्पश्यति कश्चिदेनम् आश्चर्यवद्वदति तथैव चान्यः ।
āścaryavatpaśyati kaścidenam āścaryavadvadati tathaiva cānyaḥ |

आश्चर्यवच्चैनमन्यः शृणोति श्रुत्वाप्येनं वेद न चैव कश्चित् ॥ २-२९ ॥
āścaryavaccainamanyaḥ śṛṇoti śrutvāpyenaṁ veda na caiva kaścit || 2-29 ||

देही नित्यमवध्योऽयं देहे सर्वस्य भारत ।
dehī nityamavadhyo'yaṁ dehe sarvasya bhārata |

तस्मात्सर्वाणि भूतानि न त्वं शोचितुमर्हसि ॥ २-३० ॥
tasmātsarvāṇi bhūtāni na tvaṁ śocitumarhasi || 2-30 ||

24. Este (espírito) não pode ser cortado,
nem pode ser queimado,
nem mesmo pode ser molhado nem secado.
Este (espírito) é eterno, está por toda parte,
estável, imóvel, permanente.

25. Ele é não manifestado,
ele não pode ser pensado, ele é invariável, se diz.
Por essa razão, tendo-o conhecido,
não deves te lamentar.

26. E ainda que penses nele
constantemente nascido ou constantemente morto,
mesmo assim tu não deves,
ó Mahābāhu (Arjuna), entristecer-te.

27. A morte é inevitável para o que nasceu,
e o nascimento é inevitável para o que morreu.
Portanto, não deves te entristecer
com aquilo que não pode ser evitado.

28. Não manifestas são as criaturas, no início,
manifestas, no meio, ó Bhārata,
e ao final são não manifestas (novamente).
Então, que lamentações são essas?

29. Alguém o vê, cheio de assombro,
e um outro, também cheio de assombro, fala sobre ele,
e um outro, cheio de assombro, ouve sobre ele.
Mas mesmo tendo aprendido[8] sobre ele,
ninguém, de fato, o conhece.

30. Este encarnado (espírito) inviolável
está eternamente (presente) no corpo de todos,
ó Bhārata, por isso não te deves lamentar
por nenhuma criatura.

8. "Tendo ouvido", é o mesmo que "tendo aprendido". Por esta razão escolhemos a segunda opção.

स्वधर्ममपि चावेक्ष्य न विकम्पितुमर्हसि ।
svadharmamapi cāvekṣya na vikampitumarhasi |

धर्म्याद्धि युद्धाच्छ्रेयोऽन्यत्क्षत्रियस्य न विद्यते ॥ २-३१ ॥
dharmyāddhi yuddhācchreyo'nyatkṣatriyasya na vidyate || 2-31 ||

यदृच्छया चोपपन्नं स्वर्गद्वारमपावृतम् ।
yadṛcchayā copapannaṁ svargadvāramapāvṛtam |

सुखिनः क्षत्रियाः पार्थ लभन्ते युद्धमीदृशम् ॥ २-३२ ॥
sukhinaḥ kṣatriyāḥ pārtha labhante yuddhamīdṛśam || 2-32 ||

अथ चेत्त्वमिमं धर्म्यं संग्रामं न करिष्यसि ।
atha cettvamimaṁ dharmyaṁ saṁgrāmaṁ na kariṣyasi |

ततः स्वधर्मं कीर्तिं च हित्वा पापमवाप्स्यसि ॥ २-३३ ॥
tataḥ svadharmaṁ kīrtiṁ ca hitvā pāpamavāpsyasi || 2-33 ||

अकीर्तिं चापि भूतानि कथयिष्यन्ति तेऽव्ययाम् ।
akīrtiṁ cāpi bhūtāni kathayiṣyanti te'vyayām |

सम्भावितस्य चाकीर्तिर्मरणादतिरिच्यते ॥ २-३४ ॥
sambhāvitasya cākīrtirmaraṇādatiricyate || 2-34 ||

भयाद्रणादुपरतं मंस्यन्ते त्वां महारथाः ।
bhayādraṇāduparataṁ maṁsyante tvāṁ mahārathāḥ |

येषां च त्वं बहुमतो भूत्वा यास्यसि लाघवम् ॥ २-३५ ॥
yeṣāṁ ca tvaṁ bahumato bhūtvā yāsyasi lāghavam || 2-35 ||

अवाच्यवादांश्च बहून्वदिष्यन्ति तवाहिताः ।
avācyavādāṁśca bahūnvadiṣyanti tavāhitāḥ |

निन्दन्तस्तव सामर्थ्यं ततो दुःखतरं नु किम् ॥ २-३६ ॥
nindantastava sāmarthyaṁ tato duḥkhataraṁ nu kim || 2-36 ||

हतो वा प्राप्स्यसि स्वर्गं जित्वा वा भोक्ष्यसे महीम् ।
hato vā prāpsyasi svargaṁ jitvā vā bhokṣyase mahīm |

तस्मादुत्तिष्ठ कौन्तेय युद्धाय कृतनिश्चयः ॥ २-३७ ॥
tasmāduttiṣṭha kaunteya yuddhāya kṛtaniścayaḥ || 2-37 ||

31. Tendo em vista
o teu próprio *dharma* (*svadharma*),
não deves tremer.
Nada é melhor, para um *kṣatriya*[9],
do que uma guerra pelo *dharma*.

32. E obtida assim, espontaneamente,
(como) uma porta aberta para o Céu,
felizes são os *kṣatriyas*, ó Pārtha,
que conseguem uma guerra igual a essa!

33. Mas se tu não fizeres essa guerra justa,
então, tendo abandonado a glória
e teu próprio *dharma*,
incorrerás em pecado.

34. E as criaturas contarão
tua infâmia sem fim.
E a infâmia, para uma pessoa honrada,
é pior do que a morte.

35. Os grandes guerreiros[10] pensarão em ti
como tendo te retirado da guerra por medo,
e para aqueles junto a quem desfrutas
de grande prestígio,
te tornarás insignificante.

36. E teus adversários falarão (sobre ti)
palavras impróprias de se dizer,
desprezando tua capacidade.
Então que sofrimento maior pode haver?

37. Ou, morto, obterás o Céu,
ou, tendo vencido (a guerra) desfrutarás da Terra.
Por isso, levanta-te, ó Kaunteya (Arjuna),
decidido para o combate!

9. Um membro da casta dos guerreiros e administradores.

10. "*Maharathas*" – literalmente "grandes carros de batalha", porque os grandes guerreiros combatiam em carros de guerra puxados por cavalos.

सुखदुःखे समे कृत्वा लाभालाभौ जयाजयौ ।
sukhaduḥkhe same kṛtvā lābhālābhau jayājayau |

ततो युद्धाय युज्यस्व नैवं पापमवाप्स्यसि ॥ २-३८ ॥
tato yuddhāya yujyasva naivaṁ pāpamavāpsyasi || 2-38 ||

एषा तेऽभिहिता साङ्ख्ये बुद्धिर्योगे त्विमां शृणु ।
eṣā te'bhihitā sāṅkhye buddhiryoge tvimāṁ śṛṇu |

बुद्ध्या युक्तो यया पार्थ कर्मबन्धं प्रहास्यसि ॥ २-३९ ॥
buddhyā yukto yayā pārtha karmabandhaṁ prahāsyasi || 2-39 ||

नेहाभिक्रमनाशोऽस्ति प्रत्यवायो न विद्यते ।
nehābhikramanāśo'sti pratyavāyo na vidyate |

स्वल्पमप्यस्य धर्मस्य त्रायते महतो भयात् ॥ २-४० ॥
svalpamapyasya dharmasya trāyate mahato bhayāt || 2-40 ||

व्यवसायात्मिका बुद्धिरेकेह कुरुनन्दन ।
vyavasāyātmikā buddhirekeha kurunandana |

बहुशाखा ह्यनन्ताश्च बुद्धयोऽव्यवसायिनाम् ॥ २-४१ ॥
bahuśākhā hyanantāśca buddhayo'vyavasāyinām || 2-41 ||

यामिमां पुष्पितां वाचं प्रवदन्त्यविपश्चितः ।
yāmimāṁ puṣpitāṁ vācaṁ pravadantyavipaścitaḥ |

वेदवादरताः पार्थ नान्यदस्तीति वादिनः ॥ २-४२ ॥
vedavādaratāḥ pārtha nānyadastīti vādinaḥ || 2-42 ||

कामात्मानः स्वर्गपरा जन्मकर्मफलप्रदाम् ।
kāmātmānaḥ svargaparā janmakarmaphalapradām |

क्रियाविशेषबहुलां भोगैश्वर्यगतिं प्रति ॥ २-४३ ॥
kriyāviśeṣabahulāṁ bhogaiśvaryagatiṁ prati || 2-43 ||

भोगैश्वर्यप्रसक्तानां तयापहृतचेतसाम् ।
bhogaiśvaryaprasaktānāṁ tayāpahṛtacetasām |

व्यवसायात्मिका बुद्धिः समाधौ न विधीयते ॥ २-४४ ॥
vyavasāyātmikā buddhiḥ samādhau na vidhīyate || 2-44 ||

38. Tendo tornado iguais o prazer e o sofrimento,
o ganho e o prejuízo, a vitória e a derrota,
então prepara-te[11] para a batalha.
Assim não incorrerás em pecado.

39. (Está) no Sāṅkhya esta (inteligência)[12]
que foi declarada para ti (por mim).
Ouve-a, porém, (como está) no Yoga.
Ajustado a essa inteligência, ó Pārtha (Arjuna),
te livras da conexão com a ação[13].

40. Aqui (no yoga) não há esforço sem resultados.
(Aqui) não se acha obstáculo.
Mesmo um pouco deste *dharma*
(já te) protege do grande medo[14].

41. Aqui, a inteligência resoluta é (apenas) uma,
ó Kurunandana (Arjuna).
Já as inteligências dos indecisos
são muito variadas e infinitas.

42. Aquele discurso florido que falam os ignorantes,
apegados às palavras dos Vedas, ó Pārtha (Arjuna),
que dizem "não existe outra"
(senão a palavra dos Vedas),

43. Tomados pelo desejo, com o único objetivo
de alcançar o Céu, (esse discurso dos ignorantes)
dá o nascimento (no corpo) como fruto do *karma*,
com numerosas ações específicas
em busca de poder e desfrute.

44. A inteligência resoluta daqueles que se ocupam
com desfrute e poder, com a mente tomada
(por esse discurso dos ignorantes)
não é produzida no *samādhi*.[15]

11. "*Yujyasva*" – literalmente "esteja preparado", imperativo passivo do verbo "*yuj*" – "ajustar, usar, preparar".

12. "*Buddhi*" – inteligência perceptiva. Ela determina a nossa maneira de perceber o mundo.

13. "*Karma*" – ação ritualizada, ou seja, a ação que tem por objetivo alcançar um determinado resultado.

14. "*Mahat bhayam*" – o "grande medo" de incorrer em erro, neste caso, o medo que está imobilizando Arjuna.

15. Ainda que os ambiciosos tenham opiniões fortes, elas não resultam de uma mente equilibrada, que se assentou no *samādhi*.

त्रैगुण्यविषया वेदा निस्त्रैगुण्यो भवार्जुन।
traiguṇyaviṣayā vedā nistraiguṇyo bhavārjuna |

निर्द्वन्द्वो नित्यसत्त्वस्थो निर्योगक्षेम आत्मवान्॥ २-४५॥
nirdvandvo nityasattvastho niryogakṣema ātmavān || 2-45 ||

यावानर्थ उदपाने सर्वतः सम्प्लुतोदके।
yāvānartha udapāne sarvataḥ samplutodake |

तावान्सर्वेषु वेदेषु ब्राह्मणस्य विजानतः॥ २-४६॥
tāvānsarveṣu vedeṣu brāhmaṇasya vijānataḥ || 2-46 ||

कर्मण्येवाधिकारस्ते मा फलेषु कदाचन।
karmaṇyevādhikāraste mā phaleṣu kadācana |

मा कर्मफलहेतुर्भूर्मा ते सङ्गोऽस्त्वकर्मणि॥ २-४७॥
mā karmaphalaheturbhūrmā te saṅgo'stvakarmaṇi || 2-47 ||

योगस्थः कुरु कर्माणि सङ्गं त्यक्त्वा धनञ्जय।
yogasthaḥ kuru karmāṇi saṅgaṁ tyaktvā dhanañjaya |

सिद्ध्यसिद्ध्योः समो भूत्वा समत्वं योग उच्यते॥ २-४८॥
siddhyasiddhyoḥ samo bhūtvā samatvaṁ yoga ucyate || 2-48 ||

दूरेण ह्यवरं कर्म बुद्धियोगाद्धनञ्जय।
dūreṇa hyavaraṁ karma buddhiyogāddhanañjaya |

बुद्धौ शरणमन्विच्छ कृपणाः फलहेतवः॥ २-४९॥
buddhau śaraṇamanviccha kṛpaṇāḥ phalahetavaḥ || 2-49 ||

बुद्धियुक्तो जहातीह उभे सुकृतदुष्कृते।
buddhiyukto jahātīha ubhe sukṛtaduṣkṛte |

तस्माद्योगाय युज्यस्व योगः कर्मसु कौशलम्॥ २-५०॥
tasmādyogāya yujyasva yogaḥ karmasu kauśalam || 2-50 ||

कर्मजं बुद्धियुक्ता हि फलं त्यक्त्वा मनीषिणः।
karmajaṁ buddhiyuktā hi phalaṁ tyaktvā manīṣiṇaḥ |

जन्मबन्धविनिर्मुक्ताः पदं गच्छन्त्यनामयम्॥ २-५१॥
janmabandhavinirmuktāḥ padaṁ gacchantyanāmayam || 2-51 ||

45. Os Vedas são limitados ao alcance
das três qualidades (*guṇas*) do mundo manifestado.
Torna-te livre das três qualidades, ó Arjuna,
livre de dualidades, assentado sobre a essência eterna,
sem apropriação e desfrute, senhor de ti mesmo.

46. O mesmo valor que há em um poço,
quando tudo ao redor está inundado,
é esse o valor que há em todos os Vedas,
para um conhecedor do divino.

47. Tua regência é apenas sobre a ação,
jamais (seja ela) sobre os frutos.
Não (seja) este mundo a razão
para os frutos das ações.
Não te envolvas na não ação.

48. Estabelecido no yoga, faz as ações,
tendo abandonado o apego, ó Dhanañjaya,
tendo te tornado igual no sucesso ou no fracasso.
Se diz que o yoga é a equanimidade.

49. A ação (*karma*) é, de longe,
inferior ao ajustamento da inteligência
(*buddhiyoga*), ó Dhanañjaya.
Busca refúgio na inteligência – dignos de pena
são aqueles que buscam os frutos (da ação).

50. Aquele que fez uso da inteligência descarta,
aqui mesmo, tanto as boas ações quanto as más ações.
Por isso, ajusta-te ao yoga:
o yoga é a excelência nas ações.

51. De fato, os sábios que fizeram uso da inteligência,
tendo renunciado ao fruto que nasce das ações,
libertados do vínculo com o nascimento,
vão para a condição[16] em que não há sofrimento.

16. "*Padam*" – literalmente, um "passo", neste caso um estágio ou estado de alma.

यदा ते मोहकलिलं बुद्धिर्व्यतितरिष्यति ।
yadā te mohakalilaṁ buddhirvyatitariṣyati |

तदा गन्तासि निर्वेदं श्रोतव्यस्य श्रुतस्य च ॥ २-५२ ॥
tadā gantāsi nirvedaṁ śrotavyasya śrutasya ca || 2-52 ||

श्रुतिविप्रतिपन्ना ते यदा स्थास्यति निश्चला ।
śrutivipratipannā te yadā sthāsyati niścalā |

समाधावचला बुद्धिस्तदा योगमवाप्स्यसि ॥ २-५३ ॥
samādhāvacalā buddhistadā yogamavāpsyasi || 2-53 ||

अर्जुन उवाच ।
arjuna uvāca |

स्थितप्रज्ञस्य का भाषा समाधिस्थस्य केशव ।
sthitaprajñasya kā bhāṣā samādhisthasya keśava |

स्थितधीः किं प्रभाषेत किमासीत व्रजेत किम् ॥ २-५४ ॥
sthitadhīḥ kiṁ prabhāṣeta kimāsīta vrajeta kim || 2-54 ||

श्रीभगवानुवाच ।
śrībhagavānuvāca |

प्रजहाति यदा कामान्सर्वान्पार्थ मनोगतान् ।
prajahāti yadā kāmānsarvānpārtha manogatān |

आत्मन्येवात्मना तुष्टः स्थितप्रज्ञस्तदोच्यते ॥ २-५५ ॥
ātmanyevātmanā tuṣṭaḥ sthitaprajñastadocyate || 2-55 ||

दुःखेष्वनुद्विग्नमनाः सुखेषु विगतस्पृहः ।
duḥkheṣvanudvignamanāḥ sukheṣu vigataspṛhaḥ |

वीतरागभयक्रोधः स्थितधीर्मुनिरुच्यते ॥ २-५६ ॥
vītarāgabhayakrodhaḥ sthitadhīrmunirucyate || 2-56 ||

यः सर्वत्रानभिस्नेहस्तत्तत्प्राप्य शुभाशुभम् ।
yaḥ sarvatrānabhisnehastattatprāpya śubhāśubham |

नाभिनन्दति न द्वेष्टि तस्य प्रज्ञा प्रतिष्ठिता ॥ २-५७ ॥
nābhinandati na dveṣṭi tasya prajñā pratiṣṭhitā || 2-57 ||

52. Quando a tua inteligência
suplantar o torpor da ilusão,
então alcançarás a indiferença
pelo que deve ser estudado ou pelo que foi estudado
(na tradição védica – *śruti*).

53. Quando a tua inteligência
se assentar divergente da tradição védica,
firme e imóvel no *samādhi*,
então alcançarás o yoga.

Arjuna disse:

54. Qual é a descrição, ó Keśava (Kṛṣṇa),
daquele que tem a intuição[17] firme,
que se estabeleceu no *samādhi*?
Aquele que tem a mente firme, pode falar?
Pode sentar-se? Pode andar?

Senhor Bhagavān disse:

55. Quando descarta, ó Pārtha,
todos os desejos que entraram em sua mente (*manas*),
satisfeito por si mesmo (e) apenas em si mesmo,
então se diz que (este) tem a intuição firme.

56. Há aqueles cuja mente não fica apreensiva
nos momentos de sofrimento,
há aqueles cujos desejos estão ausentes,
nos momentos de prazer,
(mas) se diz que é um sábio de mente firme
aquele que não tem mais desejos, medos ou raiva.

57. Aquela pessoa que é livre de apegos
em qualquer situação, (e que) tendo obtido
tanto o agradável quanto o desagradável,
nem exulta nem rejeita, sua intuição está firme.

17. "*Prajñā*" – literalmente, a "intuição" – costuma ser interpretada e traduzida como "sabedoria".

यदा संहरते चायं कूर्मोऽङ्गानीव सर्वशः ।
yadā saṁharate cāyaṁ kūrmo'ṅgānīva sarvaśaḥ |

इन्द्रियाणीन्द्रियार्थेभ्यस्तस्य प्रज्ञा प्रतिष्ठिता ॥ २-५८ ॥
indriyāṇīndriyārthebhyastasya prajñā pratiṣṭhitā || 2-58 ||

विषया विनिवर्तन्ते निराहारस्य देहिनः ।
viṣayā vinivartante nirāhārasya dehinaḥ |

रसवर्जं रसोऽप्यस्य परं दृष्ट्वा निवर्तते ॥ २-५९ ॥
rasavarjaṁ raso'pyasya paraṁ dṛṣṭvā nivartate || 2-59 ||

यततो ह्यपि कौन्तेय पुरुषस्य विपश्चितः ।
yatato hyapi kaunteya puruṣasya vipaścitaḥ |

इन्द्रियाणि प्रमाथीनि हरन्ति प्रसभं मनः ॥ २-६० ॥
indriyāṇi pramāthīni haranti prasabhaṁ manaḥ || 2-60 ||

तानि सर्वाणि संयम्य युक्त आसीत मत्परः ।
tāni sarvāṇi saṁyamya yukta āsīta matparaḥ |

वशे हि यस्येन्द्रियाणि तस्य प्रज्ञा प्रतिष्ठिता ॥ २-६१ ॥
vaśe hi yasyendriyāṇi tasya prajñā pratiṣṭhitā || 2-61 ||

ध्यायतो विषयान्पुंसः सङ्गस्तेषूपजायते ।
dhyāyato viṣayānpuṁsaḥ saṅgasteṣūpajāyate |

सङ्गात्सञ्जायते कामः कामात्क्रोधोऽभिजायते ॥ २-६२ ॥
saṅgātsañjāyate kāmaḥ kāmātkrodho'bhijāyate || 2-62 ||

क्रोधाद्भवति सम्मोहः सम्मोहात्स्मृतिविभ्रमः ।
krodhādbhavati sammohaḥ sammohātsmṛtivibhramaḥ |

स्मृतिभ्रंशाद्बुद्धिनाशो बुद्धिनाशात्प्रणश्यति ॥ २-६३ ॥
smṛtibhraṁśādbuddhināśo buddhināśātparaṇaśyati || 2-63 ||

रागद्वेषविमुक्तैस्तु विषयानिन्द्रियैश्चरन् ।
rāgadveṣavimuktaistu viṣayānindriyaiścaran |

आत्मवश्यैर्विधेयात्मा प्रसादमधिगच्छति ॥ २-६४ ॥
ātmavaśyairvidheyātmā prasādamadhigacchati || 2-64 ||

58. E quando este recolhe completamente
seus sentidos dos objetos de percepção,
tal como a tartaruga faz com seus membros,
sua intuição está firme.

59. Os objetos (materiais) se extinguem
para o espírito que não se alimenta deles,
mas deixam o (atrativo do) gosto.
Mas o gosto também se afasta
daquele que viu o supremo.

60. Ainda que pertençam a um homem instruído,
que se esforça, ó filho de Kunti,
os órgãos (de percepção) agitados
aprisionam, à força, a mente (*maṇas*).

61. Tendo controlado todos eles,
ele pode assentar-se adequadamente diante de mim[18].
Aquele que domina seus órgãos (sensoriais),
sua intuição está firme.

62. O homem que pensa (com) os objetos (materiais)
cria um apego por eles.
Do apego se cria um desejo, e do desejo surge a raiva.

63. Da raiva surge a fantasia (ilusão).
Da fantasia (surge) a confusão na memória.
Da confusão de memórias
vem a perda da inteligência.
Por causa da perda da inteligência
(esse homem) desaparece.

64. Conduzindo-se com os sentidos voltados
para os objetos, mas livres do desejo e da aversão,
e comandados pelo si-mesmo (*ātmā*),
aquele que se sujeita ao si-mesmo
segue com segurança para a serenidade.

18. A expressão "*matparah*" está aqui traduzida por "diante de mim", que é o seu sentido original. Mas a interpretação tradicional, derivada do comentário de Ādi Śaṁkarācārya a este verso, prefere a forma mais devocional: "devotado a mim".

प्रसादे सर्वदुःखानां हानिरस्योपजायते ।
prasāde sarvaduḥkhānāṁ hānirasyopajāyate |

प्रसन्नचेतसो ह्याशु बुद्धिः पर्यवतिष्ठते ॥ २-६५ ॥
prasannacetaso hyāśu buddhiḥ paryavatiṣṭhate || 2-65 ||

नास्ति बुद्धिरयुक्तस्य न चायुक्तस्य भावना ।
nāsti buddhirayuktasya na cāyuktasya bhāvanā |

न चाभावयतः शान्तिरशान्तस्य कुतः सुखम् ॥ २-६६ ॥
na cābhāvayataḥ śāntiraśāntasya kutaḥ sukham || 2-66 ||

इन्द्रियाणां हि चरतां यन्मनोऽनुविधीयते ।
indriyāṇāṁ hi caratāṁ yanmano'nuvidhīyate |

तदस्य हरति प्रज्ञां वायुर्नावमिवाम्भसि ॥ २-६७ ॥
tadasya harati prajñāṁ vāyurnāvamivāmbhasi || 2-67 ||

तस्माद्यस्य महाबाहो निगृहीतानि सर्वशः ।
tasmādyasya mahābāho nigṛhītāni sarvaśaḥ |

इन्द्रियाणीन्द्रियार्थेभ्यस्तस्य प्रज्ञा प्रतिष्ठिता ॥ २-६८ ॥
indriyāṇīndriyārthebhyastasya prajñā pratiṣṭhitā || 2-68 ||

या निशा सर्वभूतानां तस्यां जागर्ति संयमी ।
yā niśā sarvabhūtānāṁ tasyāṁ jāgarti saṁyamī |

यस्यां जाग्रति भूतानि सा निशा पश्यतो मुनेः ॥ २-६९ ॥
yasyāṁ jāgrati bhūtāni sā niśā paśyato muneḥ || 2-69 ||

आपूर्यमाणमचलप्रतिष्ठं समुद्रमापः प्रविशन्ति यद्वत् ।
āpūryamāṇamacalapratiṣṭhaṁ samudramāpaḥ praviśanti yadvat |

तद्वत्कामा यं प्रविशन्ति सर्वे स शान्तिमाप्नोति न कामकामी ॥ २-७० ॥
tadvatkāmā yaṁ praviśanti sarve sa śāntimāpnoti na kāmakāmī || 2-70 ||

विहाय कामान्यः सर्वान्पुमांश्चरति निःस्पृहः ।
vihāya kāmānyaḥ sarvānpumāṁścarati niḥspṛhaḥ |

निर्ममो निरहङ्कारः स शान्तिमधिगच्छति ॥ २-७१ ॥
nirmamo nirahaṅkāraḥ sa śāntimadhigacchati || 2-71 ||

65. Na serenidade deste (homem)
surge a destruição de todos os sofrimentos.
Por causa da consciência serena,
a inteligência (*buddhi*)
rapidamente encontra sua firmeza.

66. Não existe inteligência sem ajustamento
(ou seja, sem yoga),
nem também reflexão sem ajustamento,
nem surge a paz a partir daquilo que é irrefletido.
Sem paz, de onde virá o bem-estar (*sukham*)?

67. Aquela mente que se regula
pela conduta dos órgãos (sensoriais)
carrega (consigo) a intuição
tal como o vento faz com um barco, na água.

68. Por isso, ó (príncipe) dos braços fortes,[19]
aquele cujos órgãos sensoriais
estão completamente removidos de seus objetos,
sua intuição está firme.

69. Aquela que é a noite de todas as criaturas,
nela o meditador (*samyamin*) desperta.
Aquela na qual despertam as criaturas,
esta é a noite do sábio (*muni*) que vê.

70. Assim como o oceano permanece imóvel
enquanto as águas entram e o preenchem,
da mesma forma aquele (que permanece imóvel),
enquanto todos os desejos entram e o preenchem,
este obtém a paz, e não aquele que deseja os desejos.

71. Aquele homem que,
tendo abandonado todos os desejos,
caminha desprovido de ambições,
de senso de posse e de egoidade, esse alcança a paz.

19. "*Mahābāhu*" (Arjuna).

एषा ब्राह्मी स्थितिः पार्थ नैनां प्राप्य विमुह्यति ।
eṣā brāhmī sthitiḥ pārtha naināṁ prāpya vimuhyati |

स्थित्वास्यामन्तकालेऽपि ब्रह्मनिर्वाणमृच्छति ॥ २-७२ ॥
sthitvāsyāmantakāle'pi brahmanirvāṇamṛcchati || 2-72 ||

ॐ तत्सदिति श्रीमद्भगवद्गीतायामुपनिषदि
OM tatsaditi śrīmadbhagavadgītāyāmupaniṣadi

ब्रह्मविद्यायां योगशास्त्रे श्रीकृष्णार्जुनसंवादे
brahmavidyāyāṁ yogaśāstre śrīkṛṣṇārjunasaṁvāde

साङ्ख्ययोगो नाम द्वितीयोऽध्यायः ॥ २ ॥
sāṅkhyayogo nāma dvitīyo'dhyāyaḥ || 2 ||

72. Esta é a firmeza na conduta de Brahma[20], ó Pārtha, que a tendo obtido, (o homem) não se extravia mais. Tendo assim permanecido também na hora da morte, se obtém a extinção (*nirvāṇa*) em Brahma.

OM tat sat!

Assim (termina)
na venerável *Bhagavad Gītā Upaniṣad,*
na sabedoria dos *mantras* (*Brahmavidyā*),
no tratado de Yoga,
no diálogo entre o senhor Kṛṣṇa e Arjuna,
o segundo capítulo,
denominado "o yoga da enumeração (*sāṅkhya*)".

20. A palavra feminina "*brahmī*" foi traduzida, aqui, por "conduta de Brahma" – que consiste em submeter-se à vontade do si-mesmo (*ātmā*), idêntico a Brahma na tradição das *upaniṣadas*. Note que esse "eu" que reside no coração é chamado de "*Prajña*" (forma masculina da palavra "intuição") pela *Māṇḍūkya Upaniṣat*, e a intuição firme é o assunto dos versos 55 a 72 deste capítulo da *Gītā*.

अथ तृतीयोऽध्यायः ।

atha tṛtīyo'dhyāyaḥ |

कर्मयोगः

karmayogaḥ

अर्जुन उवाच ।
arjuna uvāca |

ज्यायसी चेत्कर्मणस्ते मता बुद्धिर्जनार्दन ।
jyāyasī cetkarmaṇaste matā buddhirjanārdana |

तत्किं कर्मणि घोरे मां नियोजयसि केशव ॥ ३-१ ॥
tatkiṁ karmaṇi ghore māṁ niyojayasi keśava || 3-1 ||

व्यामिश्रेणेव वाक्येन बुद्धिं मोहयसीव मे ।
vyāmiśreṇeva vākyena buddhiṁ mohayasīva me |

तदेकं वद निश्चित्य येन श्रेयोऽहमाप्नुयाम् ॥ ३-२ ॥
tadekaṁ vada niścitya yena śreyo'hamāpnuyām || 3-2 ||

श्रीभगवानुवाच ।
śrībhagavānuvāca |

लोकेऽस्मिन् द्विविधा निष्ठा पुरा प्रोक्ता मयानघ ।
loke'smin dvividhā niṣṭhā purā proktā mayānagha |

ज्ञानयोगेन साङ्ख्यानां कर्मयोगेन योगिनाम् ॥ ३-३ ॥
jñānayogena sāṅkhyānāṁ karmayogena yoginām || 3-3 ||

न कर्मणामनारम्भान्नैष्कर्म्यं पुरुषोऽश्नुते ।
na karmaṇāmanārambhānnaiṣkarmyaṁ puruṣo'śnute |

न च संन्यसनादेव सिद्धिं समधिगच्छति ॥ ३-४ ॥
na ca saṁnyasanādeva siddhiṁ samadhigacchati || 3-4 ||

न हि कश्चित्क्षणमपि जातु तिष्ठत्यकर्मकृत् ।
na hi kaścitkṣaṇamapi jātu tiṣṭhatyakarmakṛt |

कार्यते ह्यवशः कर्म सर्वः प्रकृतिजैर्गुणैः ॥ ३-५ ॥
kāryate hyavaśaḥ karma sarvaḥ prakṛtijairguṇaiḥ || 3-5 ||

Terceiro capítulo

A ação (*Karma*)

Arjuna disse:

1. Se é tua opinião que a inteligência (*buddhi*)
é superior à ação, ó Janārdana,
então por que razão me envolves
em uma ação terrível (como esta), ó Keśava?

2. Confundes minha inteligência
com essas falas que se misturam (em minha mente).
Fala uma coisa só, com clareza,
através da qual eu possa alcançar o que é melhor[21].

Senhor Bhagavān disse:

3. Neste mundo uma dupla conduta
foi ensinada por mim, no passado, ó Anagha[22]:
a (conduta) dos *sāṅkhyas,*
pelo ajustamento (yoga) do conhecimento;
e a dos *yoguis,* pelo ajustamento das ações.

4. O homem não se liberta do ciclo das ações
pelo simples fato de não dar início a ações
nem tampouco alcança a perfeição
apenas pelo renunciamento.

5. Certamente ninguém fica
sequer por um instante sem produzir ações,
(pois) todos, independentemente de sua vontade,
são levados a fazer ações pelas qualidades (*guṇas*)
nascidas da natureza material[23].

21. "O que é melhor" (*śreyas*) é uma expressão que pode traduzir o conceito *ocidental* de "Bem", como o oposto do "Mal". Esses dois conceitos, na cultura sânscrita, são mais bem expressos pelos termos "verdade" e "mentira", respectivamente. Não há bem maior do que a verdade, nem mal pior que a mentira.

22. "Impecável" (Arjuna).

23. O nome sânscrito dessa natureza material é *prakṛti,* literalmente "aquela que promove ações". Suas qualidades estão sempre relacionadas à produção de ações no mundo natural.

कर्मेन्द्रियाणि संयम्य य आस्ते मनसा स्मरन्।
karmendriyāṇi saṁyamya ya āste manasā smaran |

इन्द्रियार्थान्विमूढात्मा मिथ्याचारः स उच्यते॥ ३-६॥
indriyārthānvimūḍhātmā mithyācāraḥ sa ucyate || 3-6 ||

यस्त्विन्द्रियाणि मनसा नियम्यारभतेऽर्जुन।
yastvindriyāṇi manasā niyamyārabhate'rjuna |

कर्मेन्द्रियैः कर्मयोगमसक्तः स विशिष्यते॥ ३-७॥
karmendriyaiḥ karmayogamasaktaḥ sa viśiṣyate || 3-7 ||

नियतं कुरु कर्म त्वं कर्म ज्यायो ह्यकर्मणः।
niyataṁ kuru karma tvaṁ karma jyāyo hyakarmaṇaḥ |

शरीरयात्रापि च ते न प्रसिद्धयेदकर्मणः॥ ३-८॥
śarīrayātrāpi ca te na prasiddhyedakarmaṇaḥ || 3-8 ||

यज्ञार्थात्कर्मणोऽन्यत्र लोकोऽयं कर्मबन्धनः।
yajñārthātkarmaṇo'nyatra loko'yaṁ karmabandhanaḥ |

तदर्थं कर्म कौन्तेय मुक्तसङ्गः समाचर॥ ३-९॥
tadarthaṁ karma kaunteya muktasaṅgaḥ samācara || 3-9 ||

सहयज्ञाः प्रजाः सृष्ट्वा पुरोवाच प्रजापतिः।
sahayajñāḥ prajāḥ sṛṣṭvā purovāca prajāpatiḥ |

अनेन प्रसविष्यध्वमेष वोऽस्त्विष्टकामधुक्॥ ३-१०॥
anena prasaviṣyadhvameṣa vo'stviṣṭakāmadhuk || 3-10 ||

देवान्भावयतानेन ते देवा भावयन्तु वः।
devānbhāvayatānena te devā bhāvayantu vaḥ |

परस्परं भावयन्तः श्रेयः परमवाप्स्यथ॥ ३-११॥
parasparaṁ bhāvayantaḥ śreyaḥ paramavāpsyatha || 3-11 ||

इष्टान्भोगान्हि वो देवा दास्यन्ते यज्ञभाविताः।
iṣṭānbhogānhi vo devā dāsyante yajñabhāvitāḥ |

तैर्दत्तानप्रदायैभ्यो यो भुङ्क्ते स्तेन एव सः॥ ३-१२॥
tairdattānapradāyaibhyo yo bhuṅkte stena eva saḥ || 3-12 ||

6. Aquele que, tendo com a mente
subjugado os órgãos de ação,
assenta-se com o espírito iludido (*vimūḍha*)
evocando na memória os objetos dos sentidos,
este é chamado de falso[24].

7. Mas aquele que, tendo subjugado
os órgãos de ação com a mente, ó Arjuna,
começa a praticar com os órgãos de ação
o ajustamento de seus atos (*karmayoga*)[25],
desapegado, esse se destaca.

8. Faz, tu mesmo, a ação adequada (*niyatam karma*)[26]
– a ação é de fato superior à não ação (omissão).
Nem mesmo a tua caminhada corporal[27] poderia se
completar, se estivesse entregue à inação.

9. Sem a ação que tem a finalidade do sacrifício[28],
este mundo é uma prisão (construída) por ações.
Livre do apego, ó Kaunteya,
executa a ação com essa finalidade.

10. No início, tendo feito surgir as criaturas
junto ao sacrifício (original), Prajāpati[29] disse:
"por meio deste (sacrifício) multiplicai-vos;
seja ele para vós como a vaca que atende
a todos os desejos (*iṣṭakāmadhuk*)".

11. "Por meio deste (sacrifício) fazei existirem[30]
os deuses (e) esses deuses façam existirem vós.
Dando existência reciprocamente,
alcançais o bem supremo".

12. "Os deuses, trazidos à existência pelo sacrifício,
vos darão os desfrutes desejados."
Aquele que, sem doar, desfruta do que é dado por eles,
esse é apenas um ladrão.

24. Em sânscrito, "*mithyachara*" (o que tem conduta desviante) é aquele que, apesar de ter a capacidade de controlar sua conduta, adota um comportamento inadequado à sua verdadeira natureza – por isso é chamado de "falso" ou "hipócrita".

25. *Karmayoga* é o ajustamento da conduta pessoal ao *dharma*, visando à realização do si-mesmo.

26. "*Niyatam karma*" expressa aquela conduta que leva à realização do *dharma* pessoal (*svadharma*).

27. A existência material, a vida no corpo.

28. Sacrifício (*yajñā*) deriva da raiz verbal "*yaj*", que significa "oferecer", "doar", especialmente usada para o sacrifício ritual de bens que são oferecidos aos deuses por meio do fogo. Desde o início, o sacrifício foi usado como representação figurativa do desapego, embora frequentemente essa prática ritual envolva o desejo egoísta de obter vantagens pessoais.

29. "O senhor das criaturas ou da criação" – o agente criador do universo.

30. O texto usa a forma causativa do verbo "existir" – a fé do sacrificador cria e sustenta os deuses, que, por sua vez, dão a sustentação para a existência do sacrificador.

यज्ञशिष्टाशिनः सन्तो मुच्यन्ते सर्वकिल्बिषैः ।
yajñaśiṣṭāśinaḥ santo mucyante sarvakilbiṣaiḥ |

भुञ्जते ते त्वघं पापा ये पचन्त्यात्मकारणात् ॥ ३-१३ ॥
bhuñjate te tvaghaṁ pāpā ye pacantyātmakāraṇāt || 3-13 ||

अन्नाद्भवन्ति भूतानि पर्जन्यादन्नसम्भवः ।
annādbhavanti bhūtāni parjanyādannasambhavaḥ |

यज्ञाद्भवति पर्जन्यो यज्ञः कर्मसमुद्भवः ॥ ३-१४ ॥
yajñādbhavati parjanyo yajñaḥ karmasamudbhavaḥ || 3-14 ||

कर्म ब्रह्मोद्भवं विद्धि ब्रह्माक्षरसमुद्भवम् ।
karma brahmodbhavaṁ viddhi brahmākṣarasamudbhavam |

तस्मात्सर्वगतं ब्रह्म नित्यं यज्ञे प्रतिष्ठितम् ॥ ३-१५ ॥
tasmātsarvagataṁ brahma nityaṁ yajñe pratiṣṭhitam || 3-15 ||

एवं प्रवर्तितं चक्रं नानुवर्तयतीह यः ।
evaṁ pravartitaṁ cakraṁ nānuvartayatīha yaḥ |

अघायुरिन्द्रियारामो मोघं पार्थ स जीवति ॥ ३-१६ ॥
aghāyurindriyārāmo moghaṁ pārtha sa jīvati || 3-16 ||

यस्त्वात्मरतिरेव स्यादात्मतृप्तश्च मानवः ।
yastvātmaratireva syādātmatṛptaśca mānavaḥ |

आत्मन्येव च सन्तुष्टस्तस्य कार्यं न विद्यते ॥ ३-१७ ॥
ātmanyeva ca santuṣṭastasya kāryaṁ na vidyate || 3-17 ||

नैव तस्य कृतेनार्थो नाकृतेनेह कश्चन ।
naiva tasya kṛtenārtho nākṛteneha kaścana |

न चास्य सर्वभूतेषु कश्चिदर्थव्यपाश्रयः ॥ ३-१८ ॥
na cāsya sarvabhūteṣu kaścidarthavyapāśrayaḥ || 3-18 ||

तस्मादसक्तः सततं कार्यं कर्म समाचर ।
tasmādasaktaḥ satataṁ kāryaṁ karma samācara |

असक्तो ह्याचरन्कर्म परमाप्नोति पूरुषः ॥ ३-१९ ॥
asakto hyācarankarma paramāpnoti pūruṣaḥ || 3-19 ||

13. Pessoas verdadeiras que se alimentam
dos restos do sacrifício são libertadas,
(mesmo) com todas as suas falhas.
Mas aqueles que cozinham (apenas) para si mesmos,
desfrutam de impurezas.

14. Do alimento surgem as criaturas;
da chuva surge o alimento;
do sacrifício surge a chuva;
sacrifício é o que resulta da ação.

15. Saiba que a ação provém de Brahma;
Brahma é o que resulta do indestrutível[31];
por isso o onipresente Brahma
está permanentemente assentado no sacrifício.

16. Aquele que não acompanha, aqui,
a roda assim posta em movimento,
vive em vão, seduzido por seus sentidos,
em uma vida impura.

17. Porém, aquele homem
que encontra prazer no si-mesmo (*ātmā*),
que pode ser saciado pelo si-mesmo
e que está satisfeito com o si-mesmo,
para ele não existem mais obrigações.

18. Nem sequer existe seu interesse (*artha*)
aqui por qualquer coisa que seja feita
ou pelo que deixe de ser feita,
nem tampouco seu interesse busca apoio
em qualquer criatura.

19. Portanto, cumpre sempre sem apego a ação devida.
O homem desapegado, de fato,
cumprindo a ação alcança o supremo (*param*).

31. "Indestrutível" (*akṣara*) é uma palavra usada tanto para designar (no gênero masculino ou no neutro da gramática sânscrita) o princípio formador do universo, quanto para designar uma sílaba (no gênero). E a sílaba usada para representar o princípio formador é o "*Om*". Este assunto é tratado com mais extensão no capítulo 8 da *Gītā*.

कर्मणैव हि संसिद्धिमास्थिता जनकादयः ।
karmaṇaiva hi saṁsiddhimāsthitā janakādayaḥ |

लोकसंग्रहमेवापि सम्पश्यन्कर्तुमर्हसि ॥ ३-२० ॥
lokasaṁgrahamevāpi sampaśyankartumarhasi || 3-20 ||

यद्यदाचरति श्रेष्ठस्तत्तदेवेतरो जनः ।
yadyadācarati śreṣṭhastattadevetaro janaḥ |

स यत्प्रमाणं कुरुते लोकस्तदनुवर्तते ॥ ३-२१ ॥
sa yatpramāṇaṁ kurute lokastadanuvartate || 3-21 ||

न मे पार्थास्ति कर्तव्यं त्रिषु लोकेषु किञ्चन ।
na me pārthāsti kartavyaṁ triṣu lokeṣu kiñcana |

नानवाप्तमवाप्तव्यं वर्त एव च कर्मणि ॥ ३-२२ ॥
nānavāptamavāptavyaṁ varta eva ca karmaṇi || 3-22 ||

यदि ह्यहं न वर्तेयं जातु कर्मण्यतन्द्रितः ।
yadi hyahaṁ na varteyaṁ jātu karmaṇyatandritaḥ |

मम वर्त्मानुवर्तन्ते मनुष्याः पार्थ सर्वशः ॥ ३-२३ ॥
mama vartmānuvartante manuṣyāḥ pārtha sarvaśaḥ || 3-23 ||

उत्सीदेयुरिमे लोका न कुर्यां कर्म चेदहम् ।
utsīdeyurime lokā na kuryāṁ karma cedaham |

सङ्करस्य च कर्ता स्यामुपहन्यामिमाः प्रजाः ॥ ३-२४ ॥
saṅkarasya ca kartā syāmupahanyāmimāḥ prajāḥ || 3-24 ||

सक्ताः कर्मण्यविद्वांसो यथा कुर्वन्ति भारत ।
saktāḥ karmaṇyavidvāṁso yathā kurvanti bhārata |

कुर्याद्विद्वांस्तथासक्तश्चिकीर्षुर्लोकसंग्रहम् ॥ ३-२५ ॥
kuryādvidvāṁstathāsaktaścikīrṣurlokasaṁgraham || 3-25 ||

न बुद्धिभेदं जनयेदज्ञानां कर्मसङ्गिनाम् ।
na buddhibhedaṁ janayedajñānāṁ karmasaṅginām |

जोषयेत्सर्वकर्माणि विद्वान्युक्तः समाचरन् ॥ ३-२६ ॥
joṣayetsarvakarmāṇi vidvānyuktaḥ samācaran || 3-26 ||

20. Foi apenas por meio de ações
que Janaka e outros alcançaram a perfeição.
Ainda que considerando o mundo como um todo,
deves fazer (a ação).

21. O que quer que faça o melhor,
é isso exatamente o que farão as outras pessoas.
O mundo segue o padrão que ele estabelece.

22. Não existe para mim, ó Pārtha,
qualquer tarefa por ser cumprida nos três mundos.
Nada que não tenha sido concluído,
nem nada ainda por se concluir.
E ainda assim me ocupo na ação.

23. E se eu, vergonhosamente,
optasse por não me ocupar
incansavelmente na ação,
(ainda assim) ó Pārtha,
os seres humanos seguiriam toda a minha trilha.

24. Estes mundos poderiam se arruinar
se eu optasse por não fazer a ação.
Eu me tornaria um agente da confusão.
Poderia destruir estas criaturas!

25. Assim como, apegados na ação,
os tolos atuam, ó Bhārata,
da mesma forma deveriam atuar os sábios,[32]
livres do apego,
desejosos de proteger o mundo como um todo.

26. Não se deve confundir a mente
dos ignorantes apegados às ações.
O sábio ajustado (ao yoga)
deve se agradar de todas as ações que realiza.

32. Kṛṣṇa apresenta aqui um ponto importante para o yoga: o sábio deve agir no mundo com a mesma intensidade daquele que está apegado às ações, mas livre do apego. Ele deve fazer assim para o bem da coletividade, que seguirá os seus passos e trilhará o caminho do bem.

प्रकृतेः क्रियमाणानि गुणैः कर्माणि सर्वशः ।
prakṛteḥ kriyamāṇāni guṇaiḥ karmāṇi sarvaśaḥ |

अहङ्कारविमूढात्मा कर्ताहमिति मन्यते ॥ ३-२७ ॥
ahaṅkāravimūḍhātmā kartāhamiti manyate || 3-27 ||

तत्त्ववित्तु महाबाहो गुणकर्मविभागयोः ।
tattvavittu mahābāho guṇakarmavibhāgayoḥ |

गुणा गुणेषु वर्तन्त इति मत्वा न सज्जते ॥ ३-२८ ॥
guṇā guṇeṣu vartanta iti matvā na sajjate || 3-28 ||

प्रकृतेर्गुणसम्मूढाः सज्जन्ते गुणकर्मसु ।
prakṛterguṇasammūḍhāḥ sajjante guṇakarmasu |

तानकृत्स्नविदो मन्दान्कृत्स्नविन्न विचालयेत् ॥ ३-२९ ॥
tānakṛtsnavido mandānkṛtsnavinna vicālayet || 3-29 ||

मयि सर्वाणि कर्माणि संन्यस्याध्यात्मचेतसा ।
mayi sarvāṇi karmāṇi saṁnyasyādhyātmacetasā |

निराशीर्निर्ममो भूत्वा युध्यस्व विगतज्वरः ॥ ३-३० ॥
nirāśīrnirmamo bhūtvā yudhyasva vigatajvaraḥ || 3-30 ||

ये मे मतमिदं नित्यमनुतिष्ठन्ति मानवाः ।
ye me matamidaṁ nityamanutiṣṭhanti mānavāḥ |

श्रद्धावन्तोऽनसूयन्तो मुच्यन्ते तेऽपि कर्मभिः ॥ ३-३१ ॥
śraddhāvanto'nasūyanto mucyante te'pi karmabhiḥ || 3-31 ||

ये त्वेतदभ्यसूयन्तो नानुतिष्ठन्ति मे मतम् ।
ye tvetadabhyasūyanto nānutiṣṭhanti me matam |

सर्वज्ञानविमूढांस्तान्विद्धि नष्टानचेतसः ॥ ३-३२ ॥
sarvajñānavimūḍhāṁstānviddhi naṣṭānacetasaḥ || 3-32 ||

सदृशं चेष्टते स्वस्याः प्रकृतेर्ज्ञानवानपि ।
sadṛśaṁ ceṣṭate svasyāḥ prakṛterjñānavānapi |

प्रकृतिं यान्ति भूतानि निग्रहः किं करिष्यति ॥ ३-३३ ॥
prakṛtiṁ yānti bhūtāni nigrahaḥ kiṁ kariṣyati || 3-33 ||

27. A totalidade das ações é realizada
pelas qualidades[33] da Natureza (*prakṛti*),
(mas) aquele que tem o espírito turvado
pela egoidade pensa: "sou eu quem faz!".

28. Mas o conhecedor dos princípios da Natureza,
ó Mahābāhu, (ciente) da distinção
entre qualidade e ação,
tendo pensado "as qualidades se transformam
(em ações) dentro das (próprias) qualidades",
não se apega (à ação).

29. Iludidos pelas qualidades da Natureza
(os homens) ficam presos às ações dessas qualidades.
Aquele que tem a visão do todo não pode
desencaminhar os tolos, cujo saber é incompleto.

30. Tendo lançado em mim[34] todas as ações,
com a consciência voltada para o si-mesmo,
tendo se tornado sem aspirações,
sem sentimento de posse, luta com serenidade[35].

31. Aquelas pessoas que praticam
este meu ensinamento[36] constantemente,
com fé e sem desagrado,
também elas são libertadas pelas ações.

32. Mas aqueles que, desagradados,
não praticam este meu ensinamento,
saiba que são iludidos por todo (qualquer)
conhecimento, destruídos, sem consciência.

33. Mesmo o conhecedor (da Natureza)
atua de conformidade com sua própria natureza.
As criaturas buscam (sua) natureza.
De que adiantará tentar impedir isso?

33. "*Guṇas*" – as "qualidades" da natureza material que informam três modos distintos pelos quais se manifestam os objetos e as ações em nosso mundo. A *Gītā* dedica o capítulo 14 à elucidação desses "*guṇas*".

34. Kṛṣṇa usa com frequência a voz de primeira pessoa quando se refere ao "si-mesmo" (*ātmā*).

35. "*Vigatajvara*" – "sem aflições" – aqui traduzido por "com serenidade".

36. "Ensinamento" – a palavra original é "mata", literalmente: "pensamento". Nossa opção se deve ao fato de Kṛṣṇa apresentar seus pensamentos na forma de um ensinamento dado a Arjuna.

इन्द्रियस्येन्द्रियस्यार्थे रागद्वेषौ व्यवस्थितौ।
indriyasyendriyasyārthe rāgadveṣau vyavasthitau |

तयोर्न वशमागच्छेत्तौ ह्यस्य परिपन्थिनौ ॥ ३-३४ ॥
tayorna vaśamāgacchettau hyasya paripanthinau || 3-34 ||

श्रेयान्स्वधर्मो विगुणः परधर्मात्स्वनुष्ठितात्।
śreyānsvadharmo viguṇaḥ paradharmātsvanuṣṭhitāt |

स्वधर्मे निधनं श्रेयः परधर्मो भयावहः ॥ ३-३५ ॥
svadharme nidhanaṁ śreyaḥ paradharmo bhayāvahaḥ || 3-35 ||

अर्जुन उवाच।
arjuna uvāca |

अथ केन प्रयुक्तोऽयं पापं चरति पूरुषः।
atha kena prayukto'yaṁ pāpaṁ carati pūruṣaḥ |

अनिच्छन्नपि वार्ष्णेय बलादिव नियोजितः ॥ ३-३६ ॥
anicchannapi vārṣṇeya balādiva niyojitaḥ || 3-36 ||

श्रीभगवानुवाच।
śrībhagavānuvāca |

काम एष क्रोध एष रजोगुणसमुद्भवः।
kāma eṣa krodha eṣa rajoguṇasamudbhavaḥ |

महाशनो महापाप्मा विद्ध्येनमिह वैरिणम् ॥ ३-३७ ॥
mahāśano mahāpāpmā viddhyenamiha vairiṇam || 3-37 ||

धूमेनाव्रियते वह्निर्यथादर्शो मलेन च।
dhūmenāvriyate vahniryathādarśo malena ca |

यथोल्बेनावृतो गर्भस्तथा तेनेदमावृतम् ॥ ३-३८ ॥
yatholbenāvṛto garbhastathā tenedamāvṛtam || 3-38 ||

आवृतं ज्ञानमेतेन ज्ञानिनो नित्यवैरिणा।
āvṛtaṁ jñānametena jñānino nityavairiṇā |

कामरूपेण कौन्तेय दुष्पूरेणानलेन च ॥ ३-३९ ॥
kāmarūpeṇa kaunteya duṣpūreṇānalena ca || 3-39 ||

34. No objeto de cada um dos sentidos
estão assentados o desejo e a aversão.
Não se deve cair sob seu controle
(pois) esses dois são obstáculos
deste (caminho em direção à sua natureza).

35. É melhor o seu próprio *dharma*[37] sem qualidade
do que o *dharma* de outro bem executado.[38]
É melhor a morte no próprio *dharma*.
O *dharma* de outro traz perigo.

Arjuna disse:

36. Unido ao que, este homem caminha para o erro,
mesmo não querendo, ó Vārṣṇeya,[39]
como se comandado por uma força (estranha)?

Senhor Bhagavān disse:

37. Este desejo, esta ira,
que vem à existência pela qualidade "*rajas*",
grande consumidor (da alma),
grande condutor ao erro,
saiba que ele é o inimigo, neste mundo.

38. Assim como o fogo
é obscurecido pela fumaça,
e o espelho, pela sujeira,
assim como o feto
está obscurecido pela placenta,
assim também este mundo[40]
está obscurecido por ele.

39. O conhecimento é obscurecido
por este permanente inimigo do conhecedor,
que tem a forma do desejo, ó Kaunteya,
e é um fogo insaciável.

37. *Svadharma* (seu próprio *dharma*) é a norma de conduta que uma pessoa deve adotar para manifestar neste mundo sua natureza própria (*svaprakṛti*).

38. Nota-se a importância desta frase no Yoga da *Bhagavad Gītā* pelo fato de ela se repetir no último capítulo, no verso 47.

39. Kṛṣṇa.

40. "*Idam*" (isto) – usada para designar "este mundo". A maioria dos tradutores, no entanto, traduz por "conhecimento", pois segue a tradição estabelecida por Ādi Śaṁkarācārya, que em seu comentário a esse verso explica a palavra "*idam*" relacionando-a ao termo "*jñānam*", que aparecerá no verso seguinte.

इन्द्रियाणि मनो बुद्धिरस्याधिष्ठानमुच्यते ।
indriyāṇi mano buddhirasyādhiṣṭhānamucyate |

एतैर्विमोहयत्येष ज्ञानमावृत्य देहिनम् ॥ ३-४० ॥
etairvimohayatyeṣa jñānamāvṛtya dehinam || 3-40 ||

तस्मात्त्वमिन्द्रियाण्यादौ नियम्य भरतर्षभ ।
tasmāttvamindriyāṇyādau niyamya bharatarṣabha |

पाप्मानं प्रजहि ह्येनं ज्ञानविज्ञाननाशनम् ॥ ३-४१ ॥
pāpmānaṁ prajahi hyenaṁ jñānavijñānanāśanam || 3-41 ||

इन्द्रियाणि पराण्याहुरिन्द्रियेभ्यः परं मनः ।
indriyāṇi parāṇyāhurindriyebhyaḥ paraṁ manaḥ |

मनसस्तु परा बुद्धिर्यो बुद्धेः परतस्तु सः ॥ ३-४२ ॥
manasastu parā buddhiryo buddheḥ paratastu saḥ || 3-42 ||

एवं बुद्धेः परं बुद्ध्वा संस्तभ्यात्मानमात्मना ।
evaṁ buddheḥ paraṁ buddhvā saṁstabhyātmānamātmanā |

जहि शत्रुं महाबाहो कामरूपं दुरासदम् ॥ ३-४३ ॥
jahi śatruṁ mahābāho kāmarūpaṁ durāsadam || 3-43 ||

ॐ तत्सदिति श्रीमद्भगवद्गीतायामुपनिषदि
OM tatsaditi śrīmadbhagavadgītāyāmupaniṣadi

ब्रह्मविद्यायां योगशास्त्रे श्रीकृष्णार्जुनसंवादे
brahmavidyāyāṁ yogaśāstre śrīkṛṣṇārjunasaṁvāde

कर्मयोगो नाम तृतीयोऽध्यायः ॥ ३ ॥
karmayogo nāma tṛtīyo'dhyāyaḥ || 3 ||

40. Se diz que sua morada são os sentidos,
a mente e a inteligência perceptiva.
Por meio deles, tendo obscurecido o conhecimento,
ele ilude a alma.

41. Por isso tu, ó Touro dos Bhāratas,
tendo controlado primeiramente os sentidos,
abandona este pecaminoso destruidor
de sabedoria e de conhecimento[41].

42. Os sentidos são de natureza elevada.
A mente é superior aos sentidos.
A inteligência, porém, é superior à mente.
Mas ele (o si-mesmo) é superior à inteligência!

43. Assim tendo entendido
o (que é) superior à inteligência,
tendo fortalecido o si-mesmo por meio de ti mesmo,
mata o inimigo que tem a forma do desejo
e que é difícil de se encontrar, ó Mahābāhu.

OM tat sat!

Assim (termina)
na venerável *Bhagavad Gītā Upaniṣad*,
na sabedoria dos *mantras* (*Brahmavidyā*),
no tratado de Yoga,
no diálogo entre o senhor Kṛṣṇa e Arjuna,
o terceiro capítulo,
denominado "o yoga da ação (*karma*)".

41. "Sabedoria e conhecimento" traduzem, aqui, "*jñānam*" e "*vijñānam*" (literalmente "conhecimento vivencial" e "conhecimento intelectual"). O capítulo 7 da *Gītā* trata especificamente desta distinção.

अथ चतुर्थोऽध्यायः ।

atha caturtho'dhyāyaḥ |

ज्ञानकर्मसंन्यासयोगः

jñānakarmasaṁnyāsayogaḥ

श्रीभगवानुवाच ।

śrībhagavānuvāca |

इमं विवस्वते योगं प्रोक्तवानहमव्ययम् ।

imaṁ vivasvate yogaṁ proktavānahamavyayam |

विवस्वान्मनवे प्राह मनुरिक्ष्वाकवेऽब्रवीत् ॥ ४-१ ॥

vivasvānmanave prāha manurikṣvākave'bravīt || 4-1 ||

एवं परम्पराप्राप्तमिमं राजर्षयो विदुः ।

evaṁ paramparāprāptamimaṁ rājarṣayo viduḥ |

स कालेनेह महता योगो नष्टः परन्तप ॥ ४-२ ॥

sa kāleneha mahatā yogo naṣṭaḥ parantapa || 4-2 ||

स एवायं मया तेऽद्य योगः प्रोक्तः पुरातनः ।

sa evāyaṁ mayā te'dya yogaḥ proktaḥ purātanaḥ |

भक्तोऽसि मे सखा चेति रहस्यं ह्येतदुत्तमम् ॥ ४-३ ॥

bhakto'si me sakhā ceti rahasyaṁ hyetaduttamam || 4-3 ||

अर्जुन उवाच ।

arjuna uvāca |

अपरं भवतो जन्म परं जन्म विवस्वतः ।

aparaṁ bhavato janma paraṁ janma vivasvataḥ |

कथमेतद्विजानीयां त्वमादौ प्रोक्तवानिति ॥ ४-४ ॥

kathametadvijānīyāṁ tvamādau proktavāniti || 4-4 ||

Quarto capítulo

A renúncia à ação pelo conhecimento

Senhor Bhagavān disse:

1. Eu ensinei
este yoga imutável para Vivasvān[42].
Vivasvān contou para Manu.
Manu disse para Ikṣvāku.

2. Assim, aprendido
pela transmissão tradicional,
o conheceram os sábios reis.
Por um longo tempo,
esse yoga esteve perdido,
aqui, ó Parantapa.

3. Esse mesmo yoga
ensinado no passado
é ensinado para ti hoje, por mim.
És devotado a mim, e um amigo.
Este é realmente o segredo supremo.

Arjuna disse:

4. O nascimento do senhor é recente.
O nascimento de Vivasvān
é (muito) anterior.
Como devo entender isso,
que tu ensinaste (Vivasvān)
no passado?

42. O Sol, pai de Manu Vaivasvata e avô de Ikṣvāku (iniciador da dinastia Solar de reis míticos).

श्रीभगवानुवाच ।
śrībhagavānuvāca |

बहूनि मे व्यतीतानि जन्मानि तव चार्जुन ।
bahūni me vyatītāni janmāni tava cārjuna |

तान्यहं वेद सर्वाणि न त्वं वेत्थ परन्तप ॥ ४-५ ॥
tānyahaṁ veda sarvāṇi na tvaṁ vettha parantapa || 4-5 ||

अजोऽपि सन्नव्ययात्मा भूतानामीश्वरोऽपि सन् ।
ajo'pi sannavyayātmā bhūtānāmīśvaro'pi san |

प्रकृतिं स्वामधिष्ठाय सम्भवाम्यात्ममायया ॥ ४-६ ॥
prakṛtiṁ svāmadhiṣṭhāya sambhavāmyātmamāyayā || 4-6 ||

यदा यदा हि धर्मस्य ग्लानिर्भवति भारत ।
yadā yadā hi dharmasya glānirbhavati bhārata |

अभ्युत्थानमधर्मस्य तदात्मानं सृजाम्यहम् ॥ ४-७ ॥
abhyutthānamadharmasya tadātmānaṁ sṛjāmyaham || 4-7 ||

परित्राणाय साधूनां विनाशाय च दुष्कृताम् ।
paritrāṇāya sādhūnāṁ vināśāya ca duṣkṛtāma |

धर्मसंस्थापनार्थाय सम्भवामि युगे युगे ॥ ४-८ ॥
dharmasaṁsthāpanārthāya sambhavāmi yuge yuge || 4-8 ||

जन्म कर्म च मे दिव्यमेवं यो वेत्ति तत्त्वतः ।
janma karma ca me divyamevaṁ yo vetti tattvataḥ |

त्यक्त्वा देहं पुनर्जन्म नैति मामेति सोऽर्जुन ॥ ४-९ ॥
tyaktvā dehaṁ punarjanma naiti māmeti so'rjuna || 4-9 ||

वीतरागभयक्रोधा मन्मया मामुपाश्रिताः ।
vītarāgabhayakrodhā manmayā māmupāśritāḥ |

बहवो ज्ञानतपसा पूता मद्भावमागताः ॥ ४-१० ॥
bahavo jñānatapasā pūtā madbhāvamāgatāḥ || 4-10 ||

ये यथा मां प्रपद्यन्ते तांस्तथैव भजाम्यहम् ।
ye yathā māṁ prapadyante tāṁstathaiva bhajāmyaham |

मम वर्त्मानुवर्तन्ते मनुष्याः पार्थ सर्वशः ॥ ४-११ ॥
mama vartmānuvartante manuṣyāḥ pārtha sarvaśaḥ || 4-11 ||

Senhor Bhagavān disse:

5. Muitos foram meus nascimentos passados
e os teus, ó Arjuna.
Todos eles são conhecidos por mim,
mas não por ti, ó Parantapa.

6. Mesmo sendo o si-mesmo (*ātmā*) imutável,
não nascido, mesmo sendo o senhor das criaturas,
tendo me apoiado na própria Natureza,
me manifesto (no mundo)
por meio da minha própria força de criação[43].

7. Sempre que há o enfraquecimento do *dharma*,
ó Bhārata, (e) o crescimento do *adharma*,
então, por mim mesmo, eu surjo.

8. Para a salvação dos bons
e para a destruição dos maus,
com a finalidade de restabelecer o *dharma*,
me manifesto a cada Era (*yuga*).

9. Meu nascimento e minha ação são divinos.
Quem verdadeiramente sabe isso,
tendo abandonado o corpo
não vai a outro nascimento.
Ele vem a mim, Arjuna.

10. Aqueles que estão livres
do desejo, do medo e da ira,
aqueles que procedem de mim,
que encontram refúgio em mim,
muitos (dentre eles) purificados pela ascese (*tapas*)
do conhecimento, retornam à minha natureza.

11. Aqueles que, dessa maneira, se aproximam de mim,
a eles, da mesma forma eu me devoto.
De todas as maneiras, ó Pārtha,
os homens seguem o meu caminho.

43. "*Ātmāmāyayā*" – "a própria *Māyā*" ou "a *Māyā* do si mesmo". *Māyā* é a grande ilusão original, que viabiliza a criação do universo material.

काङ्क्षन्तः कर्मणां सिद्धिं यजन्त इह देवताः ।
kāṅkṣantaḥ karmaṇāṁ siddhiṁ yajanta iha devatāḥ |

क्षिप्रं हि मानुषे लोके सिद्धिर्भवति कर्मजा ॥ ४-१२ ॥
kṣipraṁ hi mānuṣe loke siddhirbhavati karmajā || 4-12 ||

चातुर्वर्ण्यं मया सृष्टं गुणकर्मविभागशः ।
cāturvarṇyaṁ mayā sṛṣṭaṁ guṇakarmavibhāgaśaḥ |

तस्य कर्तारमपि मां विद्ध्यकर्तारमव्ययम् ॥ ४-१३ ॥
tasya kartāramapi māṁ viddhyakartāramavyayam || 4-13 ||

न मां कर्माणि लिम्पन्ति न मे कर्मफले स्पृहा ।
na māṁ karmāṇi limpanti na me karmaphale spṛhā |

इति मां योऽभिजानाति कर्मभिर्न स बध्यते ॥ ४-१४ ॥
iti māṁ yo'bhijānāti karmabhirna sa badhyate || 4-14 ||

एवं ज्ञात्वा कृतं कर्म पूर्वैरपि मुमुक्षुभिः ।
evaṁ jñātvā kṛtaṁ karma pūrvairapi mumukṣubhiḥ |

कुरु कर्मैव तस्मात्त्वं पूर्वैः पूर्वतरं कृतम् ॥ ४-१५ ॥
kuru karmaiva tasmāttvaṁ pūrvaiḥ pūrvataraṁ kṛtam || 4-15 ||

किं कर्म किमकर्मेति कवयोऽप्यत्र मोहिताः ।
kiṁ karma kimakarmeti kavayo'pyatra mohitāḥ |

तत्ते कर्म प्रवक्ष्यामि यज्ज्ञात्वा मोक्ष्यसेऽशुभात् ॥ ४-१६ ॥
tatte karma pravakṣyāmi yajjñātvā mokṣyase'śubhāt || 4-16 ||

कर्मणो ह्यपि बोद्धव्यं बोद्धव्यं च विकर्मणः ।
karmaṇo hyapi boddhavyaṁ boddhavyaṁ ca vikarmaṇaḥ |

अकर्मणश्च बोद्धव्यं गहना कर्मणो गतिः ॥ ४-१७ ॥
akarmaṇaśca boddhavyaṁ gahanā karmaṇo gatiḥ || 4-17 ||

कर्मण्यकर्म यः पश्येदकर्मणि च कर्म यः ।
karmaṇyakarma yaḥ paśyedakarmaṇi ca karma yaḥ |

स बुद्धिमान्मनुष्येषु स युक्तः कृत्स्नकर्मकृत् ॥ ४-१८ ॥
sa buddhimānmanuṣyeṣu sa yuktaḥ kṛtsnakarmakṛt || 4-18 ||

12. Aqueles que desejam o sucesso das ações
sacrificam aqui para as divindades.
É rápido, de fato, o sucesso nascido da ação,
no mundo humano.

13. Quatro castas foram criadas por mim,
de conformidade com a ação
das qualidades (da Natureza).
Embora eu seja aquele que as fez,
conhece-me como o imutável "não fazedor".

14. As ações não me sujam,
eu não tenho desejo pelo fruto da ação.
Quem me reconhece dessa maneira
não é aprisionado pelas ações.

15. Tendo conhecido (isso),
assim também era feita a ação pelos antigos,
em busca da libertação.
Faz, portanto, tu mesmo
a ação feita anteriormente pelos antigos.

16. "O que é a ação? O que é a não ação?"
Até mesmo os sábios poetas se confundem, aqui.
Então te ensinarei a ação que, tendo-a conhecido,
te libertarás do desagrado.

17. A ação certamente precisa ser compreendida,
também precisa ser compreendida a ação imprópria,
e a não ação precisa ser compreendida.
É difícil de se entender o movimento da ação!

18. Aquele que é capaz de ver a não ação na ação,
e a ação na não ação, esse está lúcido,
entre os seres humanos.
Ajustado (ao seu *dharma*),
ele faz a ação por completo.

यस्य सर्वे समारम्भाः कामसङ्कल्पवर्जिताः ।
yasya sarve samārambhāḥ kāmasaṅkalpavarjitāḥ |

ज्ञानाग्निदग्धकर्माणं तमाहुः पण्डितं बुधाः ॥ ४-१९ ॥
jñānāgnidagdhakarmāṇaṁ tamāhuḥ paṇḍitaṁ budhāḥ || 4-19 ||

त्यक्त्वा कर्मफलासङ्गं नित्यतृप्तो निराश्रयः ।
tyaktvā karmaphalāsaṅgaṁ nityatṛpto nirāśrayaḥ |

कर्मण्यभिप्रवृत्तोऽपि नैव किञ्चित्करोति सः ॥ ४-२० ॥
karmaṇyabhipravṛtto'pi naiva kiñcitkaroti saḥ || 4-20 ||

निराशीर्यतचित्तात्मा त्यक्तसर्वपरिग्रहः ।
nirāśīryatacittātmā tyaktasarvaparigrahaḥ |

शारीरं केवलं कर्म कुर्वन्नाप्नोति किल्बिषम् ॥ ४-२१ ॥
śārīraṁ kevalaṁ karma kurvannāpnoti kilbiṣam || 4-21 ||

यदृच्छालाभसन्तुष्टो द्वन्द्वातीतो विमत्सरः ।
yadṛcchālābhasantuṣṭo dvandvātīto vimatsaraḥ |

समः सिद्धावसिद्धौ च कृत्वापि न निबध्यते ॥ ४-२२ ॥
samaḥ siddhāvasiddhau ca kṛtvāpi na nibadhyate || 4-22 ||

गतसङ्गस्य मुक्तस्य ज्ञानावस्थितचेतसः ।
gatasaṅgasya muktasya jñānāvasthitacetasaḥ |

यज्ञायाचरतः कर्म समग्रं प्रविलीयते ॥ ४-२३ ॥
yajñāyācarataḥ karma samagraṁ pravilīyate || 4-23 ||

ब्रह्मार्पणं ब्रह्म हविर्ब्रह्माग्नौ ब्रह्मणा हुतम् ।
brahmārpaṇaṁ brahma havirbrahmāgnau brahmaṇā hutam |

ब्रह्मैव तेन गन्तव्यं ब्रह्मकर्मसमाधिना ॥ ४-२४ ॥
brahmaiva tena gantavyaṁ brahmakarmasamādhinā || 4-24 ||

दैवमेवापरे यज्ञं योगिनः पर्युपासते ।
daivamevāpare yajñaṁ yoginaḥ paryupāsate |

ब्रह्माग्नावपरे यज्ञं यज्ञेनैवोपजुह्वति ॥ ४-२५ ॥
brahmāgnāvapare yajñaṁ yajñenaivopajuhvati || 4-25 ||

19. Aquele cujas iniciativas todas
estão desprovidas da expectativa (criada pelo) desejo,
esse os sábios dizem que é um "*paṇḍita*"[44],
cuja ação é queimada no fogo do conhecimento.

20. Tendo abandonado o apego aos frutos da ação,
permanentemente satisfeito, independente,
ainda que envolvido pelas ações, ele, de fato, nada faz.

21. Desprovido de desejos,
com a mente (*cittam*)[45] controlada pelo si-mesmo,
executando a ação apenas no corpo,
não incorre em erro.

22. Satisfeito com o que obtém (com as ações)
sem qualquer expectativa,
(colocando-se) além das dualidades,
(permanecendo) o mesmo no sucesso e no fracasso,
mesmo tendo feito (a ação)
não é (por ela) aprisionado.

23. A ação daquele que não tem apego, que está livre,
que tem a consciência assentada no conhecimento,
que está orientado para o sacrifício (*yajña*),
se dissolve completamente.[46]

24. O instrumento de oferenda é Brahma,
a oferenda é Brahma oferecida por Brahma
no fogo de Brahma.
Apenas Brahma é o que está por ser encontrado
por aquele que, em *samādhi*,
executa a ação (ritual) de Brahma.[47]

25. Alguns *yoguis* participam
do sacrifício (*yajña*) divino, apenas.
Alguns oferecem o sacrifício pelo sacrifício, apenas,
no fogo de Brahma.

44. Um sábio erudito, que se destaca por sua inteligência e por seu conhecimento.

45. Em seu comentário a este verso, Ādi Śaṁkarācārya identifica a mente "*cittam*" ao "*antaḥkaranam*" (o "agente interno") que engloba três princípios formadores: a inteligência perceptiva (*buddhi*); a egoidade (*ahamkāra*); e a mente relacional (*manas*). Esse núcleo mental só pode ser controlado pela presença do si-mesmo (*ātmā*).

46. A ação da pessoa livre se dissolve completamente – isso significa que ela se funde e se integra com o conjunto das ações da Natureza (*Prakṛti*).

47. Este verso é de suma importância, pois estabelece uma conexão entre a ação ritual oficiada pelos sacerdotes (*Brahmakarma*) e a ação desapegada, realizada fora do contexto do ritual. Ele se pauta no paralelo entre Brahma e o si-mesmo (*ātmā*), que nas *upaniṣadas* são declarados idênticos, para mostrar que, tomados pela perspectiva correta, uma ação dedicada ao si-mesmo tem o mesmo valor que a ação ritual da tradição védica, dedicada a Brahma.

श्रोत्रादीनीन्द्रियाण्यन्ये संयमाग्निषु जुह्वति ।
śrotrādīnīndriyāṇyanye saṁyamāgniṣu juhvati |

शब्दादीन्विषयानन्य इन्द्रियाग्निषु जुह्वति ॥ ४-२६ ॥
śabdādīnviṣayānanya indriyāgniṣu juhvati || 4-26 ||

सर्वाणीन्द्रियकर्माणि प्राणकर्माणि चापरे ।
sarvāṇīndriyakarmāṇi prāṇakarmāṇi cāpare |

आत्मसंयमयोगाग्नौ जुह्वति ज्ञानदीपिते ॥ ४-२७ ॥
ātmasaṁyamayogāgnau juhvati jñānadīpite || 4-27 ||

द्रव्ययज्ञास्तपोयज्ञा योगयज्ञास्तथापरे ।
dravyayajñāstapoyajñā yogayajñāstathāpare |

स्वाध्यायज्ञानयज्ञाश्च यतयः संशितव्रताः ॥ ४-२८ ॥
svādhyāyajñānayajñāśca yatayaḥ saṁśitavratāḥ || 4-28 ||

अपाने जुह्वति प्राणं प्राणेऽपानं तथापरे ।
apāne juhvati prāṇaṁ prāṇe'pānaṁ tathāpare |

प्राणापानगती रुद्ध्वा प्राणायामपरायणाः ॥ ४-२९ ॥
prāṇāpānagatī ruddhvā prāṇāyāmaparāyaṇāḥ || 4-29 ||

अपरे नियताहाराः प्राणान्प्राणेषु जुह्वति ।
apare niyatāhārāḥ prāṇānprāṇeṣu juhvati |

सर्वेऽप्येते यज्ञविदो यज्ञक्षपितकल्मषाः ॥ ४-३० ॥
sarve'pyete yajñavido yajñakṣapitakalmaṣāḥ || 4-30 ||

यज्ञशिष्टामृतभुजो यान्ति ब्रह्म सनातनम् ।
yajñaśiṣṭāmṛtabhujo yānti brahma sanātanam |

नायं लोकोऽस्त्ययज्ञस्य कुतोऽन्यः कुरुसत्तम ॥ ४-३१ ॥
nāyaṁ loko'styayajñasya kuto'nyaḥ kurusattama || 4-31 ||

एवं बहुविधा यज्ञा वितता ब्रह्मणो मुखे ।
evaṁ bahuvidhā yajñā vitatā brahmaṇo mukhe |

कर्मजान्विद्धि तान्सर्वानेवं ज्ञात्वा विमोक्ष्यसे ॥ ४-३२ ॥
karmajānviddhi tānsarvānevaṁ jñātvā vimokṣyase || 4-32 ||

26. Outros oferecem a audição e outros órgãos
(de percepção) nos fogos da meditação (*samyama*).
Outros oferecem o som e outros objetos
(de percepção) nos fogos dos órgãos (de percepção).

27. E outros oferecem todas as ações dos sentidos
e as ações do *prāṇa* no fogo do ajustamento (yoga)
da meditação ao si-mesmo,
(que é) aceso pelo conhecimento.

28. Assim também outros ascetas, leais a seus votos,
fazem sacrifício (*yajña*) com bens,
com austeridades (*tapas*),
com práticas de ajustamento (yoga),
com o conhecimento de suas reflexões (*svādhyāya*).

29. Outros, tendo suspendido
o movimento do *prāṇa* e do *apāna*,
oferecem o *prāṇa* no *apāna*,
assim como o *apāna* no *prāṇa*,
engajados na prática do *prāṇāyāma*.

30. Outros, jejuando, oferecem os *prāṇas* nos *prāṇas*.
Todos estes sabem o que é o sacrifício,
e pelo sacrifício se abstêm dos (atos) impuros.

31. Alimentando-se do néctar da imortalidade
que são os restos do sacrifício,
caminham para o Brahma eterno.
Este mundo não é para quem não pratica o sacrifício.
Que dizer, então, do outro (mundo), ó Kurusattama[48]?

32. Assim, variados tipos de sacrifícios
se estendem na face de Brahma.[49]
Saiba que eles todos nascem da ação (*karma*).
Tendo assim conhecido (o sacrifício) te libertarás.

48. "O mais autêntico dos *Kurus*", um dos epítetos de Arjuna.

49. Os *mantras* védicos – Brahma representa a verdade, e a sua face (ou sua boca, "*mukham*") são as palavras que compõem os versos dos *Vedas*. São essas palavras que inspiram, orientam e ativam os rituais de sacrifício da cultura védica.

श्रेयान्द्रव्यमयाद्यज्ञाज्ज्ञानयज्ञः परन्तप ।
śreyāndravyamayādyajñājjñānayajñaḥ parantapa |

सर्वं कर्माखिलं पार्थ ज्ञाने परिसमाप्यते ॥ ४-३३ ॥
sarvaṁ karmākhilaṁ pārtha jñāne parisamāpyate || 4-33 ||

तद्विद्धि प्रणिपातेन परिप्रश्नेन सेवया ।
tadviddhi praṇipātena paripraśnena sevayā |

उपदेक्ष्यन्ति ते ज्ञानं ज्ञानिनस्तत्त्वदर्शिनः ॥ ४-३४ ॥
upadekṣyanti te jñānaṁ jñāninastattvadarśinaḥ || 4-34 ||

यज्ज्ञात्वा न पुनर्मोहमेवं यास्यसि पाण्डव ।
yajjñātvā na punarmohamevaṁ yāsyasi pāṇḍava |

येन भूतान्यशेषाणि द्रक्ष्यस्यात्मन्यथो मयि ॥ ४-३५ ॥
yena bhūtānyaśeṣāṇi drakṣyasyātmanyatho mayi || 4-35 ||

अपि चेदसि पापेभ्यः सर्वेभ्यः पापकृत्तमः ।
api cedasi pāpebhyaḥ sarvebhyaḥ pāpakṛttamaḥ |

सर्वं ज्ञानप्लवेनैव वृजिनं सन्तरिष्यसि ॥ ४-३६ ॥
sarvaṁ jñānaplavenaiva vṛjinaṁ santariṣyasi || 4-36 ||

यथैधांसि समिद्धोऽग्निर्भस्मसात्कुरुतेऽर्जुन ।
yathaidhāṁsi samiddho'gnirbhasmasātkurute'rjuna |

ज्ञानाग्निः सर्वकर्माणि भस्मसात्कुरुते तथा ॥ ४-३७ ॥
jñānāgniḥ sarvakarmāṇi bhasmasātkurute tathā || 4-37 ||

न हि ज्ञानेन सदृशं पवित्रमिह विद्यते ।
na hi jñānena sadṛśaṁ pavitramiha vidyate |

तत्स्वयं योगसंसिद्धः कालेनात्मनि विन्दति ॥ ४-३८ ॥
tatsvayaṁ yogasaṁsiddhaḥ kālenātmani vindati || 4-38 ||

श्रद्धावाँल्लभते ज्ञानं तत्परः संयतेन्द्रियः ।
śraddhāvāňllabhate jñānaṁ tatparaḥ saṁyatendriyaḥ |

ज्ञानं लब्ध्वा परां शान्तिमचिरेणाधिगच्छति ॥ ४-३९ ॥
jñānaṁ labdhvā parāṁ śāntimacireṇādhigacchati || 4-39 ||

33. Melhor que o sacrifício feito com bens materiais
é o sacrifício do conhecimento, ó Parantapa.
Toda ação, sem exceção, ó Pārtha,
se resolve no conhecimento.

34. Aprende isso pela submissão,
pela perquirição, pelo serviço.
Instruir-te-ão no conhecimento
os conhecedores que enxergam a verdade.

35. Aquele (conhecimento) que, tendo conhecido,
não mais cairás na ilusão, ó Pāṇḍava;
aquele por meio do qual verás
todas as criaturas em ti mesmo, e então em mim.

36. Ainda que sejas o mais pecaminoso
entre todos os maus,
com apenas a barca do conhecimento
atravessarás todos os males.

37. Assim como o fogo reduz a cinzas
os combustíveis inflamados, ó Arjuna,
da mesma forma o conhecimento
reduz a cinzas todas as ações.

38. Não se encontra, aqui (neste mundo),
um (instrumento) purificador igual ao conhecimento
que aquele que é bem-sucedido no yoga,
por si mesmo, em si mesmo encontra.

39. Quem é provido de fé,
com os sentidos disciplinados
e dedicado ao conhecimento,
obtém esse conhecimento.
Tendo obtido o conhecimento,
rapidamente encontra a paz suprema.

अज्ञश्चाश्रद्दधानश्च संशयात्मा विनश्यति ।
ajñaścāśraddadhānaśca saṁśayātmā vinaśyati |

नायं लोकोऽस्ति न परो न सुखं संशयात्मनः ॥ ४-४० ॥
nāyaṁ loko'sti na paro na sukhaṁ saṁśayātmanaḥ || 4-40 ||

योगसंन्यस्तकर्माणं ज्ञानसञ्छिन्नसंशयम् ।
yogasaṁnyastakarmāṇaṁ jñānasañchinnasaṁśayam |

आत्मवन्तं न कर्माणि निबध्नन्ति धनञ्जय ॥ ४-४१ ॥
ātmavantaṁ na karmāṇi nibadhnanti dhanañjaya || 4-41 ||

तस्मादज्ञानसम्भूतं हृत्स्थं ज्ञानासिनात्मनः ।
tasmādajñānasambhūtaṁ hṛtsthaṁ jñānāsinātmanaḥ |

छित्त्वैनं संशयं योगमातिष्ठोत्तिष्ठ भारत ॥ ४-४२ ॥
chittvainaṁ saṁśayaṁ yogamātiṣṭhottiṣṭha bhārata || 4-42 ||

ॐ तत्सदिति श्रीमद्भगवद्गीतायामुपनिषदि
OM tatsaditi śrīmadbhagavadgītāyāmupaniṣadi

ब्रह्मविद्यायां योगशास्त्रे श्रीकृष्णार्जुनसंवादे
brahmavidyāyāṁ yogaśāstre śrīkṛṣṇārjunasaṁvāde

ज्ञानकर्मसंन्यासयोगो नाम चतुर्थोऽध्यायः ॥ ४ ॥
jñānakarmasaṁnyāsayogo nāma caturtho'dhyāyaḥ || 4 ||

40. Aquele que tem dúvidas sobre si mesmo[50]
é destruído, ignorante e sem fé.
Não existe este mundo, nem outro mundo,
nem bem-estar para aquele
que tem dúvidas sobre si mesmo.

41. As ações não aprisionam, ó Dhanañjaya,
aquele que é dono de si mesmo,
que renunciou às ações através do yoga,
(e) que cortou suas dúvidas através do conhecimento.

42. Portanto, tendo cortado,
com a espada do conhecimento de si mesmo,
esta dúvida surgida em seu coração
por (sua) falta de conhecimento, pratica o yoga.
Ergue-te, ó Bhārata!

OM tat sat!

Assim (termina)
na venerável *Bhagavad Gītā Upaniṣad*,
na sabedoria dos *mantras* (*Brahmavidyā*),
no tratado de Yoga,
no diálogo entre o senhor Kṛṣṇa e Arjuna,
o quarto capítulo, denominado
"o yoga da renúncia à ação pelo conhecimento".

50. "*Saṁśayātmā*", geralmente traduzido por "cético", ou "aquele que duvida". Optamos por traduzir, dentro do contexto das frases anteriores, por "aquele que tem dúvidas sobre si mesmo", que é justamente a condição inversa àquela do bem-sucedido no yoga, mencionado no verso 38.

अथ पञ्चमोऽध्यायः ।

atha pañcamo'dhyāyaḥ |

संन्यासयोगः

saṁnyāsayogaḥ

अर्जुन उवाच ।

arjuna uvāca |

संन्यासं कर्मणां कृष्ण पुनर्योगं च शंससि ।

saṁnyāsaṁ karmaṇāṁ kṛṣṇa punaryogaṁ ca śaṁsasi |

यच्छ्रेय एतयोरेकं तन्मे ब्रूहि सुनिश्चितम् ॥ ५-१ ॥

yacchreya etayorekaṁ tanme brūhi suniścitam || 5-1 ||

श्रीभगवानुवाच ।

śrībhagavānuvāca |

संन्यासः कर्मयोगश्च निःश्रेयसकरावुभौ ।

saṁnyāsaḥ karmayogaśca niḥśreyasakarāvubhau |

तयोस्तु कर्मसंन्यासात्कर्मयोगो विशिष्यते ॥ ५-२ ॥

tayostu karmasaṁnyāsātkarmayogo viśiṣyate || 5-2 ||

ज्ञेयः स नित्यसंन्यासी यो न द्वेष्टि न काङ्क्षति ।

jñeyaḥ sa nityasaṁnyāsī yo na dveṣṭi na kāṅkṣati |

निर्द्वन्द्वो हि महाबाहो सुखं बन्धात्प्रमुच्यते ॥ ५-३ ॥

nirdvandvo hi mahābāho sukhaṁ bandhātpramucyate || 5-3 ||

साङ्ख्ययोगौ पृथग्बालाः प्रवदन्ति न पण्डिताः ।

sāṅkhyayogau pṛthagbālāḥ pravadanti na paṇḍitāḥ |

एकमप्यास्थितः सम्यगुभयोर्विन्दते फलम् ॥ ५-४ ॥

ekamapyāsthitaḥ samyagubhayorvindate phalam || 5-4 ||

Quinto capítulo

O renunciamento

Arjuna disse:

1. Louvas, ó Kṛṣṇa,
a renúncia às ações
e também o yoga.[51]
Diz-me com a máxima certeza
qual destes dois é o melhor.

51. O yoga é a excelência nas ações (verso 2,50), ou seja, é o ajustamento das ações (verso 3,3).

Senhor Bhagavān disse:

2. A renúncia e o yoga da ação
produzem, ambos, a felicidade final.
Mas dentre ambos,
o yoga da ação se destaca
em relação à renúncia às ações.

3. Deve ser conhecido
como um renunciante permanente
aquele que não repudia nem deseja.
Livre das dualidades, ó Mahābāhu,
(ele) é facilmente libertado
do aprisionamento (das ações).

4. Os imaturos
– e não os instruídos (*paṇḍitas*) –
afirmam que o *Sāṅkhya* e o Yoga são diferentes,
(mas) mesmo aquele
que corretamente pratica apenas um,
alcança resultado nos dois.

यत्साङ्ख्यैः प्राप्यते स्थानं तद्योगैरपि गम्यते ।
yatsāṅkhyaiḥ prāpyate sthānaṁ tadyogairapi gamyate |

एकं साङ्ख्यं च योगं च यः पश्यति स पश्यति ॥ ५-५ ॥
ekaṁ sāṅkhyaṁ ca yogaṁ ca yaḥ paśyati sa paśyati || 5-5 ||

संन्यासस्तु महाबाहो दुःखमाप्तुमयोगतः ।
saṁnyāsastu mahābāho duḥkhamāptumayogataḥ |

योगयुक्तो मुनिर्ब्रह्म नचिरेणाधिगच्छति ॥ ५-६ ॥
yogayukto munirbrahma nacireṇādhigacchati || 5-6 ||

योगयुक्तो विशुद्धात्मा विजितात्मा जितेन्द्रियः ।
yogayukto viśuddhātmā vijitātmā jitendriyaḥ |

सर्वभूतात्मभूतात्मा कुर्वन्नपि न लिप्यते ॥ ५-७ ॥
sarvabhūtātmabhūtātmā kurvannapi na lipyate || 5-7 ||

नैव किञ्चित्करोमीति युक्तो मन्येत तत्त्ववित् ।
naiva kiñcitkaromīti yukto manyeta tattvavit |

पश्यञ्शृण्वन्स्पृशञ्जिघ्रन्नश्नन्गच्छन्स्वपञ्श्वसन् ॥ ५-८ ॥
paśyañśṛṇvanspṛśañjighrannaśnangacchansvapañśvasan || 5-8 ||

प्रलपन्विसृजन्गृह्णन्नुन्मिषन्निमिषन्नपि ।
pralapanvisṛjangṛhṇannunmiṣannimiṣannapi |

इन्द्रियाणीन्द्रियार्थेषु वर्तन्त इति धारयन् ॥ ५-९ ॥
indriyāṇīndriyārtheṣu vartanta iti dhārayan || 5-9 ||

ब्रह्मण्याधाय कर्माणि सङ्गं त्यक्त्वा करोति यः ।
brahmaṇyādhāya karmāṇi saṅgaṁ tyaktvā karoti yaḥ |

लिप्यते न स पापेन पद्मपत्रमिवाम्भसा ॥ ५-१० ॥
lipyate na sa pāpena padmapatramivāmbhasā || 5-10 ||

कायेन मनसा बुद्ध्या केवलैरिन्द्रियैरपि ।
kāyena manasā buddhyā kevalairindriyairapi |

योगिनः कर्म कुर्वन्ति सङ्गं त्यक्त्वात्मशुद्धये ॥ ५-११ ॥
yoginaḥ karma kurvanti saṅgaṁ tyaktvātmaśuddhaye || 5-11 ||

5. A postura[52] obtida pelos *sāṅkhyas*
também é alcançada pelos *yoguis*.
Aquele que vê o *Sāṅkhya* e o Yoga como um só,
este vê (corretamente).

52. "*Sthānam*" – postura corporal ou mental, atitude.

6. A renúncia, porém, ó Mahābāhu,
é difícil de se obter sem o yoga.
O sábio ajustado ao yoga
rapidamente alcança Brahma.

7. Ajustado ao yoga com o si-mesmo purificado,
com o si-mesmo conquistado,
com os sentidos controlados,
com o senso de que o si-mesmo de uma criatura
é o si-mesmo de todas as criaturas,
mesmo fazendo (a ação) não se macula.

8. "Eu nada faço" deve pensar o ajustado
que conhece a verdade (*tattvam*),
(esteja ele) vendo, ouvindo, tocando, farejando,
comendo, andando, sonhando, respirando,

9. Resmungando, entregando, recebendo,
acordando, ou também adormecendo,
sustentando (em sua mente a opinião):
"(estas ações) são os sentidos
ocupando-se dos objetos de percepção".

10. Tendo apoiado suas ações em Brahma,
tendo abandonado o apego,
aquele que (assim) faz (a ação),
não se suja com o erro,
da mesma forma como a folha do lótus com a água.

11. Com o corpo, com a mente, com a inteligência,
ou mesmo apenas com os sentidos,
os *yoguis* fazem sua ação, tendo abandonado o apego,
para a purificação do si-mesmo.

युक्तः कर्मफलं त्यक्त्वा शान्तिमाप्नोति नैष्ठिकीम् ।
yuktaḥ karmaphalaṁ tyaktvā śāntimāpnoti naiṣṭhikīm |

अयुक्तः कामकारेण फले सक्तो निबध्यते ॥ ५-१२ ॥
ayuktaḥ kāmakāreṇa phale sakto nibadhyate || 5-12 ||

सर्वकर्माणि मनसा संन्यस्यास्ते सुखं वशी ।
sarvakarmāṇi manasā saṁnyasyāste sukhaṁ vaśī |

नवद्वारे पुरे देही नैव कुर्वन्न कारयन् ॥ ५-१३ ॥
navadvāre pure dehī naiva kurvanna kārayan || 5-13 ||

न कर्तृत्वं न कर्माणि लोकस्य सृजति प्रभुः ।
na kartṛtvaṁ na karmāṇi lokasya sṛjati prabhuḥ |

न कर्मफलसंयोगं स्वभावस्तु प्रवर्तते ॥ ५-१४ ॥
na karmaphalasaṁyogaṁ svabhāvastu pravartate || 5-14 ||

नादत्ते कस्यचित्पापं न चैव सुकृतं विभुः ।
nādatte kasyacitpāpaṁ na caiva sukṛtaṁ vibhuḥ |

अज्ञानेनावृतं ज्ञानं तेन मुह्यन्ति जन्तवः ॥ ५-१५ ॥
ajñānenāvṛtaṁ jñānaṁ tena muhyanti jantavaḥ || 5-15 ||

ज्ञानेन तु तदज्ञानं येषां नाशितमात्मनः ।
jñānena tu tadajñānaṁ yeṣāṁ nāśitamātmanaḥ |

तेषामादित्यवज्ज्ञानं प्रकाशयति तत्परम् ॥ ५-१६ ॥
teṣāmādityavajjñānaṁ prakāśayati tatparam || 5-16 ||

तद्बुद्धयस्तदात्मानस्तन्निष्ठास्तत्परायणाः ।
tadbuddhayastadātmānastanniṣṭhāstatparāyaṇāḥ |

गच्छन्त्यपुनरावृत्तिं ज्ञाननिर्धूतकल्मषाः ॥ ५-१७ ॥
gacchantyapunarāvṛttiṁ jñānanirdhūtakalmaṣāḥ || 5-17 ||

विद्याविनयसम्पन्ने ब्राह्मणे गवि हस्तिनि ।
vidyāvinayasampanne brāhmaṇe gavi hastini |

शुनि चैव श्वपाके च पण्डिताः समदर्शिनः ॥ ५-१८ ॥
śuni caiva śvapāke ca paṇḍitāḥ samadarśinaḥ || 5-18 ||

12. O ajustado,[53] tendo abandonado o fruto da ação,
alcança a paz definitiva.
O desajustado, apegado ao fruto,
é aprisionado pela ação do desejo.

13. Senhor de sua própria vontade,
tendo renunciado com sua mente a todas as ações,
o espírito[54] assenta-se confortavelmente[55]
na fortaleza das nove portas[56],
nem agindo nem causando ações.

14. O espírito[57] não cria as ações,
nem a autoria das ações do mundo,
nem a conexão entre a ação e seu fruto.
É a natureza própria (das coisas)
que é posta em movimento.

15. O espírito não se apropria
das más ou das boas ações de quem quer que seja.
O conhecimento é ocultado pela ignorância.
Por isso as criaturas se iludem.

16. No entanto, para aqueles cuja ignorância
é destruída pelo conhecimento do si-mesmo,
seu conhecimento, (brilhante) como o Sol,
ilumina a meta final.

17. Aqueles cuja inteligência compreende (o si-mesmo),
cujo espírito se identifica a ele, devotados a ele,
focados nele, retornam para o imanifesto,
com suas falhas destruídas pelo conhecimento.

18. Aqueles que vêm da mesma maneira
um *brāhmane* sábio e virtuoso, uma vaca,
um elefante, um cão e um homem de casta inferior[58],
estes são *paṇḍitas*.

53. "*Yukta*" – aquele que realizou o yoga.

54. "*Dehin*" – "aquele que é provido de um corpo". É o si-mesmo, o "*ātmā*".

55. "*Āste sukham*" – esta expressão parece relacionar-se ao conceito posterior de assentamento (*āsanam*) do yoga. O verbo "*ās*" (assentar-se), que dá origem à palavra "*āsanam*", aparece aqui conjugado "Aste" (assenta-se). Patañjali diz: "*sthiram sukham āsanam*" (o *āsana* é firme e confortável – *Yoga Sūtras*, 2, 46).

56. Ādi Śaṁkarācārya explica, em seu comentário, que essa cidade é o corpo, e as portas são as sete aberturas na cabeça, mais as aberturas do ânus e do genital.

57. "*Prabhu*" – "poderoso, capaz".

58. "*Śvapāka*" – "aquele que cozinha cachorros para comer" – uma pessoa desprezível.

इहैव तैर्जितः सर्गो येषां साम्ये स्थितं मनः ।
ihaiva tairjitaḥ sargo yeṣāṁ sāmye sthitaṁ manaḥ |

निर्दोषं हि समं ब्रह्म तस्माद्ब्रह्मणि ते स्थिताः ॥ ५-१९ ॥
nirdoṣaṁ hi samaṁ brahma tasmādbrahmaṇi te sthitāḥ || 5-19 ||

न प्रहृष्येत्प्रियं प्राप्य नोद्विजेत्प्राप्य चाप्रियम् ।
na prahṛṣyetpriyaṁ prāpya nodvijetprāpya cāpriyam |

स्थिरबुद्धिरसम्मूढो ब्रह्मविद्ब्रह्मणि स्थितः ॥ ५-२० ॥
sthirabuddhirasammūḍho brahmavidbrahmaṇi sthitaḥ || 5-20 ||

बाह्यस्पर्शेष्वसक्तात्मा विन्दत्यात्मनि यत्सुखम् ।
bāhyasparśeṣvasaktātmā vindatyātmani yatsukham |

स ब्रह्मयोगयुक्तात्मा सुखमक्षयमश्नुते ॥ ५-२१ ॥
sa brahmayogayuktātmā sukhamakṣayamaśnute || 5-21 ||

ये हि संस्पर्शजा भोगा दुःखयोनय एव ते ।
ye hi saṁsparśajā bhogā duḥkhayonaya eva te |

आद्यन्तवन्तः कौन्तेय न तेषु रमते बुधः ॥ ५-२२ ॥
ādyantavantaḥ kaunteya na teṣu ramate budhaḥ || 5-22 ||

शक्नोतीहैव यः सोढुं प्राक्शरीरविमोक्षणात् ।
śaknotīhaiva yaḥ soḍhuṁ prākśarīravimokṣaṇāt |

कामक्रोधोद्भवं वेगं स युक्तः स सुखी नरः ॥ ५-२३ ॥
kāmakrodhodbhavaṁ vegaṁ sa yuktaḥ sa sukhī naraḥ || 5-23 ||

योऽन्तःसुखोऽन्तरारामस्तथान्तर्ज्योतिरेव यः ।
yo'ntaḥsukho'ntarārāmastathāntarjyotireva yaḥ |

स योगी ब्रह्मनिर्वाणं ब्रह्मभूतोऽधिगच्छति ॥ ५-२४ ॥
sa yogī brahmanirvāṇaṁ brahmabhūto'dhigacchati || 5-24 ||

लभन्ते ब्रह्मनिर्वाणमृषयः क्षीणकल्मषाः ।
labhante brahmanirvāṇamṛṣayaḥ kṣīṇakalmaṣāḥ |

छिन्नद्वैधा यतात्मानः सर्वभूतहिते रताः ॥ ५-२५ ॥
chinnadvaidhā yatātmānaḥ sarvabhūtahite ratāḥ || 5-25 ||

19. Aqui, neste mundo, a criação é conquistada
por aqueles em quem a mente está equilibrada.
Brahma é perfeito e equilibrado.
Por esta razão eles estão fixados em Brahma.

20. A inteligência firme e não afetada pela ilusão,
conhecedora de Brahma, se fixa em Brahma.
Não se regozija por ter obtido o que lhe é caro,
nem se incomoda por ter obtido o que lhe desagrada.

21. Com o si-mesmo desapegado
nos contatos com o mundo externo,
encontra no si-mesmo aquilo que é confortável.
Com o si-mesmo ajustado ao ajustamento[59]
em Brahma, encontra conforto permanente.

22. Aqueles desfrutes que são produzidos
do contato (com o mundo externo)
têm duração limitada
e são fonte de sofrimento, apenas.
O sábio não encontra prazer neles.

23. Aquele que neste mundo é capaz de resistir,
antes de sua morte, ao impulso do desejo e da fúria,
esse está ajustado, esse é um homem feliz.

24. Aquele que encontra conforto interior,
assim como prazer interior,
aquele que tem apenas a luz interior,
esse é o *yogui* que, tornado Brahma,
alcança a extinção[60] em Brahma.

25. Obtêm a extinção em Brahma os sábios (*ṛṣis*)
cujas impurezas foram destruídas,
cujas dúvidas foram eliminadas,
cujo si-mesmo foi controlado,[61]
que se comprazem com o bem-estar
de todas as criaturas.

59. "*Yogayukta*" – "ajustado ao ajustamento" – uma expressão redundante, mesmo no original.

60. "*Nirvāṇa*" – "extinção" da personalidade, quando o espírito (o si-mesmo) se integra a Brahma.

61. A expressão "si-mesmo" (*ātmā*) tem significações diversas, que às vezes se confundem. Neste verso, o comentário de Ādi Śaṁkarācārya esclarece que "si-mesmo", aqui, são os órgãos de percepção.

कामक्रोधवियुक्तानां यतीनां यतचेतसाम् ।
kāmakrodhaviyuktānāṁ yatīnāṁ yatacetasām |

अभितो ब्रह्मनिर्वाणं वर्तते विदितात्मनाम् ॥ ५-२६ ॥
abhito brahmanirvāṇaṁ vartate viditātmanām || 5-26 ||

स्पर्शान्कृत्वा बहिर्बाह्यांश्चक्षुश्चैवान्तरे भ्रुवोः ।
sparśānkṛtvā bahirbāhyāṁścakṣuścaivāntare bhruvoḥ |

प्राणापानौ समौ कृत्वा नासाभ्यन्तरचारिणौ ॥ ५-२७ ॥
prāṇāpānau samau kṛtvā nāsābhyantaracāriṇau || 5-27 ||

यतेन्द्रियमनोबुद्धिर्मुनिर्मोक्षपरायणः ।
yatendriyamanobuddhirmunirmokṣaparāyaṇaḥ |

विगतेच्छाभयक्रोधो यः सदा मुक्त एव सः ॥ ५-२८ ॥
vigatecchābhayakrodho yaḥ sadā mukta eva saḥ || 5-28 ||

भोक्तारं यज्ञतपसां सर्वलोकमहेश्वरम् ।
bhoktāraṁ yajñatapasāṁ sarvalokamaheśvaram |

सुहृदं सर्वभूतानां ज्ञात्वा मां शान्तिमृच्छति ॥ ५-२९ ॥
suhṛdaṁ sarvabhūtānāṁ jñātvā māṁ śāntimṛcchati || 5-29 ||

ॐ तत्सदिति श्रीमद्भगवद्गीतायामुपनिषदि
OM tatsaditi śrīmadbhagavadgītāyāmupaniṣadi

ब्रह्मविद्यायां योगशास्त्रे श्रीकृष्णार्जुनसंवादे
brahmavidyāyāṁ yogaśāstre śrīkṛṣṇārjunasaṁvāde

संन्यासयोगो नाम पञ्चमोऽध्यायः ॥ ५ ॥
saṁnyāsayogo nāma pañcamo'dhyāyaḥ || 5 ||

26. A extinção em Brahma torna-se próxima
daqueles que caminham livres do desejo e da ira,
com a mente controlada,
conhecedores de si mesmos.

27. (Aquele que) tendo deixado de fora
os contatos (sensoriais) externos,
o olhar entre as sobrancelhas,
tendo tornado iguais o *prāṇa* e o *apāna*
que se movem dentro do nariz,

28. Com os sentidos, a mente
e a inteligência controlados,
aquele sábio que tem por objetivo a libertação,
e que se livrou do desejo, do medo e da ira,
apenas esse está eternamente livre.

29. Tendo-me conhecido
como o desfrutador dos sacrifícios e das asceses,
senhor de todos os mundos
e amigo de todas as criaturas, ele alcança a paz.

OM tat sat!

Assim (termina)
na venerável *Bhagavad Gītā Upaniṣad*,
na sabedoria dos *mantras* (*Brahmavidyā*),
no tratado de Yoga,
no diálogo entre o senhor Kṛṣṇa e Arjuna,
o quinto capítulo,
denominado "o yoga do renunciamento".

अथ षष्ठोऽध्यायः ।

atha ṣaṣṭho'dhyāyaḥ |

आत्मसंयमयोगः

ātmasaṁyamayogaḥ

श्रीभगवानुवाच ।
śrībhagavānuvāca |

अनाश्रितः कर्मफलं कार्यं कर्म करोति यः ।
anāśritaḥ karmaphalaṁ kāryaṁ karma karoti yaḥ |

स संन्यासी च योगी च न निरग्निर्न चाक्रियः ॥ ६-१ ॥
sa saṁnyāsī ca yogī ca na niragnirna cākriyaḥ || 6-1 ||

यं संन्यासमिति प्राहुर्योगं तं विद्धि पाण्डव ।
yaṁ saṁnyāsamiti prāhuryogaṁ taṁ viddhi pāṇḍava |

न ह्यसंन्यस्तसङ्कल्पो योगी भवति कश्चन ॥ ६-२ ॥
na hyasaṁnyastasaṅkalpo yogī bhavati kaścana || 6-2 ||

आरुरुक्षोर्मुनेर्योगं कर्म कारणमुच्यते ।
ārurukṣormuneryogaṁ karma kāraṇamucyate |

योगारूढस्य तस्यैव शमः कारणमुच्यते ॥ ६-३ ॥
yogārūḍhasya tasyaiva śamaḥ kāraṇamucyate || 6-3 ||

यदा हि नेन्द्रियार्थेषु न कर्मस्वनुषज्जते ।
yadā hi nendriyārtheṣu na karmasvanuṣajjate |

सर्वसङ्कल्पसंन्यासी योगारूढस्तदोच्यते ॥ ६-४ ॥
sarvasaṅkalpasaṁnyāsī yogārūḍhastadocyate || 6-4 ||

उद्धरेदात्मनात्मानं नात्मानमवसादयेत् ।
uddharedātmanātmānaṁ nātmānamavasādayet |

आत्मैव ह्यात्मनो बन्धुरात्मैव रिपुरात्मनः ॥ ६-५ ॥
ātmaiva hyātmano bandhurātmaiva ripurātmanaḥ || 6-5 ||

Sexto capítulo

O controle de si mesmo

Senhor Bhagavān disse:
1. Aquele que faz a ação devida
sem depender dos frutos dessa ação,
esse é um renunciante e um *yogui*,
e não aquele que não acende o fogo,[62]
e que não age.

2. Aquilo que chamam de "renunciamento",
ó Pāṇḍava, sabe que isso é o yoga.
Ninguém se torna *yogui*
sem uma firme determinação ao renunciamento.

3. Diz-se que a ação é o instrumento do sábio
que aspira alcançar as alturas do yoga.
Diz-se que a tranquilidade é o instrumento
daquele que já se elevou pelo yoga.

4. Quando (ele) não está preso
aos objetos dos sentidos ou às ações,
tendo renunciado a todas as intenções,
se diz que (esse) é aquele
que já se elevou pelo yoga.

5. (O sábio) deve elevar o si-mesmo por si mesmo,
não deve enfraquecer o si-mesmo.
O si-mesmo é o único aliado de si mesmo,
e o único adversário de si mesmo.[63]

62. Acender o fogo é uma das mais antigas formas de ritual que se conhece. Na tradição hindu, o fogo é uma ferramenta de purificação, que prepara as oferendas usadas no ritual. No yoga, o fogo é o esforço que purifica a mente e a prepara para expressar com perfeição a natureza do si-mesmo. Não acender o fogo significa recusar-se a aceitar o comando do si-mesmo, ou seja, é a antítese do yoga.

63. Os versos 5 e 6 fazem um jogo de palavras com o termo "si-mesmo" (*ātmā*) para esclarecer, nos versos seguintes, que há dois tipos de si-mesmo dentro de nós, um superior e eterno (*paramātmā*) e outro inferior e limitado à duração de uma vida (*jivātmā*). Este último precisa ser conquistado e colocado sob o comando do si-mesmo eterno.

बन्धुरात्मात्मनस्तस्य येनात्मैवात्मना जितः।
bandhurātmātmanastasya yenātmaivātmanā jitaḥ |

अनात्मनस्तु शत्रुत्वे वर्तेतात्मैव शत्रुवत्॥ ६-६॥
anātmanastu śatrutve vartetātmaiva śatruvat || 6-6 ||

जितात्मनः प्रशान्तस्य परमात्मा समाहितः।
jitātmanaḥ praśāntasya paramātmā samāhitaḥ |

शीतोष्णसुखदुःखेषु तथा मानापमानयोः॥ ६-७॥
śītoṣṇasukhaduḥkheṣu tathā mānāpamānayoḥ || 6-7 ||

ज्ञानविज्ञानतृप्तात्मा कूटस्थो विजितेन्द्रियः।
jñānavijñānatṛptātmā kūṭastho vijitendriyaḥ |

युक्त इत्युच्यते योगी समलोष्टाश्मकाञ्चनः॥ ६-८॥
yukta ityucyate yogī samaloṣṭāśmakāñcanaḥ || 6-8 ||

सुहृन्मित्रार्युदासीनमध्यस्थद्वेष्यबन्धुषु।
suhṛnmitrāryudāsīnamadhyasthadveṣyabandhuṣu |

साधुष्वपि च पापेषु समबुद्धिर्विशिष्यते॥ ६-९॥
sādhuṣvapi ca pāpeṣu samabuddhirviśiṣyate || 6-9 ||

योगी युञ्जीत सततमात्मानं रहसि स्थितः।
yogī yuñjīta satatamātmānaṁ rahasi sthitaḥ |

एकाकी यतचित्तात्मा निराशीरपरिग्रहः॥ ६-१०॥
ekākī yatacittātmā nirāśīraparigrahaḥ || 6-10 ||

शुचौ देशे प्रतिष्ठाप्य स्थिरमासनमात्मनः।
śucau deśe pratiṣṭhāpya sthiramāsanamātmanaḥ |

नात्युच्छ्रितं नातिनीचं चैलाजिनकुशोत्तरम्॥ ६-११॥
nātyucchritaṁ nātinīcaṁ cailājinakuśottaram || 6-11 ||

तत्रैकाग्रं मनः कृत्वा यतचित्तेन्द्रियक्रियः।
tatraikāgraṁ manaḥ kṛtvā yatacittendriyakriyaḥ |

उपविश्यासने युञ्ज्याद्योगमात्मविशुद्धये॥ ६-१२॥
upaviśyāsane yuñjyādyogamātmaviśuddhaye || 6-12 ||

6. O si-mesmo é o aliado daquele si-mesmo
pelo qual o si-mesmo foi efetivamente conquistado,
mas o si-mesmo deve se converter, tal como
um inimigo, no adversário do que não é o si-mesmo.

7. O si-mesmo supremo (*paramātmā*)
está no comando[64] daquele que tem o si-mesmo
conquistado, e que está em paz, no frio ou no calor,
no prazer ou no sofrimento,
assim como no orgulho ou na vergonha.

8. Com o si-mesmo satisfeito
com o conhecimento vivencial (*jñāna*)
e o conhecimento intelectual (*vijñāna*),
assentado na mais elevada posição, com os
sentidos controlados, o *yogui* que vê como iguais
um punhado de barro, uma rocha e o ouro
é chamado de "ajustado" (*yukta*).

9. Destaca-se aquele cuja inteligência é a mesma
em meio a pessoas de bem, amigos, inimigos,
desconhecidos, pessoas imparciais, pessoas
desagradáveis, parentes, santos e também pecadores.

10. O *yogui* deve ajustar (exercitar) continuamente
o si-mesmo, assentado em um local secreto,
completamente só, controlando a mente (*cittam*)
por si mesmo, sem expectativas, desprovido de posses.

11. Tendo instalado em um local limpo
um assento (*āsanam*) firme para si mesmo,
nem muito alto nem muito baixo,
coberto por tecido, couro ou capim kuśa,

12. Ali, tendo focado sua mente (*manas*), com seus
atos, seus sentidos e sua mente (*cittam*) controlados,
tendo se colocado em seu assento, ele pode
se ajustar ao yoga, para a purificação do si-mesmo.

64. "*Samāhita*" – literalmente: "em *samādhi*".

समं कायशिरोग्रीवं धारयन्नचलं स्थिरः ।
samaṁ kāyaśirogrīvaṁ dhārayannacalaṁ sthiraḥ |

सम्प्रेक्ष्य नासिकाग्रं स्वं दिशश्चानवलोकयन् ॥ ६-१३ ॥
samprekṣya nāsikāgraṁ svaṁ diśaścānavalokayan || 6-13 ||

प्रशान्तात्मा विगतभीर्ब्रह्मचारिव्रते स्थितः ।
praśāntātmā vigatabhīrbrahmacārivrate sthitaḥ |

मनः संयम्य मच्चित्तो युक्त आसीत मत्परः ॥ ६-१४ ॥
manaḥ saṁyamya maccitto yukta āsīta matparaḥ || 6-14 ||

युञ्जन्नेवं सदात्मानं योगी नियतमानसः ।
yuñjannevaṁ sadātmānaṁ yogī niyatamānasaḥ |

शान्तिं निर्वाणपरमां मत्संस्थामधिगच्छति ॥ ६-१५ ॥
śāntiṁ nirvāṇaparamāṁ matsaṁsthāmadhigacchati || 6-15 ||

नात्यश्नतस्तु योगोऽस्ति न चैकान्तमनश्नतः ।
nātyaśnatastu yogo'sti na caikāntamanaśnataḥ |

न चातिस्वप्नशीलस्य जाग्रतो नैव चार्जुन ॥ ६-१६ ॥
na cātisvapnaśīlasya jāgrato naiva cārjuna || 6-16 ||

युक्ताहारविहारस्य युक्तचेष्टस्य कर्मसु ।
yuktāhāravihārasya yuktaceṣṭasya karmasu |

युक्तस्वप्नावबोधस्य योगो भवति दुःखहा ॥ ६-१७ ॥
yuktasvapnāvabodhasya yogo bhavati duḥkhahā || 6-17 ||

यदा विनियतं चित्तमात्मन्येवावतिष्ठते ।
yadā viniyataṁ cittamātmanyevāvatiṣṭhate |

निःस्पृहः सर्वकामेभ्यो युक्त इत्युच्यते तदा ॥ ६-१८ ॥
niḥspṛhaḥ sarvakāmebhyo yukta ityucyate tadā || 6-18 ||

यथा दीपो निवातस्थो नेङ्गते सोपमा स्मृता ।
yathā dīpo nivātastho neṅgate sopamā smṛtā |

योगिनो यतचित्तस्य युञ्जतो योगमात्मनः ॥ ६-१९ ॥
yogino yatacittasya yuñjato yogamātmanaḥ || 6-19 ||

13. Firme, sustentando imóveis por igual o corpo,
a cabeça e o pescoço,
tendo olhado bem para a ponta do próprio nariz,
não olhando para (qualquer) outra direção.

14. Com o si-mesmo apaziguado, destemido,
firme em seu voto de *brahmacārin*[65],
tendo controlado a mente (*manas*),
com a mente (*cittam*) focada em mim,
o ajustado deve se sentar, tendo-me por objeto.

15. Ajustando sempre dessa maneira o si-mesmo,
o *yogui* que tem a mente disciplinada
alcança a paz da extinção suprema
que está fundamentada em mim.

16. O yoga não pertence, porém,
ao que come demais,
nem tampouco ao que decide não comer,
nem também ao que tem o hábito
de dormir em excesso
nem ao que (permanece) desperto, ó Arjuna.

17. O yoga destrói o sofrimento
daquele que come e jejua corretamente[66],
que adota a atitude correta nas suas ações,
que dorme e acorda corretamente.

18. Quando a mente disciplinada
se manifesta apenas no si-mesmo,
desinteressada de todos os objetos de desejo,
então se diz que (o *yogui*) está ajustado.

19. Assim como uma lamparina protegida do vento
mantém sua chama aprumada,
de modo similar o *yogui* que tem a mente controlada
se ajusta ao yoga do si-mesmo.

65. *Brahmacārin* é aquele que assume o compromisso de buscar a verdade (Brahma) com dedicação exclusiva, e que, para tanto, evita se envolver com os interesses mundanos.

66. "*Yukta*" – "ajustado" – aqui traduzido por "corretamente".

यत्रोपरमते चित्तं निरुद्धं योगसेवया ।
yatroparamate cittaṁ niruddhaṁ yogasevayā |

यत्र चैवात्मनात्मानं पश्यन्नात्मनि तुष्यति ॥ ६-२० ॥
yatra caivātmanātmānaṁ paśyannātmani tuṣyati || 6-20 ||

सुखमात्यन्तिकं यत्तद्बुद्धिग्राह्यमतीन्द्रियम् ।
sukhamātyantikaṁ yattadbuddhigrāhyamatīndriyam |

वेत्ति यत्र न चैवायं स्थितश्चलति तत्त्वतः ॥ ६-२१ ॥
vetti yatra na caivāyaṁ sthitaścalati tattvataḥ || 6-21 ||

यं लब्ध्वा चापरं लाभं मन्यते नाधिकं ततः ।
yaṁ labdhvā cāparaṁ lābhaṁ manyate nādhikaṁ tataḥ |

यस्मिन्स्थितो न दुःखेन गुरुणापि विचाल्यते ॥ ६-२२ ॥
yasminsthito na duḥkhena guruṇāpi vicālyate || 6-22 ||

तं विद्याद्दुःखसंयोगवियोगं योगसंज्ञितम् ।
taṁ vidyādduḥkhasaṁyogaviyogaṁ yogasaṁjñitam |

स निश्चयेन योक्तव्यो योगोऽनिर्विण्णचेतसा ॥ ६-२३ ॥
sa niścayena yoktavyo yogo'nirviṇṇacetasā || 6-23 ||

सङ्कल्पप्रभवान्कामांस्त्यक्त्वा सर्वानशेषतः ।
saṅkalpaprabhavānkāmāṁstyaktvā sarvānaśeṣataḥ |

मनसैवेन्द्रियग्रामं विनियम्य समन्ततः ॥ ६-२४ ॥
manasaivendriyagrāmaṁ viniyamya samantataḥ || 6-24 ||

शनैः शनैरुपरमेद्बुद्ध्या धृतिगृहीतया ।
śanaiḥ śanairuparamedbuddhyā dhṛtigṛhītayā |

आत्मसंस्थं मनः कृत्वा न किञ्चिदपि चिन्तयेत् ॥ ६-२५ ॥
ātmasaṁsthaṁ manaḥ kṛtvā na kiñcidapi cintayet || 6-25 ||

यतो यतो निश्चरति मनश्चञ्चलमस्थिरम् ।
yato yato niścarati manaścañcalamasthiram |

ततस्ततो नियम्यैतदात्मन्येव वशं नयेत् ॥ ६-२६ ॥
tatastato niyamyaitadātmanyeva vaśaṁ nayet || 6-26 ||

20. Onde se aquieta a mente
recolhida pela aplicação[67] do yoga,
e onde se contenta no si-mesmo,
observando o si-mesmo por meio de si mesmo.

67. Literalmente: "pelo serviço" do yoga.

21. O bem-estar transbordante
que com inteligência (o *yogui*)
percebe para além dos sentidos,
onde este, ali estando,
já não se afasta mais da verdade,

22. E que tendo alcançado
pensa que é uma conquista insuperável,
e que nada há que seja melhor do que isso,
onde, ali estando, não mais é afastado pelo sofrimento,
por mais pesado que este seja.

23. (O *yogui*) deve saber que essa separação
daquilo que nos une ao sofrimento
é conhecida como "yoga".
Esse yoga deve ser praticado resolutamente,
com um estado de ânimo elevado.

24. Tendo abandonado todos os desejos
oriundos de fantasias, sem exceção,
tendo conquistado completamente
com a mente o conjunto dos sentidos,

25. Gradualmente (o *yogui*) deve aquietar-se,
com a inteligência estabilizada,
tendo feito a mente fixar-se no si-mesmo,
deve pensar em nada.

26. Quando quer que a mente se manifeste agitada,
sem estabilidade, então, tendo controlado esta (mente),
deve (o *yogui*) conduzi-la
para o domínio do si-mesmo.

प्रशान्तमनसं ह्येनं योगिनं सुखमुत्तमम् ।
praśāntamanasaṁ hyenaṁ yoginaṁ sukhamuttamam |

उपैति शान्तरजसं ब्रह्मभूतमकल्मषम् ॥ ६-२७ ॥
upaiti śāntarajasaṁ brahmabhūtamakalmaṣam || 6-27 ||

युञ्जन्नेवं सदात्मानं योगी विगतकल्मषः ।
yuñjannevaṁ sadātmānaṁ yogī vigatakalmaṣaḥ |

सुखेन ब्रह्मसंस्पर्शमत्यन्तं सुखमश्नुते ॥ ६-२८ ॥
sukhena brahmasaṁsparśamatyantaṁ sukhamaśnute || 6-28 ||

सर्वभूतस्थमात्मानं सर्वभूतानि चात्मनि ।
sarvabhūtasthamātmānaṁ sarvabhūtāni cātmani |

ईक्षते योगयुक्तात्मा सर्वत्र समदर्शनः ॥ ६-२९ ॥
īkṣate yogayuktātmā sarvatra samadarśanaḥ || 6-29 ||

यो मां पश्यति सर्वत्र सर्वं च मयि पश्यति ।
yo māṁ paśyati sarvatra sarvaṁ ca mayi paśyati |

तस्याहं न प्रणश्यामि स च मे न प्रणश्यति ॥ ६-३० ॥
tasyāhaṁ na praṇaśyāmi sa ca me na praṇaśyati || 6-30 ||

सर्वभूतस्थितं यो मां भजत्येकत्वमास्थितः ।
sarvabhūtasthitaṁ yo māṁ bhajatyekatvamāsthitaḥ |

सर्वथा वर्तमानोऽपि स योगी मयि वर्तते ॥ ६-३१ ॥
sarvathā vartamāno'pi sa yogī mayi vartate || 6-31 ||

आत्मौपम्येन सर्वत्र समं पश्यति योऽर्जुन ।
ātmaupamyena sarvatra samaṁ paśyati yo'rjuna |

सुखं वा यदि वा दुःखं स योगी परमो मतः ॥ ६-३२ ॥
sukhaṁ vā yadi vā duḥkhaṁ sa yogī paramo mataḥ || 6-32 ||

अर्जुन उवाच ।
arjuna uvāca |

योऽयं योगस्त्वया प्रोक्तः साम्येन मधुसूदन ।
yo'yaṁ yogastvayā proktaḥ sāmyena madhusūdana |

एतस्याहं न पश्यामि चञ्चलत्वात्स्थितिं स्थिराम् ॥ ६-३३ ॥
etasyāhaṁ na paśyāmi cañcalatvātsthitiṁ sthirām || 6-33 ||

27. O mais elevado bem-estar
vem para esse *yogui* que tem a mente tranquilizada,
as emoções acalmadas, imaculado,
que se tornou Brahma.

28. Ajustando-se desta maneira ao si-mesmo,
o *yogui* que está livre de máculas
alcança facilmente a integração com Brahma,
(que é) o bem-estar supremo.

29. O si-mesmo ajustado pelo yoga
vê com equanimidade, por toda parte,
o si-mesmo em todas as criaturas,
e todas as criaturas no si-mesmo.

30. Aquele que me vê por toda parte,
e que vê tudo em mim,
eu não estou perdido para ele,
nem ele está perdido para mim.

31. Aquele que, estabelecido na unidade,
me adora como aquele que está presente
em todas as criaturas,
qualquer que seja a maneira como ele vive,
esse *yogui* vive em mim.

32. Aquele que, a exemplo do si-mesmo,
vê tudo por igual, ó Arjuna,
seja na alegria, seja no sofrimento,
esse é considerado o *yogui* supremo.

Arjuna disse:
33. Devido à agitação (da mente)
eu não enxergo a permanência firme desse yoga
que por ti é explicado com a equanimidade,
ó Madhusūdana,

चञ्चलं हि मनः कृष्ण प्रमाथि बलवद्दृढम् ।
cañcalaṁ hi manaḥ kṛṣṇa pramāthi balavaddṛḍham |

तस्याहं निग्रहं मन्ये वायोरिव सुदुष्करम् ॥ ६-३४ ॥
tasyāhaṁ nigrahaṁ manye vāyoriva suduṣkaram || 6-34 ||

श्रीभगवानुवाच ।
śrībhagavānuvāca |

असंशयं महाबाहो मनो दुर्निग्रहं चलम् ।
asaṁśayaṁ mahābāho mano durnigrahaṁ calam |

अभ्यासेन तु कौन्तेय वैराग्येण च गृह्यते ॥ ६-३५ ॥
abhyāsena tu kaunteya vairāgyeṇa ca gṛhyate || 6-35 ||

असंयतात्मना योगो दुष्प्राप इति मे मतिः ।
asaṁyatātmanā yogo duṣprāpa iti me matiḥ |

वश्यात्मना तु यतता शक्योऽवाप्तुमुपायतः ॥ ६-३६ ॥
vaśyātmanā tu yatatā śakyo'vāptumupāyataḥ || 6-36 ||

अर्जुन उवाच ।
arjuna uvāca |

अयतिः श्रद्धयोपेतो योगाच्चलितमानसः ।
ayatiḥ śraddhayopeto yogāccalitamānasaḥ |

अप्राप्य योगसंसिद्धिं कां गतिं कृष्ण गच्छति ॥ ६-३७ ॥
aprāpya yogasaṁsiddhiṁ kāṁ gatiṁ kṛṣṇa gacchati || 6-37 ||

कच्चिन्नोभयविभ्रष्टश्छिन्नाभ्रमिव नश्यति ।
kaccinnobhayavibhraṣṭaśchinnābhramiva naśyati |

अप्रतिष्ठो महाबाहो विमूढो ब्रह्मणः पथि ॥ ६-३८ ॥
apratiṣṭho mahābāho vimūḍho brahmaṇaḥ pathi || 6-38 ||

एतन्मे संशयं कृष्ण छेत्तुमर्हस्यशेषतः ।
etanme saṁśayaṁ kṛṣṇa chettumarhasyaśeṣataḥ |

त्वदन्यः संशयस्यास्य छेत्ता न ह्युपपद्यते ॥ ६-३९ ॥
tvadanyaḥ saṁśayasyāsya chettā na hyupapadyate || 6-39 ||

34. A mente é agitada, ó Kṛṣṇa,
perturbadora, forte, determinada.
Acredito que sua contenção
seja tão difícil de se fazer
quanto (a contenção) do vento.

Senhor Bhagavān disse:

35. Sem dúvida, ó Mahābāhu,
a mente é agitada e difícil de se conter,
mas com disciplina e desapego,[68] ó Kaunteya,
ela é contida.

36. Minha opinião é que o yoga
é difícil de se alcançar por quem não tem
o si-mesmo sob controle.
Mas por aquele que se esforça
por manter o domínio de si mesmo,
ele pode ser conquistado sistematicamente.

Arjuna disse:

37. Que caminho segue, ó Kṛṣṇa,
aquele que se aproximou (do yoga) com fé,
mas sem esforçar-se o bastante,
com a mente afastada do yoga,
sem ter obtido a perfeição no yoga?

38. Alguém malsucedido em ambos[69]
não desaparece como uma nuvem desgarrada,
ó Mahābāhu, inseguro e iludido
no caminho de Brahma?

39. Tu és capaz, ó Kṛṣṇa,
de eliminar completamente esta minha dúvida.
Nenhum outro, além de ti,
pode vir a ser o removedor dessa dúvida.

68. Disciplina prática e desapego são as duas pernas com as quais caminha o yoga, e que possibilitam o recolhimento da mente, segundo Patañjali (*Yoga Sutras* 1-12).

69. Ambos: o caminho do renunciamento ao fruto das ações e o caminho do yoga (ajustamento ao si mesmo). Veja a dúvida de Arjuna no verso 5-1.

श्रीभगवानुवाच ।
śrībhagavānuvāca |

पार्थ नैवेह नामुत्र विनाशस्तस्य विद्यते ।
pārtha naiveha nāmutra vināśastasya vidyate |

न हि कल्याणकृत्कश्चिद्दुर्गतिं तात गच्छति ॥ ६-४० ॥
na hi kalyāṇakṛtkaściddurgatiṁ tāta gacchati || 6-40 ||

प्राप्य पुण्यकृतां लोकानुषित्वा शाश्वतीः समाः ।
prāpya puṇyakṛtāṁ lokānuṣitvā śāśvatīḥ samāḥ |

शुचीनां श्रीमतां गेहे योगभ्रष्टोऽभिजायते ॥ ६-४१ ॥
śucīnāṁ śrīmatāṁ gehe yogabhraṣṭo'bhijāyate || 6-41 ||

अथवा योगिनामेव कुले भवति धीमताम् ।
athavā yogināmeva kule bhavati dhīmatām |

एतद्धि दुर्लभतरं लोके जन्म यदीदृशम् ॥ ६-४२ ॥
etaddhi durlabhataraṁ loke janma yadīdṛśam || 6-42 ||

तत्र तं बुद्धिसंयोगं लभते पौर्वदेहिकम् ।
tatra taṁ buddhisaṁyogaṁ labhate paurvadehikam |

यतते च ततो भूयः संसिद्धौ कुरुनन्दन ॥ ६-४३ ॥
yatate ca tato bhūyaḥ saṁsiddhau kurunandana || 6-43 ||

पूर्वाभ्यासेन तेनैव ह्रियते ह्यवशोऽपि सः ।
pūrvābhyāsena tenaiva hriyate hyavaśo'pi saḥ |

जिज्ञासुरपि योगस्य शब्दब्रह्मातिवर्तते ॥ ६-४४ ॥
jijñāsurapi yogasya śabdabrahmātivartate || 6-44 ||

प्रयत्नाद्यतमानस्तु योगी संशुद्धकिल्बिषः ।
prayatnādyatamānastu yogī saṁśuddhakilbiṣaḥ |

अनेकजन्मसंसिद्धस्ततो याति परां गतिम् ॥ ६-४५ ॥
anekajanmasaṁsiddhastato yāti parāṁ gatim || 6-45 ||

तपस्विभ्योऽधिको योगी ज्ञानिभ्योऽपि मतोऽधिकः ।
tapasvibhyo'dhiko yogī jñānibhyo'pi mato'dhikaḥ |

कर्मिभ्यश्चाधिको योगी तस्माद्योगी भवार्जुन ॥ ६-४६ ॥
karmibhyaścādhiko yogī tasmādyogī bhavārjuna || 6-46 ||

Senhor Bhagavān disse:

40. Ó Pārtha, não desaparece
neste mundo nem no outro.
Ninguém que pratica boas ações,
ó irmãozinho,[70]
segue por um caminho ruim.

70. Neste ponto Kṛṣṇa chama Arjuna usando o vocativo "*Tāta*", literalmente "papai", termo que também é usado carinhosamente entre irmãos.

41. Tendo alcançado o mundo das pessoas de bem
e tendo (ali) permanecido por anos intermináveis,
aquele que fracassou no yoga nasce em uma casa
de pessoas honestas e afortunadas.

42. Ou então vem para uma família de sábios *yoguis*.
É mais difícil de se obter um nascimento
com tais qualidades, neste mundo.

43. Ali ele consegue a conexão
com sua inteligência da vida anterior
e se esforça, a partir daí, em direção ao sucesso,
ó Kurunandana.

44. Mesmo sendo livre,
ele é tomado por aquela disciplina anterior.
Desejoso de conhecer o yoga,
vai além da revelação védica.

45. Por causa dessa sua disciplina,
o *yogui* da mente dominada, livre de suas máculas,
aperfeiçoado ao longo de inúmeros nascimentos
vai para o caminho supremo.

46. O *yogui* é mais do que os ascetas,
é considerado mais do que os conhecedores,
o *yogui* é mais do que os ritualistas,
seja, portanto, um *yogui*, ó Arjuna!

योगिनामपि सर्वेषां मद्गतेनान्तरात्मना ।
yogināmapi sarveṣāṁ madgatenāntarātmanā |

श्रद्धावान्भजते यो मां स मे युक्ततमो मतः ॥ ६-४७ ॥
śraddhāvānbhajate yo māṁ sa me yuktatamo mataḥ || 6-47 ||

ॐ तत्सदिति श्रीमद्भगवद्गीतायामुपनिषदि
OM tatsaditi śrīmadbhagavadgītāyāmupaniṣadi

ब्रह्मविद्यायां योगशास्त्रे श्रीकृष्णार्जुनसंवादे
brahmavidyāyāṁ yogaśāstre śrīkṛṣṇārjunasaṁvāde

आत्मसंयमयोगो नाम षष्ठोऽध्यायः ॥ ६ ॥
ātmasaṁyamayogo nāma ṣaṣṭho'dhyāyaḥ || 6 ||

47. E ainda, dentre todos os *yoguis*,
aquele que me adora com fé,
que com o si-mesmo recolhido veio a mim,
este é considerado por mim como o mais ajustado.

OM tat sat!

Assim (termina)
na venerável *Bhagavad Gītā Upaniṣad*,
na sabedoria dos *mantras* (*Brahmavidyā*),
no tratado de Yoga,
no diálogo entre o senhor Kṛṣṇa e Arjuna,
o sexto capítulo,
denominado "o yoga do controle de si mesmo".

अथ सप्तमोऽध्यायः ।

atha saptamo'dhyāyaḥ |

ज्ञानविज्ञानयोगः

jñānavijñānayogaḥ

श्रीभगवानुवाच ।

śrībhagavānuvāca |

मय्यासक्तमनाः पार्थ योगं युञ्जन्मदाश्रयः ।

mayyāsaktamanāḥ pārtha yogaṁ yuñjanmadāśrayaḥ |

असंशयं समग्रं मां यथा ज्ञास्यसि तच्छृणु ॥ ७-१ ॥

asaṁśayaṁ samagraṁ māṁ yathā jñāsyasi tacchṛṇu || 7-1 ||

ज्ञानं तेऽहं सविज्ञानमिदं वक्ष्याम्यशेषतः ।

jñānaṁ te'haṁ savijñānamidaṁ vakṣyāmyaśeṣataḥ |

यज्ज्ञात्वा नेह भूयोऽन्यज्ज्ञातव्यमवशिष्यते ॥ ७-२ ॥

yajjñātvā neha bhūyo'nyajjñātavyamavaśiṣyate || 7-2 ||

मनुष्याणां सहस्रेषु कश्चिद्यतति सिद्धये ।

manuṣyāṇāṁ sahasreṣu kaścidyatati siddhaye |

यततामपि सिद्धानां कश्चिन्मां वेत्ति तत्त्वतः ॥ ७-३ ॥

yatatāmapi siddhānāṁ kaścinmāṁ vetti tattvataḥ || 7-3 ||

भूमिरापोऽनलो वायुः खं मनो बुद्धिरेव च ।

bhūmirāpo'nalo vāyuḥ khaṁ mano buddhireva ca |

अहंकार इतीयं मे भिन्ना प्रकृतिरष्टधा ॥ ७-४ ॥

ahaṁkāra itīyaṁ me bhinnā prakṛtiraṣṭadhā || 7-4 ||

अपरेयमितस्त्वन्यां प्रकृतिं विद्धि मे पराम् ।

apareyamitastvanyāṁ prakṛtiṁ viddhi me parām |

जीवभूतां महाबाहो ययेदं धार्यते जगत् ॥ ७-५ ॥

jīvabhūtāṁ mahābāho yayedaṁ dhāryate jagat || 7-5 ||

Sétimo capítulo

Conhecimento vivencial
e conhecimento intelectual

Senhor Bhagavān disse:
1. Com a mente fixada em mim, ó Pārtha,
ajustando-te ao yoga sob a minha tutela,
escuta a maneira pela qual, sem dúvida,
me conhecerás inteiramente.

2. Explicar-te-ei completamente
a vivência e o conhecimento intelectual
que, tendo conhecido,
nenhuma outra coisa resta neste mundo
por ser conhecida.

3. Em um milhar de homens,
algum se esforça para a perfeição.
Mesmo entre os perfeitos que se esforçam,
algum me conhece de verdade.

4. Terra, água, fogo, ar, espaço,
mente, inteligência e egoidade
são a minha natureza
dividida em oito partes.

5. Esta não é a (minha natureza) superior,
mas conhece minha outra natureza,
superior a esta.
(Ela) é um ser vivente
pelo qual este mundo é sustentado, ó Mahābāhu.

एतद्योनीनि भूतानि सर्वाणीत्युपधारय ।
etadyonīni bhūtāni sarvāṇītyupadhāraya |

अहं कृत्स्नस्य जगतः प्रभवः प्रलयस्तथा ॥ ७-६ ॥
ahaṁ kṛtsnasya jagataḥ prabhavaḥ pralayastathā || 7-6 ||

मत्तः परतरं नान्यत्किञ्चिदस्ति धनञ्जय ।
mattaḥ parataraṁ nānyatkiñcidasti dhanañjaya |

मयि सर्वमिदं प्रोतं सूत्रे मणिगणा इव ॥ ७-७ ॥
mayi sarvamidaṁ protaṁ sūtre maṇigaṇā iva || 7-7 ||

रसोऽहमप्सु कौन्तेय प्रभास्मि शशिसूर्ययोः ।
raso'hamapsu kaunteya prabhāsmi śaśisūryayoḥ |

प्रणवः सर्ववेदेषु शब्दः खे पौरुषं नृषु ॥ ७-८ ॥
praṇavaḥ sarvavedeṣu śabdaḥ khe pauruṣaṁ nṛṣu || 7-8 ||

पुण्यो गन्धः पृथिव्यां च तेजश्चास्मि विभावसौ ।
puṇyo gandhaḥ pṛthivyāṁ ca tejaścāsmi vibhāvasau |

जीवनं सर्वभूतेषु तपश्चास्मि तपस्विषु ॥ ७-९ ॥
jīvanaṁ sarvabhūteṣu tapaścāsmi tapasviṣu || 7-9 ||

बीजं मां सर्वभूतानां विद्धि पार्थ सनातनम् ।
bījaṁ māṁ sarvabhūtānāṁ viddhi pārtha sanātanam |

बुद्धिर्बुद्धिमतामस्मि तेजस्तेजस्विनामहम् ॥ ७-१० ॥
buddhirbuddhimatāmasmi tejastejasvināmaham || 7-10 ||

बलं बलवतां चाहं कामरागविवर्जितम् ।
balaṁ balavatāṁ cāhaṁ kāmarāgavivarjitam |

धर्माविरुद्धो भूतेषु कामोऽस्मि भरतर्षभ ॥ ७-११ ॥
dharmāviruddho bhūteṣu kāmo'smi bharatarṣabha || 7-11 ||

ये चैव सात्त्विका भावा राजसास्तामसाश्च ये ।
ye caiva sāttvikā bhāvā rājasāstāmasāśca ye |

मत्त एवेति तान्विद्धि न त्वहं तेषु ते मयि ॥ ७-१२ ॥
matta eveti tānviddhi na tvahaṁ teṣu te mayi || 7-12 ||

6. Considere todas as criaturas
como tendo surgido disto.
Eu sou a criação de todo este mundo,
assim como a sua dissolução.

7. Não existe ninguém mais além de mim,
ó Dhanañjaya.
Todo este mundo está costurado em mim,
tal como punhados de pedras preciosas
em um bordado.

8. Eu sou o sabor nas águas, ó Kaunteya,
o brilho da Lua e do Sol,
o *Om* nos *Vedas*, o som no espaço,
a masculinidade nos homens,

9. O agradável perfume na terra,
e sou o esplendor no fogo,
a vida em cada criatura,
o ardor da purificação (*tapas*) nos ascetas.

10. Sabe, ó Pārtha,
que sou a semente eterna de todas as criaturas.
Sou a inteligência dos sábios,
o esplendor dos que se destacam.

11. E eu também sou a força dos fortes
que se libertaram das paixões dos desejos.
Eu sou o desejo nas criaturas,
quando coerente com o *dharma*,
ó Touro dos Bhāratas.

12. E aqueles cuja natureza é *sáttvica*, *rajásica*
ou *tamásica*, saibas que provêm de mim, apenas.
No entanto eu não estou neles,
eles estão em mim.

त्रिभिर्गुणमयैर्भावैरेभिः सर्वमिदं जगत्।
tribhirguṇamayairbhāvairebhiḥ sarvamidaṁ jagat |

मोहितं नाभिजानाति मामेभ्यः परमव्ययम्॥ ७-१३॥
mohitaṁ nābhijānāti māmebhyaḥ paramavyayam || 7-13 ||

दैवी ह्येषा गुणमयी मम माया दुरत्यया।
daivī hyeṣā guṇamayī mama māyā duratyayā |

मामेव ये प्रपद्यन्ते मायामेतां तरन्ति ते॥ ७-१४॥
māmeva ye prapadyante māyāmetāṁ taranti te || 7-14 ||

न मां दुष्कृतिनो मूढाः प्रपद्यन्ते नराधमाः।
na māṁ duṣkṛtino mūḍhāḥ prapadyante narādhamāḥ |

माययापहृतज्ञाना आसुरं भावमाश्रिताः॥ ७-१५॥
māyayāpahṛtajñānā āsuraṁ bhāvamāśritāḥ || 7-15 ||

चतुर्विधा भजन्ते मां जनाः सुकृतिनोऽर्जुन।
caturvidhā bhajante māṁ janāḥ sukṛtino'rjuna |

आर्तो जिज्ञासुरर्थार्थी ज्ञानी च भरतर्षभ॥ ७-१६॥
ārto jijñāsurarthārthī jñānī ca bharatarṣabha || 7-16 ||

तेषां ज्ञानी नित्ययुक्त एकभक्तिर्विशिष्यते।
teṣāṁ jñānī nityayukta ekabhaktirviśiṣyate |

प्रियो हि ज्ञानिनोऽत्यर्थमहं स च मम प्रियः॥ ७-१७॥
priyo hi jñānino'tyarthamahaṁ sa ca mama priyaḥ || 7-17 ||

उदाराः सर्व एवैते ज्ञानी त्वात्मैव मे मतम्।
udārāḥ sarva evaite jñānī tvātmaiva me matam |

आस्थितः स हि युक्तात्मा मामेवानुत्तमां गतिम्॥ ७-१८॥
āsthitaḥ sa hi yuktātmā māmevānuttamāṁ gatim || 7-18 ||

बहूनां जन्मनामन्ते ज्ञानवान्मां प्रपद्यते।
bahūnāṁ janmanāmante jñānavānmāṁ prapadyate |

वासुदेवः सर्वमिति स महात्मा सुदुर्लभः॥ ७-१९॥
vāsudevaḥ sarvamiti sa mahātmā sudurlabhaḥ || 7-19 ||

13. Este mundo todo, iludido por estes modos de ser
relacionados às três qualidades da Natureza,
não me reconhece como superior a estas e imutável.

14. De fato, esta minha divina ilusão produzida
pelas qualidades da Natureza é difícil de superar.
Apenas aqueles que se submetem a mim
atravessam (a salvo) essa ilusão.

15. Não se submetem a mim os malfeitores,
os tolos, os moralmente baixos,
aqueles cujo conhecimento se perdeu na ilusão,
que se relacionam à natureza dos *Āsuras*[71].

16. De quatro tipos são as pessoas de bem
que me adoram, ó Arjuna:
o aflito, o que deseja conhecer,
o que procura por riqueza e o conhecedor,
ó Touro dos Bhāratas.

17. Dentre eles se destaca o conhecedor,
sempre ajustado, com devoção única.
Certamente sou bastante querido pelo conhecedor,
e ele é querido por mim.

18. Todos eles certamente são nobres,
mas o conhecedor é por mim considerado
como o próprio si-mesmo[72].
Este si-mesmo ajustado (pelo yoga)
está de fato fixado em mim,
como (seu) melhor caminho.

19. Ao final de muitos nascimentos,
o conhecedor se submete a mim.
Esse si-mesmo grandioso,[73]
(para o qual) Vāsudeva[74] é tudo, é difícil de se obter.

71. "*Āsura*", literalmente "senhor", era um título de elevada nobreza dado aos comandantes de exércitos adversários dos Bhāratas. No correr do tempo, passou a ter conotação pejorativa e se tornou sinônimo de "demônio". Na *Bhagavad Gītā* esse termo designa os adversários dos deuses.

72. Neste verso costuma-se traduzir o termo "*ātmā*" por "mim mesmo", seguindo a opinião de Ādi Śaṁkarācārya, o que faz Kṛṣṇa dizer "considero o conhecedor como (sendo) eu mesmo". Respeitosamente discordamos dessa opinião.

73. "Si-mesmo grandioso" foi usado para traduzir a palavra "*mahātmā*".

74. Kṛṣṇa. Vale lembrar que na *Bhagavad Gītā* ele personifica o si-mesmo que habita dentro do coração de todas as criaturas.

कामैस्तैस्तैर्हृतज्ञानाः प्रपद्यन्तेऽन्यदेवताः ।
kāmaistaistairhṛtajñānāḥ prapadyante'nyadevatāḥ |

तं तं नियममास्थाय प्रकृत्या नियताः स्वया ॥ ७-२० ॥
taṁ taṁ niyamamāsthāya prakṛtyā niyatāḥ svayā || 7-20 ||

यो यो यां यां तनुं भक्तः श्रद्धयार्चितुमिच्छति ।
yo yo yāṁ yāṁ tanuṁ bhaktaḥ śraddhayārcitumicchati |

तस्य तस्याचलां श्रद्धां तामेव विदधाम्यहम् ॥ ७-२१ ॥
tasya tasyācalāṁ śraddhāṁ tāmeva vidadhāmyaham || 7-21 ||

स तया श्रद्धया युक्तस्तस्याराधनमीहते ।
sa tayā śraddhayā yuktastasyārādhanamīhate |

लभते च ततः कामान्मयैवविहितान्हि तान् ॥ ७-२२ ॥
labhate ca tataḥ kāmānmayaivavihitānhi tān || 7-22 ||

अन्तवत्तु फलं तेषां तद्भवत्यल्पमेधसाम् ।
antavattu phalaṁ teṣāṁ tadbhavatyalpamedhasām |

देवान्देवयजो यान्ति मद्भक्ता यान्ति मामपि ॥ ७-२३ ॥
devāndevayajo yānti madbhaktā yānti māmapi || 7-23 ||

अव्यक्तं व्यक्तिमापन्नं मन्यन्ते मामबुद्धयः ।
avyaktaṁ vyaktimāpannaṁ manyante māmabuddhayaḥ |

परं भावमजानन्तो ममाव्ययमनुत्तमम् ॥ ७-२४ ॥
paraṁ bhāvamajānanto mamāvyayamanuttamam || 7-24 ||

नाहं प्रकाशः सर्वस्य योगमायासमावृतः ।
nāhaṁ prakāśaḥ sarvasya yogamāyāsamāvṛtaḥ |

मूढोऽयं नाभिजानाति लोको मामजमव्ययम् ॥ ७-२५ ॥
mūḍho'yaṁ nābhijānāti loko māmajamavyayam || 7-25 ||

वेदाहं समतीतानि वर्तमानानि चार्जुन ।
vedāhaṁ samatītāni vartamānāni cārjuna |

भविष्याणि च भूतानि मां तु वेद न कश्चन ॥ ७-२६ ॥
bhaviṣyāṇi ca bhūtāni māṁ tu veda na kaścana || 7-26 ||

20. Aqueles que foram privados do conhecimento,
por quaisquer que sejam os desejos
(que os acometeram),
se submetem a outras divindades.
Tendo fixado as regras de seu comportamento
de acordo com cada um (desses desejos),
são comandados pela própria natureza
(desses mesmos desejos).

21. Quem quer que seja o devoto,
qualquer que seja a figura que, com fé,
ele queira louvar, eu torno firme essa sua fé mesma.

22. Ajustado por essa fé ele busca sua gratificação,
e dessa maneira obtém aqueles seus desejos,
concedidos por mim, apenas.

23. Limitado, no entanto,
é o fruto que surge para esses tolos.
Os que sacrificam para os deuses vão aos deuses.
Meus devotos vêm a mim, também.

24. Os desprovidos de inteligência
pensam que eu, o imanifestado, caí na manifestação,
sem que conheçam minha natureza
suprema, imutável, insuperável.

25. Eu não estou visível para todos,
oculto por *yogamāyā*[75].
Este mundo iludido não me reconhece
como o imutável não nascido.

26. Eu conheço todos os seres que já se foram
e os que estão vivendo agora, ó Arjuna,
e também todos que estão ainda por vir.
No entanto, ninguém me conhece.

75. *Yogamāyā* é o poder de criação do universo, que, por meio da ilusão, faz o infinito parecer finito, o imperecível parecer perecível, o imutável parecer mutável – viabilizando dessa maneira a existência (ilusória) deste mundo em que vivemos.

इच्छाद्वेषसमुत्थेन द्वन्द्वमोहेन भारत।
icchādveṣasamutthena dvandvamohena bhārata |

सर्वभूतानि सम्मोहं सर्गे यान्ति परन्तप ॥ ७-२७ ॥
sarvabhūtāni sammohaṁ sarge yānti parantapa || 7-27 ||

येषां त्वन्तगतं पापं जनानां पुण्यकर्मणाम्।
yeṣāṁ tvantagataṁ pāpaṁ janānāṁ puṇyakarmaṇām |

ते द्वन्द्वमोहनिर्मुक्ता भजन्ते मां दृढव्रताः ॥ ७-२८ ॥
te dvandvamohanirmuktā bhajante māṁ dṛḍhavratāḥ || 7-28 ||

जरामरणमोक्षाय मामाश्रित्य यतन्ति ये।
jarāmaraṇamokṣāya māmāśritya yatanti ye |

ते ब्रह्म तद्विदुः कृत्स्नमध्यात्मं कर्म चाखिलम्॥ ७-२९ ॥
te brahma tadviduḥ kṛtsnamadhyātmaṁ karma cākhilam || 7-29 ||

साधिभूताधिदैवं मां साधियज्ञं च ये विदुः।
sādhibhūtādhidaivaṁ māṁ sādhiyajñaṁ ca ye viduḥ |

प्रयाणकालेऽपि च मां ते विदुर्युक्तचेतसः ॥ ७-३० ॥
prayāṇakāle'pi ca māṁ te viduryuktacetasaḥ || 7-30 ||

ॐ तत्सदिति श्रीमद्भगवद्गीतायामुपनिषदि
OM tatsaditi śrīmadbhagavadgītāyāmupaniṣadi

ब्रह्मविद्यायां योगशास्त्रे श्रीकृष्णार्जुनसंवादे
brahmavidyāyāṁ yogaśāstre śrīkṛṣṇārjunasaṁvāde

ज्ञानविज्ञानयोगो नाम सप्तमोऽध्यायः ॥ ७ ॥
jñānavijñānayogo nāma saptamo'dhyāyaḥ || 7 ||

27. Por causa da ilusão das dualidades,
surgida do desejo e da aversão, ó Bhārata,
todas as criaturas neste mundo
caminham para a confusão, ó Parantapa.

28. Aqueles conhecedores, porém, praticantes do bem,
cujo mau comportamento chegou ao fim,
libertados da ilusão das dualidades,
me adoram com compromisso firme.

29. Aqueles que se esforçam para se libertar
do envelhecimento e da morte,
tendo buscado refúgio em mim,
esses conhecem aquele Brahma completamente
e também o espírito do si-mesmo[76] (*adhyātmā*)
e a ação ritual (*karma*).

30. Aqueles que me conhecem
junto à natureza dos elementos,
junto à divindade mais importante (de sua fé)
e junto ao sacrifício mais elevado,
esses, que estão com a mente ajustada,
me conhecem até mesmo na hora da morte.

OM tat sat!

Assim (termina)
na venerável *Bhagavad Gītā Upaniṣad*,
na sabedoria dos *mantras* (*Brahmavidyā*),
no tratado de Yoga,
no diálogo entre o senhor Kṛṣṇa e Arjuna,
o sétimo capítulo, denominado
"o yoga do conhecimento vivencial
e conhecimento intelectual".

76. Equivalente ao "*paramātmā*", é o si-mesmo que tem assento no coração das criaturas.

अथ अष्टमोऽध्यायः ।

atha aṣṭamo'dhyāyaḥ |

अक्षरब्रह्मयोगः

akṣarabrahmayogaḥ

अर्जुन उवाच ।

arjuna uvāca |

किं तद्ब्रह्म किमध्यात्मं किं कर्म पुरुषोत्तम ।

kiṁ tadbrahma kimadhyātmaṁ kiṁ karma puruṣottama |

अधिभूतं च किं प्रोक्तमधिदैवं किमुच्यते ॥ ८-१ ॥

adhibhūtaṁ ca kiṁ proktamadhidaivaṁ kimucyate || 8-1 ||

अधियज्ञः कथं कोऽत्र देहेऽस्मिन्मधुसूदन ।

adhiyajñaḥ kathaṁ ko'tra dehe'sminmadhusūdana |

प्रयाणकाले च कथं ज्ञेयोऽसि नियतात्मभिः ॥ ८-२ ॥

prayāṇakāle ca kathaṁ jñeyo'si niyatātmabhiḥ || 8-2 ||

श्रीभगवानुवाच ।

śrībhagavānuvāca |

अक्षरं ब्रह्म परमं स्वभावोऽध्यात्ममुच्यते ।

akṣaraṁ brahma paramaṁ svabhāvo'dhyātmamucyate |

भूतभावोद्भवकरो विसर्गः कर्मसंज्ञितः ॥ ८-३ ॥

bhūtabhāvodbhavakaro visargaḥ karmasaṁjñitaḥ || 8-3 ||

अधिभूतं क्षरो भावः पुरुषश्चाधिदैवतम् ।

adhibhūtaṁ kṣaro bhāvaḥ puruṣaścādhidaivatam |

अधियज्ञोऽहमेवात्र देहे देहभृतां वर ॥ ८-४ ॥

adhiyajño'hamevātra dehe dehabhṛtāṁ vara || 8-4 ||

Oitavo capítulo

Brahma, o imperecível[77]

Arjuna disse:

1. O que é esse Brahma?
O que é o espírito do si-mesmo?
O que é a ação ritual?
Ó Puruṣottama, e o que é ensinado
sobre a natureza dos elementos?
O que se diz que é a divindade mais importante?

2. Quem é, e como é, o sacrifício mais elevado aqui,
neste corpo, ó Madhusūdana?
E como, na hora da morte,
és conhecível por aqueles
que têm o si-mesmo controlado?

Senhor Bhagavān disse:

3. Brahma supremo é o imperecível.
O espírito do si-mesmo se diz
que é a natureza própria (de cada um).
A fonte originadora da natureza
própria de cada criatura
é identificada como a ação ritual (*karma*).

4. A natureza dos elementos é a natureza perecível.
A divindade mais importante é o homem[78] (*Puruṣa*).
O sacrifício mais elevado sou justamente eu
aqui neste corpo dos encarnados,
ó Melhor dos Homens.

77. O título deste capítulo é um trocadilho, que pode ser traduzido por "Brahma, a sílaba" (a sílaba *Om*).

78. Optamos por traduzir a palavra "*puruṣa*" (homem) pelo seu significado literal porque a *Bhagavad Gītā* alterna o sentido dessa palavra entre o natural e o metafísico, trazendo dessa forma o conceito do homem cósmico para perto do leitor. No sistema *Sāṅkhya*, da ortodoxia filosófica hindu, o *Puruṣa* é o aspecto espiritual da natureza, e é a única fonte do si-mesmo (*ātmā*) que existe dentro de cada um de nós.

अन्तकाले च मामेव स्मरन्मुक्त्वा कलेवरम् ।
antakāle ca māmeva smaranmuktvā kalevaram |

यः प्रयाति स मद्भावं याति नास्त्यत्र संशयः ॥ ८-५ ॥
yaḥ prayāti sa madbhāvaṁ yāti nāstyatra saṁśayaḥ || 8-5 ||

यं यं वापि स्मरन्भावं त्यजत्यन्ते कलेवरम् ।
yaṁ yaṁ vāpi smaranbhāvaṁ tyajatyante kalevaram |

तं तमेवैति कौन्तेय सदा तद्भावभावितः ॥ ८-६ ॥
taṁ tamevaiti kaunteya sadā tadbhāvabhāvitaḥ || 8-6 ||

तस्मात्सर्वेषु कालेषु मामनुस्मर युध्य च ।
tasmātsarveṣu kāleṣu māmanusmara yudhya ca |

मय्यर्पितमनोबुद्धिर्मामेवैष्यस्यसंशयः ॥ ८-७ ॥
mayyarpitamanobuddhirmāmevaiṣyasyasaṁśayaḥ || 8-7 ||

अभ्यासयोगयुक्तेन चेतसा नान्यगामिना ।
abhyāsayogayuktena cetasā nānyagāminā |

परमं पुरुषं दिव्यं याति पार्थानुचिन्तयन् ॥ ८-८ ॥
paramaṁ puruṣaṁ divyaṁ yāti pārthānucintayan || 8-8 ||

कविं पुराणमनुशासितारं
अणोरणीयंसमनुस्मरेद्यः ।
kaviṁ purāṇamanuśāsitāraṁ
aṇoraṇīyaṁsamanusmaredyaḥ |

सर्वस्य धातारमचिन्त्यरूपं
आदित्यवर्णं तमसः परस्तात् ॥ ८-९ ॥
sarvasya dhātāramacintyarūpaṁ
ādityavarṇaṁ tamasaḥ parastāt || 8-9 ||

प्रयाणकाले मनसाऽचलेन भक्त्या युक्तो योगबलेन चैव ।
prayāṇakāle manasā'calena bhaktyā yukto yogabalena caiva |

भ्रुवोर्मध्ये प्राणमावेश्य सम्यक्
स तं परं पुरुषमुपैति दिव्यम् ॥ ८-१० ॥
bhruvormadhye prāṇamāveśya samyak
sa taṁ paraṁ puruṣamupaiti divyam || 8-10 ||

5. E aquele que segue lembrando de mim
na hora da morte, tendo deixado o corpo,
ele segue em direção à minha natureza,
não há dúvida quanto a isso.

6. Qualquer que seja a natureza
da qual esteja se lembrando, ao final,
(quando) abandona o corpo,
é exatamente para ela que ele segue, ó Kaunteya,
sempre transformado naquela mesma natureza.

7. Por isso, em todas as horas,
lembra-te de mim e luta.
Com a mente e a inteligência fixadas em mim,
virás a mim apenas, sem dúvida.

8. Evocando minha lembrança em sua mente,
com uma consciência que não se desvia,
por estar ajustada disciplinadamente pelo yoga,
(ele) vai ao homem (*Puruṣa*) divino supremo,
ó Pārtha.

9. Aquele que se recorda do poeta,
do antepassado, do orientador,
mais sutil que o sutil, ordenador de tudo,
de aparência inconcebível,
que tem o brilho do Sol,
que está além da escuridão,

10. Que na hora da morte,
ajustado por uma mente estável,
pela devoção e pela força do yoga, apenas,
tendo conduzido o *prāṇa* corretamente
para o espaço entre as sobrancelhas,
ele segue para aquele homem divino supremo.

यदक्षरं वेदविदो वदन्ति विशन्ति यद्यतयो वीतरागाः ।
yadakṣaraṁ vedavido vadanti viśanti yadyatayo vītarāgāḥ |

यदिच्छन्तो ब्रह्मचर्यं चरन्ति
तत्ते पदं संग्रहेण प्रवक्ष्ये ॥ ८-११ ॥
yadicchanto brahmacaryaṁ caranti
tatte padaṁ saṁgraheṇa pravakṣye || 8-11 ||

सर्वद्वाराणि संयम्य मनो हृदि निरुध्य च ।
sarvadvārāṇi saṁyamya mano hṛdi nirudhya ca |

मूर्ध्न्याधायात्मनः प्राणमास्थितो योगधारणाम् ॥ ८-१२ ॥
mūrdhnyādhāyātmanaḥ prāṇamāsthito yogadhāraṇām || 8-12 ||

ओमित्येकाक्षरं ब्रह्म व्याहरन्मामनुस्मरन् ।
omityekākṣaraṁ brahma vyāharanmāmanusmaran |

यः प्रयाति त्यजन्देहं स याति परमां गतिम् ॥ ८-१३ ॥
yaḥ prayāti tyajandehaṁ sa yāti paramāṁ gatim || 8-13 ||

अनन्यचेताः सततं यो मां स्मरति नित्यशः ।
ananyacetāḥ satataṁ yo māṁ smarati nityaśaḥ |

तस्याहं सुलभः पार्थ नित्ययुक्तस्य योगिनः ॥ ८-१४ ॥
tasyāhaṁ sulabhaḥ pārtha nityayuktasya yoginaḥ || 8-14 ||

मामुपेत्य पुनर्जन्म दुःखालयमशाश्वतम् ।
māmupetya punarjanma duḥkhālayamaśāśvatam |

नाप्नुवन्ति महात्मानः संसिद्धिं परमां गताः ॥ ८-१५ ॥
nāpnuvanti mahātmānaḥ saṁsiddhiṁ paramāṁ gatāḥ || 8-15 ||

आब्रह्मभुवनाल्लोकाः पुनरावर्तिनोऽर्जुन ।
ābrahmabhuvanāllokāḥ punarāvartino'rjuna |

मामुपेत्य तु कौन्तेय पुनर्जन्म न विद्यते ॥ ८-१६ ॥
māmupetya tu kaunteya punarjanma na vidyate || 8-16 ||

सहस्रयुगपर्यन्तमहर्यद्ब्रह्मणो विदुः ।
sahasrayugaparyantamaharyadbrahmaṇo viduḥ |

रात्रिं युगसहस्रान्तां तेऽहोरात्रविदो जनाः ॥ ८-१७ ॥
rātriṁ yugasahasrāntāṁ te'horātravido janāḥ || 8-17 ||

11. Aquela sílaba que
os conhecedores dos *Vedas* falam,
na qual entram os ascetas livres dos desejos,
que, pela vontade de obtê-la,
adotam a conduta brahmacārya,
essa palavra te explicarei por completo.

12. Tendo controlado todas as portas,[79]
e tendo recolhido a mente no coração,
tendo colocado o próprio *prāṇa* no topo da cabeça,
permanecendo na sustentação (*dhāraṇā*) do yoga,

13. Pronunciando Brahma em uma sílaba, o *Om*,
lembrando-se de mim, aquele que segue assim,
vai para o caminho supremo.

14. Aquele que, com a mente
constantemente focada, sempre se lembra de mim,
para esse *yogui* que está sempre ajustado
eu sou fácil de encontrar, ó Pārtha.

15. Tendo vindo a mim,
aqueles que têm o si-mesmo grandioso (*mahātmā*)
não padecem mais do renascimento,
esta residência impermanente de sofrimento,
(pois) chegaram à mais elevada perfeição.

16. Os mundos, desde a morada de Brahma,
retornam novamente, ó Arjuna.
Tendo vindo a mim, no entanto, ó Arjuna,
não existe mais renascimento.

17. Aqueles que sabem que um dia de Brahma
dura mil *yugas* (e) a noite, mil *yugas*,
essas pessoas conhecem o dia e a noite.

79. Veja sobre essas nove portas no verso 5-13.

अव्यक्ताद्व्यक्तयः सर्वाः प्रभवन्त्यहरागमे ।
avyaktādvyaktayaḥ sarvāḥ prabhavantyaharāgame |

रात्र्यागमे प्रलीयन्ते तत्रैवाव्यक्तसंज्ञके ॥ ८-१८ ॥
rātryāgame pralīyante tatraivāvyaktasaṁjñake || 8-18 ||

भूतग्रामः स एवायं भूत्वा भूत्वा प्रलीयते ।
bhūtagrāmaḥ sa evāyaṁ bhūtvā bhūtvā pralīyate |

रात्र्यागमेऽवशः पार्थ प्रभवत्यहरागमे ॥ ८-१९ ॥
rātryāgame'vaśaḥ pārtha prabhavatyaharāgame || 8-19 ||

परस्तस्मात्तु भावोऽन्योऽव्यक्तोऽव्यक्तात्सनातनः ।
parastasmāttu bhāvo'nyo'vyakto'vyaktātsanātanaḥ |

यः स सर्वेषु भूतेषु नश्यत्सु न विनश्यति ॥ ८-२० ॥
yaḥ sa sarveṣu bhūteṣu naśyatsu na vinaśyati || 8-20 ||

अव्यक्तोऽक्षर इत्युक्तस्तमाहुः परमां गतिम् ।
avyakto'kṣara ityuktastamāhuḥ paramāṁ gatim |

यं प्राप्य न निवर्तन्ते तद्धाम परमं मम ॥ ८-२१ ॥
yaṁ prāpya na nivartante taddhāma paramaṁ mama || 8-21 ||

पुरुषः स परः पार्थ भक्त्या लभ्यस्त्वनन्यया ।
puruṣaḥ sa paraḥ pārtha bhaktyā labhyastvananyayā |

यस्यान्तःस्थानि भूतानि येन सर्वमिदं ततम् ॥ ८-२२ ॥
yasyāntaḥsthāni bhūtāni yena sarvamidaṁ tatam || 8-22 ||

यत्र काले त्वनावृत्तिमावृत्तिं चैव योगिनः ।
yatra kāle tvanāvṛttimāvṛttiṁ caiva yoginaḥ |

प्रयाता यान्ति तं कालं वक्ष्यामि भरतर्षभ ॥ ८-२३ ॥
prayātā yānti taṁ kālaṁ vakṣyāmi bharatarṣabha || 8-23 ||

अग्निर्ज्योतिरहः शुक्लः षण्मासा उत्तरायणम् ।
agnirjotirahaḥ śuklaḥ ṣaṇmāsā uttarāyaṇam |

तत्र प्रयाता गच्छन्ति ब्रह्म ब्रह्मविदो जनाः ॥ ८-२४ ॥
tatra prayātā gacchanti brahma brahmavido janāḥ || 8-24 ||

18. Do imanifestado surgem
todas as coisas manifestadas, na chegada do dia.
Na chegada da noite,
lá mesmo se dissolvem todas as coisas
naquilo que é chamado de imanifestado.

19. Essa mesma multidão de criaturas
tendo surgido repetidas vezes se dissolve
na chegada da noite, sem opção, ó Pārtha,
para ser criada (novamente) na chegada do dia.

20. Além desse imanifestado, porém,
há uma outra natureza eterna imanifestada
que, (mesmo) na destruição de todas as criaturas,
não é destruída.

21. O imanifestado é chamado "indestrutível".
Dizem que ele é o caminho supremo,
que tendo sido alcançado,
não mais retornam (os que ali chegaram).
Essa é a minha morada suprema.

22. Esse é o homem (*puruṣa*) supremo, ó Pārtha,
alcançado pela devoção, e por nenhum outro meio,
em cujo interior[80] se alojam as criaturas,
e por meio do qual todo este mundo foi estendido
(no espaço mítico).

23. Falarei (agora) sobre aquele momento
no qual os *yoguis* que nele morrem
seguem (um caminho) sem retorno ou com retorno
(a este mundo), ó Touro dos Bhāratas.

24. Fogo, luz,[81] dia,[82] quinzena brilhante,
seis meses de trânsito do Sol
pela metade norte do Zodíaco.[83]
As pessoas que conhecem Brahma,
se morrem nessas horas, vão a Brahma.

80. O *puruṣa* é o lado subjetivo do universo. Seu interior, por oposição, é o mundo objetivo, onde se alojam todas as criaturas.

81. "*Jyoti*" é a luz das estrelas.

82. "*Ahar*", o dia, é a duração total de um dia e uma noite, em conjunto. Pela lógica deste verso, no entanto, está expressando apenas a metade luminosa do dia.

83. Essa é uma lista de características que podem estar presentes no momento da morte da pessoa. Note que elas se sobrepõem e praticamente o tempo todo há pelo menos uma delas presente.

धूमो रात्रिस्तथा कृष्णः षण्मासा दक्षिणायनम् ।
dhūmo rātristathā kr̥ṣṇaḥ ṣaṇmāsā dakṣiṇāyanam |

तत्र चान्द्रमसं ज्योतिर्योगी प्राप्य निवर्तते ॥ ८-२५ ॥
tatra cāndramasaṁ jyotiryogī prāpya nivartate || 8-25 ||

शुक्लकृष्णे गती ह्येते जगतः शाश्वते मते ।
śuklakr̥ṣṇe gatī hyete jagataḥ śāśvate mate |

एकया यात्यनावृत्तिमन्ययावर्तते पुनः ॥ ८-२६ ॥
ekayā yātyanāvr̥ttimanyayāvartate punaḥ || 8-26 ||

नैते सृती पार्थ जानन्योगी मुह्यति कश्चन ।
naite sr̥tī pārtha jānanyogī muhyati kaścana |

तस्मात्सर्वेषु कालेषु योगयुक्तो भवार्जुन ॥ ८-२७ ॥
tasmātsarveṣu kāleṣu yogayukto bhavārjuna || 8-27 ||

वेदेषु यज्ञेषु तपःसु चैव
दानेषु यत्पुण्यफलं प्रदिष्टम् ।
vedeṣu yajñeṣu tapaḥsu caiva
dāneṣu yatpuṇyaphalaṁ pradiṣṭam |

अत्येति तत्सर्वमिदं विदित्वा
योगी परं स्थानमुपैति चाद्यम् ॥ ८-२८ ॥
atyeti tatsarvamidaṁ viditvā
yogī paraṁ sthānamupaiti cādyam || 8-28 ||

ॐ तत्सदिति श्रीमद्भगवद्गीतायामुपनिषदि
OM tatsaditi śrīmadbhagavadgītāyāmupaniṣadi

ब्रह्मविद्यायां योगशास्त्रे श्रीकृष्णार्जुनसंवादे
brahmavidyāyāṁ yogaśāstre śrīkr̥ṣṇārjunasaṁvāde

अक्षरब्रह्मयोगो नामाष्टमोऽध्यायः ॥ ८ ॥
akṣarabrahmayogo nāmāṣṭamo'dhyāyaḥ || 8 ||

25. Da mesma forma, fumaça, noite,
quinzena escura, seis meses de trânsito do Sol
pela metade sul do Zodíaco.
O *yogui* (que morre) nessas horas,
tendo obtido a luminosidade da Lua,
retorna (para este mundo).

26. Estes dois caminhos do mundo,
brilhante e escuro, de fato, são considerados como
sempre presentes: por um se segue sem retorno;
pelo outro se retorna novamente.

27. Nenhum *yogui* é tomado pela ilusão
conhecendo essas duas vias, ó Pārtha.
Por esta razão, em todos os momentos
está ajustado ao yoga, ó Arjuna.

28. Quaisquer que sejam os resultados
determinados para os atos meritórios nos *Vedas*,
nos sacrifícios, nas asceses e também nas doações,
o *yogui* que sabe tudo isso
vai além daqueles resultados.
E se aproxima do estado supremo original.

OM tat sat!

Assim (termina)
na venerável *Bhagavad Gītā Upaniṣad*,
na sabedoria dos *mantras* (*Brahmavidyā*),
no tratado de Yoga,
no diálogo entre o senhor Kṛṣṇa e Arjuna,
o oitavo capítulo, denominado
"o yoga de Brahma, o imperecível".

अथ नवमोऽध्यायः ।

atha navamo'dhyāyaḥ |

राजविद्याराजगुह्ययोगः

rājavidyārājaguhyayogaḥ

श्रीभगवानुवाच ।
śrībhagavānuvāca |

इदं तु ते गुह्यतमं प्रवक्ष्याम्यनसूयवे ।
idaṁ tu te guhyatamaṁ pravakṣyāmyanasūyave |

ज्ञानं विज्ञानसहितं यज्ज्ञात्वा मोक्ष्यसेऽशुभात् ॥ ९-१ ॥
jñānaṁ vijñānasahitaṁ yajjñātvā mokṣyase'śubhāt || 9-1 ||

राजविद्या राजगुह्यं पवित्रमिदमुत्तमम् ।
rājavidyā rājaguhyaṁ pavitramidamuttamam |

प्रत्यक्षावगमं धर्म्यं सुसुखं कर्तुमव्ययम् ॥ ९-२ ॥
pratyakṣāvagamaṁ dharmyaṁ susukhaṁ kartumavyayam || 9-2 ||

अश्रद्दधानाः पुरुषा धर्मस्यास्य परन्तप ।
aśraddadhānāḥ puruṣā dharmasyāsya parantapa |

अप्राप्य मां निवर्तन्ते मृत्युसंसारवर्त्मनि ॥ ९-३ ॥
aprāpya māṁ nivartante mṛtyusaṁsāravartmani || 9-3 ||

मया ततमिदं सर्वं जगदव्यक्तमूर्तिना ।
mayā tatamidaṁ sarvaṁ jagadavyaktamūrtinā |

मत्स्थानि सर्वभूतानि न चाहं तेष्ववस्थितः ॥ ९-४ ॥
matsthāni sarvabhūtāni na cāhaṁ teṣvavasthitaḥ || 9-4 ||

न च मत्स्थानि भूतानि पश्य मे योगमैश्वरम् ।
na ca matsthāni bhūtāni paśya me yogamaiśvaram |

भूतभृन्न च भूतस्थो ममात्मा भूतभावनः ॥ ९-५ ॥
bhūtabhṛnna ca bhūtastho mamātmā bhūtabhāvanaḥ || 9-5 ||

Nono capítulo

A sabedoria e o segredo dos reis

Senhor Bhagavān disse:

1. Explicarei para ti, que não tens maldade,
este mais secreto conhecimento
vivencial e intelectual,
que, tendo conhecido, te libertas do mal.

2. Este purificador supremo,
cuja compreensão é imediata,
condizente com o *dharma*,
imutável e muito fácil de se praticar,
é a sabedoria e o segredo dos reis.

3. Os homens que não põem fé nesse *dharma*,
ó Parantapa, não tendo se apropriado de mim,
retornam (presos) ao caminho cíclico
da morte (e renascimento).

4. Todo este mundo se estende
por meio de minha forma não manifestada.
Em mim estão todas as criaturas,
e eu não estou manifestado nelas.

5. E também não estão em mim as criaturas.
Vê meu yoga majestoso:
dando sustentação às criaturas
sem estar nas criaturas,
o meu si-mesmo é o criador das criaturas.

यथाकाशस्थितो नित्यं वायुः सर्वत्रगो महान्।
yathākāśasthito nityaṁ vāyuḥ sarvatrago mahān |

तथा सर्वाणि भूतानि मत्स्थानीत्युपधारय॥ ९-६॥
tathā sarvāṇi bhūtāni matsthānītyupadhāraya || 9-6 ||

सर्वभूतानि कौन्तेय प्रकृतिं यान्ति मामिकाम्।
sarvabhūtāni kaunteya prakṛtiṁ yānti māmikām |

कल्पक्षये पुनस्तानि कल्पादौ विसृजाम्यहम्॥ ९-७॥
kalpakṣaye punastāni kalpādau visṛjāmyaham || 9-7 ||

प्रकृतिं स्वामवष्टभ्य विसृजामि पुनः पुनः।
prakṛtiṁ svāmavaṣṭabhya visṛjāmi punaḥ punaḥ |

भूतग्राममिमं कृत्स्नमवशं प्रकृतेर्वशात्॥ ९-८॥
bhūtagrāmamimaṁ kṛtsnamavaśaṁ prakṛtervaśāt || 9-8 ||

न च मां तानि कर्माणि निबध्नन्ति धनञ्जय।
na ca māṁ tāni karmāṇi nibadhnanti dhanañjaya |

उदासीनवदासीनमसक्तं तेषु कर्मसु॥ ९-९॥
udāsīnavadāsīnamasaktaṁ teṣu karmasu || 9-9 ||

मयाध्यक्षेण प्रकृतिः सूयते सचराचरम्।
mayādhyakṣeṇa prakṛtiḥ sūyate sacarācaram |

हेतुनानेन कौन्तेय जगद्विपरिवर्तते॥ ९-१०॥
hetunānena kaunteya jagadviparivartate || 9-10 ||

अवजानन्ति मां मूढा मानुषीं तनुमाश्रितम्।
avajānanti māṁ mūḍhā mānuṣīṁ tanumāśritam |

परं भावमजानन्तो मम भूतमहेश्वरम्॥ ९-११॥
paraṁ bhāvamajānanto mama bhūtamaheśvaram || 9-11 ||

मोघाशा मोघकर्माणो मोघज्ञाना विचेतसः।
moghāśā moghakarmāṇo moghajñānā vicetasaḥ |

राक्षसीमासुरीं चैव प्रकृतिं मोहिनीं श्रिताः॥ ९-१२॥
rākṣasīmāsurīṁ caiva prakṛtiṁ mohinīṁ śritāḥ || 9-12 ||

6. Assim como o vento grandioso
anda por toda parte, continuamente,
dentro dos limites do espaço,
percebe que todas as criaturas
estão em mim (dessa mesma forma).

7. Todas as criaturas, ó Kaunteya,
vão à minha Natureza[84] ao final de um *kalpa*[85]
(e) novamente eu as faço surgir
ao início de um (novo) *kalpa*.

8. Fundamentado na própria Natureza,
faço surgir repetidamente
toda esta multidão de impotentes criaturas,
pelo próprio poder da Natureza.

9. E essas ações não me aprisionam,
ó Dhanañjaya,
que, livre de apegos e indiferente,
estou assentado nessas ações.

10. Com a minha supervisão,
a Natureza produz seres
animados e inanimados.
Por esta causa, ó Kaunteya,
o mundo se põe a girar.

11. Os tolos me desprezam,
por estar usando um corpo humano,
ignorando minha natureza suprema
como o grande senhor das criaturas.

12. São desprovidos de consciência,
com aspirações, ações e conhecimentos inúteis,
e só assumem a natureza enganadora
dos *Rākṣasas*[86] e dos *Āsuras*[87].

84. "*Prakṛti.*"

85. Equivalente a um dia de Brahma, ou seja, 4,32 bilhões de anos, ou mil Eras (*yugas*).

86. Criaturas monstruosas, dotadas do poder de mudar sua forma à vontade, e dadas a se alimentar de carne humana.

87. Veja o verso 7-15.

महात्मानस्तु मां पार्थ दैवीं प्रकृतिमाश्रिताः ।
mahātmānastu māṁ pārtha daivīṁ prakṛtimāśritāḥ |

भजन्त्यनन्यमनसो ज्ञात्वा भूतादिमव्ययम् ॥ ९-१३ ॥
bhajantyananyamanaso jñātvā bhūtādimavyayam || 9-13 ||

सततं कीर्तयन्तो मां यतन्तश्च दृढव्रताः ।
satataṁ kīrtayanto māṁ yatantaśca dṛḍhavratāḥ |

नमस्यन्तश्च मां भक्त्या नित्ययुक्ता उपासते ॥ ९-१४ ॥
namasyantaśca māṁ bhaktyā nityayuktā upāsate || 9-14 ||

ज्ञानयज्ञेन चाप्यन्ये यजन्तो मामुपासते ।
jñānayajñena cāpyanye yajanto māmupāsate |

एकत्वेन पृथक्त्वेन बहुधा विश्वतोमुखम् ॥ ९-१५ ॥
ekatvena pṛthaktvena bahudhā viśvatomukham || 9-15 ||

अहं क्रतुरहं यज्ञः स्वधाहमहमौषधम् ।
ahaṁ kraturahaṁ yajñaḥ svadhāhamahamauṣadham |

मन्त्रोऽहमहमेवाज्यमहमग्निरहं हुतम् ॥ ९-१६ ॥
mantro'hamahamevājyamahamagniraham hutam || 9-16 ||

पिताहमस्य जगतो माता धाता पितामहः ।
pitāhamasya jagato mātā dhātā pitāmahaḥ |

वेद्यं पवित्रमोंकार ऋक्साम यजुरेव च ॥ ९-१७ ॥
vedyaṁ pavitramoṁkāra ṛksāma yajureva ca || 9-17 ||

गतिर्भर्ता प्रभुः साक्षी निवासः शरणं सुहृत् ।
gatirbhartā prabhuḥ sākṣī nivāsaḥ śaraṇaṁ suhṛt |

प्रभवः प्रलयः स्थानं निधानं बीजमव्ययम् ॥ ९-१८ ॥
prabhavaḥ pralayaḥ sthānaṁ nidhānaṁ bījamavyayam || 9-18 ||

तपाम्यहमहं वर्षं निगृह्णाम्युत्सृजामि च ।
tapāmyahamahaṁ varṣaṁ nigṛhṇāmyutsṛjāmi ca |

अमृतं चैव मृत्युश्च सदसच्चाहमर्जुन ॥ ९-१९ ॥
amṛtaṁ caiva mṛtyuśca sadasaccāhamarjuna || 9-19 ||

13. Os espíritos grandiosos,[88] porém, ó Pārtha,
assumindo uma natureza divina,
me adoram com a mente focada,
tendo (me) percebido
como a fonte imutável das criaturas.

88. "*Mahātmās*" – aqueles que são dotados de um "si-mesmo grandioso".

14. Louvando-me sem cessar,
e me buscando com um firme compromisso,
e me reverenciando com devoção, (eles) me servem,
permanentemente ajustados (a mim).

15. Outros, ainda, que me adoram
por meio do sacrifício do conhecimento, me servem
através de (minha) unidade e multiplicidade,
com muitas faces por toda parte.

16. Eu sou a inteligência ritual, eu sou o sacrifício,
eu sou a oferenda para os ancestrais,
eu sou a erva (a ser sacrificada),
eu sou o *mantra*, eu sou a manteiga clarificada,
eu sou o fogo, eu sou a oblação.

17. Deste universo eu sou o pai, a mãe,
o ordenador, o avô paterno,
o que há para ser conhecido, o purificador,
a sílaba *Om*, e também o *ṛk*, o *sāma* e o *yajus*,

18. O caminho, o mantenedor, o comandante,
o observador, a residência, o refúgio, o aliado,
a fonte original, a dissolução final, a postura,
o receptáculo, a semente, o imutável.

19. Eu produzo calor,
e eu retenho ou faço surgir a chuva.
Eu sou a imortalidade e a morte,
a existência e a inexistência, ó Arjuna.

त्रैविद्या मां सोमपाः पूतपापा यज्ञैरिष्ट्वा स्वर्गतिं प्रार्थयन्ते ।
traividyā māṁ somapāḥ pūtapāpā yajñairiṣṭvā svargatiṁ prārthayante |

ते पुण्यमासाद्य सुरेन्द्रलोकं
अश्नन्ति दिव्यान्दिवि देवभोगान् ॥ ९-२० ॥
te puṇyamāsādya surendralokaṁ
aśnanti divyāndivi devabhogān || 9-20 ||

ते तं भुक्त्वा स्वर्गलोकं विशालं
क्षीणे पुण्ये मर्त्यलोकं विशन्ति ।
te taṁ bhuktvā svargalokaṁ viśālaṁ
kṣīṇe puṇye martyalokaṁ viśanti |

एवं त्रयीधर्ममनुप्रपन्ना
गतागतं कामकामा लभन्ते ॥ ९-२१ ॥
evaṁ trayīdharmamanuprapannā
gatāgataṁ kāmakāmā labhante || 9-21 ||

अनन्याश्चिन्तयन्तो मां ये जनाः पर्युपासते ।
ananyāścintayanto māṁ ye janāḥ paryupāsate |

तेषां नित्याभियुक्तानां योगक्षेमं वहाम्यहम् ॥ ९-२२ ॥
teṣāṁ nityābhiyuktānāṁ yogakṣemaṁ vahāmyaham || 9-22 ||

येऽप्यन्यदेवताभक्ता यजन्ते श्रद्धयान्विताः ।
ye'pyanyadevatābhaktā yajante śraddhayānvitāḥ |

तेऽपि मामेव कौन्तेय यजन्त्यविधिपूर्वकम् ॥ ९-२३ ॥
te'pi māmeva kaunteya yajantyavidhipūrvakam || 9-23 ||

अहं हि सर्वयज्ञानां भोक्ता च प्रभुरेव च ।
ahaṁ hi sarvayajñānāṁ bhoktā ca prabhureva ca |

न तु मामभिजानन्ति तत्त्वेनातश्च्यवन्ति ते ॥ ९-२४ ॥
na tu māmabhijānanti tattvenātaścyavanti te || 9-24 ||

यान्ति देवव्रता देवान्पितॄन्यान्ति पितृव्रताः ।
yānti devavratā devānpitṝnyānti pitṛvratāḥ |

भूतानि यान्ति भूतेज्या यान्ति मद्याजिनोऽपि माम् ॥ ९-२५ ॥
bhūtāni yānti bhūtejyā yānti madyājino'pi mām || 9-25 ||

20. (Aqueles que são) versados nos três *Vedas*,
bebedores do *Soma*, cujos pecados já foram
purificados, tendo-me buscado por meio
de sacrifícios, pedem pelo caminho do Céu.
Tendo se assentado merecidamente
no mundo do soberano dos deuses (Indra),
alcançam, no Céu, os desfrutes divinos dos deuses.

21. (Então) tendo eles desfrutado
desse vasto mundo celestial,
no (momento em) que se esgotam seus méritos
entram (novamente) no mundo dos mortais.
Assim, os que seguem o tríplice *dharma*[89]
cheios de desejos conseguem
(apenas) idas e vindas (ao Céu).

22. Pessoas que se aproximam respeitosamente
de mim, sem pensar em nenhum outro,
que estão permanentemente ajustadas
(à sua natureza superior), têm a segurança
de suas aquisições (espirituais) garantida por mim.

23. Mesmo aqueles que, conduzidos pela fé,
fazem sacrifícios devotados a outra divindade,
mesmo eles sacrificam somente para mim,
ó Kaunteya, sem seguir os ritos tradicionais.

24. De fato eu sou o desfrutador
e o único senhor de todos os sacrifícios,
mas, na verdade, eles não me reconhecem.
Por isso eles vêm e vão (ao Céu).

25. Os que fazem votos aos deuses, vão aos deuses.
Os que fazem votos aos antepassados,
vão aos antepassados. Os que sacrificam
para os elementos, vão aos elementos.
Os que sacrificam para mim, a mim vêm, também.

89. O tríplice *dharma*, segundo Ādi Śaṁkarācārya, é o conjunto de regras estabelecidas pela tradição dos três *Vedas*.

पत्रं पुष्पं फलं तोयं यो मे भक्त्या प्रयच्छति ।
patraṁ puṣpaṁ phalaṁ toyaṁ yo me bhaktyā prayacchati |

तदहं भक्त्युपहृतमश्नामि प्रयतात्मनः ॥ ९-२६ ॥
tadahaṁ bhaktyupahṛtamaśnāmi prayatātmanaḥ || 9-26 ||

यत्करोषि यदश्नासि यज्जुहोषि ददासि यत् ।
yatkaroṣi yadaśnāsi yajjuhoṣi dadāsi yat |

यत्तपस्यसि कौन्तेय तत्कुरुष्व मदर्पणम् ॥ ९-२७ ॥
yattapasyasi kaunteya tatkuruṣva madarpaṇam || 9-27 ||

शुभाशुभफलैरेवं मोक्ष्यसे कर्मबन्धनैः ।
śubhāśubhaphalairevaṁ mokṣyase karmabandhanaiḥ |

संन्यासयोगयुक्तात्मा विमुक्तो मामुपैष्यसि ॥ ९-२८ ॥
saṁnyāsayogayuktātmā vimukto māmupaiṣyasi || 9-28 ||

समोऽहं सर्वभूतेषु न मे द्वेष्योऽस्ति न प्रियः ।
samo'haṁ sarvabhūteṣu na me dveṣyo'sti na priyaḥ |

ये भजन्ति तु मां भक्त्या मयि ते तेषु चाप्यहम् ॥ ९-२९ ॥
ye bhajanti tu māṁ bhaktyā mayi te teṣu cāpyaham || 9-29 ||

अपि चेत्सुदुराचारो भजते मामनन्यभाक् ।
api cetsudurācāro bhajate māmananyabhāk |

साधुरेव स मन्तव्यः सम्यग्व्यवसितो हि सः ॥ ९-३० ॥
sādhureva sa mantavyaḥ samyagvyavasito hi saḥ || 9-30 ||

क्षिप्रं भवति धर्मात्मा शश्वच्छान्तिं निगच्छति ।
kṣipraṁ bhavati dharmātmā śaśvacchāntiṁ nigacchati |

कौन्तेय प्रतिजानीहि न मे भक्तः प्रणश्यति ॥ ९-३१ ॥
kaunteya pratijānīhi na me bhaktaḥ praṇaśyati || 9-31 ||

मां हि पार्थ व्यपाश्रित्य येऽपि स्युः पापयोनयः ।
māṁ hi pārtha vyapāśritya ye'pi syuḥ pāpayonayaḥ |

स्त्रियो वैश्यास्तथा शूद्रास्तेऽपि यान्ति परां गतिम् ॥ ९-३२ ॥
striyo vaiśyāstathā śūdrāste'pi yānti parāṁ gatim || 9-32 ||

26. Daquele que me oferece com devoção
uma folha, uma flor, um fruto, água,
eu me alimento daquela oferenda devocional
de um espírito[90] bem-intencionado.

27. O que fazes, o que comes, o que sacrificas,
o que dás, a ascese que praticas, ó Kaunteya,
faz como uma oferenda a mim.

28. Assim te libertarás dos frutos dos bons
e dos maus atos, e do aprisionamento às ações.
Libertado, com o si-mesmo ajustado
pelo yoga do renunciamento, virás a mim.

29. Eu sou o mesmo em todas as criaturas.
Não há, para mim, rejeitado ou predileto.
Aqueles, porém, que me adoram com devoção,
esses estão em mim, e eu também estou neles.

30. Mesmo (o homem)
de péssimo comportamento,
se me adora, sem qualquer outro
objeto de adoração,
deve ser considerado bom,
pois ele está convencido do que é correto.

31. Rapidamente se torna um espírito
condizente com o *dharma* e alcança a paz eterna.
Ó Kaunteya, tem por certo
que nenhum devoto meu desaparece!

32. Sejam eles de origem pecaminosa,
mulheres, artífices[91] ou mesmo trabalhadores
não qualificados[92], se buscam refúgio em mim,
ó Pārtha, eles também seguem
para o caminho supremo.

90. "*Ātmā*" – "si-mesmo".

91. *Vaishyas*, a casta dos trabalhadores especializados, que deu origem às outras castas no sistema de estratificação social da Índia antiga.

92. *Shudras*, a casta mais baixa da sociedade hindu, dentro do modelo que classifica os membros da comunidade em quatro grandes castas genéricas.

किं पुनर्ब्राह्मणाः पुण्या भक्ता राजर्षयस्तथा ।
kiṁ punarbrāhmaṇāḥ puṇyā bhaktā rājarṣayastathā |

अनित्यमसुखं लोकमिमं प्राप्य भजस्व माम् ॥ ९-३३ ॥
anityamasukhaṁ lokamimaṁ prāpya bhajasva mām || 9-33 ||

मन्मना भव मद्भक्तो मद्याजी मां नमस्कुरु ।
manmanā bhava madbhakto madyājī māṁ namaskuru |

मामेवैष्यसि युक्त्वैवमात्मानं मत्परायणः ॥ ९-३४ ॥
māmevaiṣyasi yuktvaivamātmānaṁ matparāyaṇaḥ || 9-34 ||

ॐ तत्सदिति श्रीमद्भगवद्गीतायामुपनिषदि
OM tatsaditi śrīmadbhagavadgītāyāmupaniṣadi

ब्रह्मविद्यायां योगशास्त्रे श्रीकृष्णार्जुनसंवादे
brahmavidyāyāṁ yogaśāstre śrīkṛṣṇārjunasaṁvāde

राजविद्याराजगुह्ययोगो नाम नवमोऽध्यायः ॥ ९ ॥
rājavidyārājaguhyayogo nāma navamo'dhyāyaḥ || 9 ||

33. Que dizer, então,
de *brāhmanes* que se comportam bem,
assim como de sábios devotos de origem real?
Tendo (tu) alcançado este mundo
impermanente e desagradável, adora-me!

34. Torna-te aquele que fixa a mente em mim,
aquele que me adora, aquele que sacrifica para mim,
curva-te para mim.
Tendo assim te ajustado a ti mesmo,
tendo-me como meta suprema, virás somente a mim.

OM tat sat!

Assim (termina)
na venerável *Bhagavad Gītā Upaniṣad*,
na sabedoria dos *mantras* (*Brahmavidyā*),
no tratado de Yoga,
no diálogo entre o senhor Kṛṣṇa e Arjuna,
o nono capítulo, denominado
"o yoga da sabedoria e do segredo dos reis".

अथ दशमोऽध्यायः ।
atha daśamo'dhyāyaḥ |

विभूतियोगः
vibhūtiyogaḥ

श्रीभगवानुवाच ।
śrībhagavānuvāca |

भूय एव महाबाहो शृणु मे परमं वचः ।
bhūya eva mahābāho śṛṇu me paramaṁ vacaḥ |

यत्तेऽहं प्रीयमाणाय वक्ष्यामि हितकाम्यया ॥ १०-१ ॥
yatte'haṁ prīyamāṇāya vakṣyāmi hitakāmyayā || 10-1 ||

न मे विदुः सुरगणाः प्रभवं न महर्षयः ।
na me viduḥ suragaṇāḥ prabhavaṁ na maharṣayaḥ |

अहमादिर्हि देवानां महर्षीणां च सर्वशः ॥ १०-२ ॥
ahamādirhi devānāṁ maharṣīṇāṁ ca sarvaśaḥ || 10-2 ||

यो मामजमनादिं च वेत्ति लोकमहेश्वरम् ।
yo māmajamanādiṁ ca vetti lokamaheśvaram |

असम्मूढः स मर्त्येषु सर्वपापैः प्रमुच्यते ॥ १०-३ ॥
asammūḍhaḥ sa martyeṣu sarvapāpaiḥ pramucyate || 10-3 ||

बुद्धिर्ज्ञानमसम्मोहः क्षमा सत्यं दमः शमः ।
buddhirjñānamasammohaḥ kṣamā satyaṁ damaḥ śamaḥ |

सुखं दुःखं भवोऽभावो भयं चाभयमेव च ॥ १०-४ ॥
sukhaṁ duḥkhaṁ bhavo'bhāvo bhayaṁ cābhayameva ca || 10-4 ||

अहिंसा समता तुष्टिस्तपो दानं यशोऽयशः ।
ahiṁsā samatā tuṣṭistapo dānaṁ yaśo'yaśaḥ |

भवन्ति भावा भूतानां मत्त एव पृथग्विधाः ॥ १०-५ ॥
bhavanti bhāvā bhūtānāṁ matta eva pṛthagvidhāḥ || 10-5 ||

Décimo capítulo

Poder

Senhor Bhagavān disse:

1. Sendo assim, ó Mahābāhu,
escuta minha fala suprema,
que falarei para ti, que amas (este conhecimento),
para o teu benefício.

2. Nem a coletividade dos deuses,
nem os grandes *Ṛṣis*,
(jamais) conheceram a minha origem.
Eu sou o primeiro de todos os deuses
e de todos os grandes *Ṛṣis*.

3. Aquele que me conhece
como grande senhor do mundo,
não nascido e sem início,
esse, que não se ilude entre os mortais,
é libertado de todos os pecados.

4. A inteligência, o conhecimento,
a ausência de ilusão, a paciência, a autenticidade,
o autocontrole, a calma, o prazer, a dor, a existência,
a inexistência, e o medo e a coragem,

5. A não violência, a equanimidade,
o contentamento, a ascese, a notoriedade,
a obscuridade,[93] somente de mim provêm
essas múltiplas formas de ser das criaturas.

93. "*Ayaśas*" – "condição de quem não tem notoriedade".

महर्षयः सप्त पूर्वे चत्वारो मनवस्तथा ।
maharṣayaḥ sapta pūrve catvāro manavastathā |

मद्भावा मानसा जाता येषां लोक इमाः प्रजाः ॥ १०-६ ॥
madbhāvā mānasā jātā yeṣāṁ loka imāḥ prajāḥ || 10-6 ||

एतां विभूतिं योगं च मम यो वेत्ति तत्त्वतः ।
etāṁ vibhūtiṁ yogaṁ ca mama yo vetti tattvataḥ |

सोऽविकम्पेन योगेन युज्यते नात्र संशयः ॥ १०-७ ॥
so'vikampena yogena yujyate nātra saṁśayaḥ || 10-7 ||

अहं सर्वस्य प्रभवो मत्तः सर्वं प्रवर्तते ।
ahaṁ sarvasya prabhavo mattaḥ sarvaṁ pravartate |

इति मत्वा भजन्ते मां बुधा भावसमन्विताः ॥ १०-८ ॥
iti matvā bhajante māṁ budhā bhāvasamanvitāḥ || 10-8 ||

मच्चित्ता मद्गतप्राणा बोधयन्तः परस्परम् ।
maccittā madgataprāṇā bodhayantaḥ parasparam |

कथयन्तश्च मां नित्यं तुष्यन्ति च रमन्ति च ॥ १०-९ ॥
kathayantaśca māṁ nityaṁ tuṣyanti ca ramanti ca || 10-9 ||

तेषां सततयुक्तानां भजतां प्रीतिपूर्वकम् ।
teṣāṁ satatayuktānāṁ bhajatāṁ prītipūrvakam |

ददामि बुद्धियोगं तं येन मामुपयान्ति ते ॥ १०-१० ॥
dadāmi buddhiyogaṁ taṁ yena māmupayānti te || 10-10 ||

तेषामेवानुकम्पार्थमहमज्ञानजं तमः ।
teṣāmevānukampārthamahamajñānajaṁ tamaḥ |

नाशयाम्यात्मभावस्थो ज्ञानदीपेन भास्वता ॥ १०-११ ॥
nāśayāmyātmabhāvastho jñānadīpena bhāsvatā || 10-11 ||

अर्जुन उवाच ।
arjuna uvāca |

परं ब्रह्म परं धाम पवित्रं परमं भवान् ।
paraṁ brahma paraṁ dhāma pavitraṁ paramaṁ bhavān |

पुरुषं शाश्वतं दिव्यमादिदेवमजं विभुम् ॥ १०-१२ ॥
puruṣaṁ śāśvataṁ divyamādidevamajaṁ vibhum || 10-12 ||

6. No passado, os sete grandes *Ṛṣis*,
assim como os quatro *Manus*,
nasceram providos pela minha natureza,
por meio da (minha) mente,
e deles (nasceram) estas criaturas no mundo.

7. Aquele que conhece de verdade
este meu poder e meu yoga,
esse se ajusta por meio de um yoga firme[94],
não há dúvida quanto a isso.

8. Tendo compreendido que eu sou a origem
de tudo (e) que a partir de mim tudo vem à existência,
os sábios me adoram de conformidade
com sua natureza.

9. Com a mente fixada em mim,
com seu *prāṇa* dirigido para mim,
despertando-se mutuamente,
e permanentemente falando de mim,
(os sábios) se contentam e ficam felizes.

10. Para esses que me adoram com afeição,
sempre ajustados, dou esse uso da inteligência[95]
por meio do qual eles se aproximam de mim.

11. Por mera compaixão para com eles, eu,
que estou presente na própria natureza do si-mesmo,
faço desaparecer a escuridão da ignorância
por meio da brilhante lâmpada do conhecimento.

Arjuna disse:
12-13. O senhor é o supremo Brahma,
a suprema residência, o purificador supremo.
Todos os *Ṛṣis* descreveram tu como o homem divino
eterno, deus primordial, não nascido, onipresente.

94. "*Avikampa*" – "sem instabilidade", isto é, sem as idas e vindas ao Céu e ao mundo dos mortais.

95. "*Buddhiyoga.*"

आहुस्त्वामृषयः सर्वे देवर्षिर्नारदस्तथा ।
āhustvāmṛṣayaḥ sarve devarṣirnāradastathā |

असितो देवलो व्यासः स्वयं चैव ब्रवीषि मे ॥ १०-१३ ॥
asito devalo vyāsaḥ svayaṁ caiva bravīṣi me || 10-13 ||

सर्वमेतदृतं मन्ये यन्मां वदसि केशव ।
sarvametadṛtaṁ manye yanmāṁ vadasi keśava |

न हि ते भगवन्व्यक्तिं विदुर्देवा न दानवाः ॥ १०-१४ ॥
na hi te bhagavanvyaktiṁ vidurdevā na dānavāḥ || 10-14 ||

स्वयमेवात्मनात्मानं वेत्थ त्वं पुरुषोत्तम ।
svayamevātmanātmānaṁ vettha tvaṁ puruṣottama |

भूतभावन भूतेश देवदेव जगत्पते ॥ १०-१५ ॥
bhūtabhāvana bhūteśa devadeva jagatpate || 10-15 ||

वक्तुमर्हस्यशेषेण दिव्या ह्यात्मविभूतयः ।
vaktumarhasyaśeṣeṇa divyā hyātmavibhūtayaḥ |

याभिर्विभूतिभिर्लोकानिमांस्त्वं व्याप्य तिष्ठसि ॥ १०-१६ ॥
yābhirvibhūtibhirlokānimāṁstvaṁ vyāpya tiṣṭhasi || 10-16 ||

कथं विद्यामहं योगिंस्त्वां सदा परिचिन्तयन् ।
kathaṁ vidyāmahaṁ yogiṁstvāṁ sadā paricintayan |

केषु केषु च भावेषु चिन्त्योऽसि भगवन्मया ॥ १०-१७ ॥
keṣu keṣu ca bhāveṣu cintyo'si bhagavanmayā || 10-17 ||

विस्तरेणात्मनो योगं विभूतिं च जनार्दन ।
vistareṇātmano yogaṁ vibhūtiṁ ca janārdana |

भूयः कथय तृप्तिर्हि शृण्वतो नास्ति मेऽमृतम् ॥ १०-१८ ॥
bhūyaḥ kathaya tṛptirhi śṛṇvato nāsti me'mṛtam || 10-18 ||

श्रीभगवानुवाच ।
śrībhagavānuvāca |

हन्त ते कथयिष्यामि दिव्या ह्यात्मविभूतयः ।
hanta te kathayiṣyāmi divyā hyātmavibhūtayaḥ |

प्राधान्यतः कुरुश्रेष्ठ नास्त्यन्तो विस्तरस्य मे ॥ १०-१९ ॥
prādhānyataḥ kuruśreṣṭha nāstyanto vistarasya me || 10-19 ||

Assim também (disseram) Nārada
– o *Ṛṣi* dos deuses – Asita, Devala, Vyāsa,
e tu mesmo o dizes para mim.

14. Tudo isto que me dizes, ó Keśava,
penso que seja verdadeiro.
De fato, nem os deuses nem (seus adversários)
os Dānavas conhecem tua forma manifestada,
ó Bhagavān.

15. Apenas tu conheces, por meio do si-mesmo,
teu próprio si-mesmo, ó homem supremo,[96]
fonte das criaturas, senhor das criaturas,
deus dos deuses, senhor do universo.

16. Deves me contar por completo
suas próprias manifestações de poderes divinos,
por meio das quais, tendo criado estes mundos,
(neles) permaneces.

17. Como eu, sempre entregue à reflexão,
posso te conhecer, ó *yogui*?
E em quais aparências podes ser percebido por mim,
ó Bhagavān?

18. Descreve novamente, em detalhes,
o yoga e o poder do si-mesmo, ó Janārdana.
Ainda não estou saciado de ouvir
o néctar da imortalidade (em tuas palavras).

Senhor Bhagavān disse:

19. Pois bem! Contarei para ti
os poderes divinos do si-mesmo,
(mas apenas) os mais importantes,
ó melhor dos *Kurus*,
(pois a descrição) em detalhe não tem fim.

96. "*Puruṣottama*".

अहमात्मा गुडाकेश सर्वभूताशयस्थितः ।
ahamātmā guḍākeśa sarvabhūtāśayasthitaḥ |

अहमादिश्च मध्यं च भूतानामन्त एव च ॥ १०-२० ॥
ahamādiśca madhyaṁ ca bhūtānāmanta eva ca || 10-20 ||

आदित्यानामहं विष्णुर्ज्योतिषां रविरंशुमान् ।
ādityānāmahaṁ viṣṇurjyotiṣāṁ raviraṁśumān |

मरीचिर्मरुतामस्मि नक्षत्राणामहं शशी ॥ १०-२१ ॥
marīcirmarutāmasmi nakṣatrāṇāmahaṁ śaśī || 10-21 ||

वेदानां सामवेदोऽस्मि देवानामस्मि वासवः ।
vedānāṁ sāmavedo'smi devānāmasmi vāsavaḥ |

इन्द्रियाणां मनश्चास्मि भूतानामस्मि चेतना ॥ १०-२२ ॥
indriyāṇāṁ manaścāsmi bhūtānāmasmi cetanā || 10-22 ||

रुद्राणां शङ्करश्चास्मि वित्तेशो यक्षरक्षसाम् ।
rudrāṇāṁ śaṅkaraścāsmi vitteśo yakṣarakṣasām |

वसूनां पावकश्चास्मि मेरुः शिखरिणामहम् ॥ १०-२३ ॥
vasūnāṁ pāvakaścāsmi meruḥ śikhariṇāmaham || 10-23 ||

पुरोधसां च मुख्यं मां विद्धि पार्थ बृहस्पतिम् ।
purodhasāṁ ca mukhyaṁ māṁ viddhi pārtha bṛhaspatim |

सेनानीनामहं स्कन्दः सरसामस्मि सागरः ॥ १०-२४ ॥
senānīnāmahaṁ skandaḥ sarasāmasmi sāgaraḥ || 10-24 ||

महर्षीणां भृगुरहं गिरामस्म्येकमक्षरम् ।
maharṣīṇāṁ bhṛgurahaṁ girāmasmyekamakṣaram |

यज्ञानां जपयज्ञोऽस्मि स्थावराणां हिमालयः ॥ १०-२५ ॥
yajñānāṁ japayajño'smi sthāvarāṇāṁ himālayaḥ || 10-25 ||

अश्वत्थः सर्ववृक्षाणां देवर्षीणां च नारदः ।
aśvatthaḥ sarvavṛkṣāṇāṁ devarṣīṇāṁ ca nāradaḥ |

गन्धर्वाणां चित्ररथः सिद्धानां कपिलो मुनिः ॥ १०-२६ ॥
gandharvāṇāṁ citrarathaḥ siddhānāṁ kapilo muniḥ || 10-26 ||

20. Eu sou o si-mesmo
assentado no coração de todas as criaturas,
ó Guḍākeśa.
Eu sou o início, o meio e o fim das criaturas.

21. Eu sou o Viṣṇu, entre os *Ādityas*;
o Sol radiante, entre os luminares;
sou Marīci, entre os *Marutas*;
das casas lunares, eu sou a Lua;

22. Entre os *Vedas*, eu sou o *Sama Veda*;
entre os deuses, eu sou Vāsava[97];
eu sou a mente, para os órgãos sensoriais;
eu sou a consciência das criaturas;

23. Sou o Śaṅkara dos *Rudrás*;
sou o senhor das riquezas,
para os *Yakṣas* e os *Rakṣasas*;
e sou Pāvaka[98], entre os *Vasus*;
eu, o *Meru* das montanhas elevadas.

24. Entre os sacerdotes mais destacados,
sabe, ó Pārtha, que sou Bṛhaspati[99];
dos líderes de exércitos sou Skanda;
para os lagos, sou o oceano;

25. Dos grandes *Ṛṣis* sou Bhṛgu;
das recitações, sou a sílaba única (*Om*);
dos sacrifícios, sou o sacrifício do "*japa*";
para as montanhas, sou o Himalaia;

26. A figueira sagrada, dentre todas as árvores;
e entre os *Ṛṣis* divinos, Nārada;
entre os cantores celestiais, Citraratha;
entre os perfeitos (*siddhas*), o sábio Kapila[100].

97. Vāsava é o deus Indra, o soberano dos deuses védicos.

98. O fogo purificador, outro nome para o deus Agni.

99. O sacerdote dos deuses – corresponde ao planeta Júpiter, na Astrologia.

100. Criador do sistema filosófico do *Sāṅkhya*.

उच्चैःश्रवसमश्वानां विद्धि माममृतोद्भवम् ।
uccaiḥśravasamaśvānāṁ viddhi māmamṛtodbhavam |

ऐरावतं गजेन्द्राणां नराणां च नराधिपम् ॥ १०-२७ ॥
airāvataṁ gajendrāṇāṁ narāṇāṁ ca narādhipam || 10-27 ||

आयुधानामहं वज्रं धेनूनामस्मि कामधुक् ।
āyudhānāmahaṁ vajraṁ dhenūnāmasmi kāmadhuk |

प्रजनश्चास्मि कन्दर्पः सर्पाणामस्मि वासुकिः ॥ १०-२८ ॥
prajanaścāsmi kandarpaḥ sarpāṇāmasmi vāsukiḥ || 10-28 ||

अनन्तश्चास्मि नागानां वरुणो यादसामहम् ।
anantaścāsmi nāgānāṁ varuṇo yādasāmaham |

पितृणामर्यमा चास्मि यमः संयमतामहम् ॥ १०-२९ ॥
pitṝṇāmaryamā cāsmi yamaḥ saṁyamatāmaham || 10-29 ||

प्रह्लादश्चास्मि दैत्यानां कालः कलयतामहम् ।
prahlādaścāsmi daityānāṁ kālaḥ kalayatāmaham |

मृगाणां च मृगेन्द्रोऽहं वैनतेयश्च पक्षिणाम् ॥ १०-३० ॥
mṛgāṇāṁ ca mṛgendro'haṁ vainateyaśca pakṣiṇām || 10-30 ||

पवनः पवतामस्मि रामः शस्त्रभृतामहम् ।
pavanaḥ pavatāmasmi rāmaḥ śastrabhṛtāmaham |

झषाणां मकरश्चास्मि स्रोतसामस्मि जाह्नवी ॥ १०-३१ ॥
jhaṣāṇāṁ makaraścāsmi srotasāmasmi jāhnavī || 10-31 ||

सर्गाणामादिरन्तश्च मध्यं चैवाहमर्जुन ।
sargāṇāmādirantaśca madhyaṁ caivāhamarjuna |

अध्यात्मविद्या विद्यानां वादः प्रवदतामहम् ॥ १०-३२ ॥
adhyātmavidyā vidyānāṁ vādaḥ pravadatāmaham || 10-32 ||

अक्षराणामकारोऽस्मि द्वन्द्वः सामासिकस्य च ।
akṣarāṇāmakāro'smi dvandvaḥ sāmāsikasya ca |

अहमेवाक्षयः कालो धाताहं विश्वतोमुखः ॥ १०-३३ ॥
ahamevākṣayaḥ kālo dhātāhaṁ viśvatomukhaḥ || 10-33 ||

27. Conhece-me, dentre os cavalos,
como Uccaiḥśravas,
surgido do néctar da imortalidade;
dentre os elefantes líderes, como Airāvata[101];
dentre os homens, como o rei.

28. Das armas eu sou o *Vajra*[102];
das vacas, sou Kāmadhuk;
e sou Kandarpa, o que produz descendência;
das serpentes, sou Vāsuki;

29. Para as cobras naja, sou Ananta;
para os grandes animais aquáticos, sou Varuṇa[103];
entre os espíritos ancestrais, sou Aryaman;
dentre os que limitam, eu sou Yama[104];

30. Entre os *Daityas*, eu sou Prahlāda;
entre os indicadores de medida, eu sou o tempo;
para os animais, eu sou o leão;
e para os pássaros, sou o filho de Vinatā (Garuḍa);

31. Entre os que purificam, sou o vento;
para os espadachins, sou Rāma;
para os peixes, sou o Makara;
Sou Jāhnavi (Ganges) dentre os rios;

32. Eu sou o início, o meio
e o fim das criações, ó Arjuna;
das sabedorias, aquela que conduz ao si-mesmo;
para aqueles que conversam, eu sou o argumento;

33. Das sílabas, sou o "a";
e dentre os compostos nominais, sou o "*dvandva*".
Eu sou, de fato, o tempo interminável.
Eu sou o ordenador onipresente (do universo).

101. O elefante branco de Indra.

102. A arma mais poderosa de Indra.

103. O deus das águas celestiais.

104. O deus da morte.

मृत्युः सर्वहरश्चाहमुद्भवश्च भविष्यताम् ।
mṛtyuḥ sarvaharaścāhamudbhavaśca bhaviṣyatām |

कीर्तिः श्रीर्वाक्च नारीणां स्मृतिर्मेधा धृतिः क्षमा ॥ १०-३४ ॥
kīrtiḥ śrīrvākca nārīṇāṁ smṛtirmedhā dhṛtiḥ kṣamā || 10-34 ||

बृहत्साम तथा साम्नां गायत्री छन्दसामहम् ।
bṛhatsāma tathā sāmnāṁ gāyatrī chandasāmaham |

मासानां मार्गशीर्षोऽहमृतूनां कुसुमाकरः ॥ १०-३५ ॥
māsānāṁ mārgaśīrṣo'hamṛtūnāṁ kusumākaraḥ || 10-35 ||

द्यूतं छलयतामस्मि तेजस्तेजस्विनामहम् ।
dyūtaṁ chalayatāmasmi tejastejasvināmaham |

जयोऽस्मि व्यवसायोऽस्मि सत्त्वं सत्त्ववतामहम् ॥ १०-३६ ॥
jayo'smi vyavasāyo'smi sattvaṁ sattvavatāmaham || 10-36 ||

वृष्णीनां वासुदेवोऽस्मि पाण्डवानां धनञ्जयः ।
vṛṣṇīnāṁ vāsudevo'smi pāṇḍavānāṁ dhanañjayaḥ |

मुनीनामप्यहं व्यासः कवीनामुशना कविः ॥ १०-३७ ॥
munīnāmapyahaṁ vyāsaḥ kavīnāmuśanā kaviḥ || 10-37 ||

दण्डो दमयतामस्मि नीतिरस्मि जिगीषताम् ।
daṇḍo damayatāmasmi nītirasmi jigīṣatām |

मौनं चैवास्मि गुह्यानां ज्ञानं ज्ञानवतामहम् ॥ १०-३८ ॥
maunaṁ caivāsmi guhyānāṁ jñānaṁ jñānavatāmaham || 10-38 ||

यच्चापि सर्वभूतानां बीजं तदहमर्जुन ।
yaccāpi sarvabhūtānāṁ bījaṁ tadahamarjuna |

न तदस्ति विना यत्स्यान्मया भूतं चराचरम् ॥ १०-३९ ॥
na tadasti vinā yatsyānmayā bhūtaṁ carācaram || 10-39 ||

नान्तोऽस्ति मम दिव्यानां विभूतीनां परन्तप ।
nānto'sti mama divyānāṁ vibhūtīnāṁ parantapa |

एष तूद्देशतः प्रोक्तो विभूतेर्विस्तरो मया ॥ १०-४० ॥
eṣa tūddeśataḥ prokto vibhūtervistaro mayā || 10-40 ||

34. Eu sou a morte, que tudo destrói;
e a origem do que está por vir.
E das mulheres (sou) a boa reputação,
a amabilidade, a fala, a memória, a inteligência,
a firmeza e a paciência.

35. Entre os cânticos do *Sāman,* (eu sou) o *Bṛhat;*
dos versos védicos eu sou *Gāyatrī;*
dos meses, eu sou *Mārgaśīrṣa;*
das estações, a primavera;

36. Para os fraudadores, sou a aposta;
das pessoas ativas, eu sou o vigor;
sou a vitória; sou a determinação;
eu sou o bom senso dos sensatos;

37. Dos membros do clã Vṛṣṇi, sou Vāsudeva;
dos *Pāṇḍavas,* Dhanañjaya;
dos sábios inspirados, também sou Vyāsa;
entre os poetas, o poeta Uśanas.

38. Eu sou o bastão, para aqueles que punem;
sou a boa conduta,
para aqueles que desejam a vitória;
sou ainda o silêncio, para os segredos;
eu sou o conhecimento, para os conhecedores.

39. E também aquilo que é a semente
de todas as criaturas, isso também sou eu, ó Arjuna.
Não há ser, animado ou inanimado,
que possa existir sem mim.

40. Não há limite (para a lista)
dos meus poderes divinos, ó Parantapa.
Porém, isto que foi falado por mim
é um detalhamento de meu poder,
a título de exemplo.

यद्यद्विभूतिमत्सत्त्वं श्रीमदूर्जितमेव वा ।
yadyadvibhūtimatsattvaṁ śrīmadūrjitameva vā |

तत्तदेवावगच्छ त्वं मम तेजोंशसम्भवम् ॥ १०-४१ ॥
tattadevāvagaccha tvaṁ mama tejoṁśasambhavam || 10-41 ||

अथवा बहुनैतेन किं ज्ञातेन तवार्जुन ।
athavā bahunaitena kiṁ jñātena tavārjuna |

विष्टभ्याहमिदं कृत्स्नमेकांशेन स्थितो जगत् ॥ १०-४२ ॥
viṣṭabhyāhamidaṁ kṛtsnamekāṁśena sthito jagat || 10-42 ||

ॐ तत्सदिति श्रीमद्भगवद्गीतायामुपनिषदि
OM tatsaditi śrīmadbhagavadgītāyāmupaniṣadi

ब्रह्मविद्यायां योगशास्त्रे श्रीकृष्णार्जुनसंवादे
brahmavidyāyāṁ yogaśāstre śrīkṛṣṇārjunasaṁvāde

विभूतियोगो नाम दशमोऽध्यायः ॥ १० ॥
vibhūtiyogo nāma daśamo'dhyāyaḥ || 10 ||

41. Percebe tu que, qualquer que seja
a (boa qualidade de uma) existência
– poderosa, próspera ou importante –
isso é apenas a manifestação
de uma parte de minha força.

42. Ademais, o que tu ganhas
por ter conhecido este tanto, Arjuna?
Tendo erigido este universo por inteiro
com (apenas) uma parte (de meu poder),
(aqui) eu permaneço.

OM tat sat!

Assim (termina)
na venerável *Bhagavad Gītā Upaniṣad*,
na sabedoria dos *mantras* (*Brahmavidyā*),
no tratado de Yoga,
no diálogo entre o senhor Kṛṣṇa e Arjuna,
o décimo capítulo,
denominado "o yoga do poder".

अथैकादशोऽध्यायः ।

athaikādaśo'dhyāyaḥ |

विश्वरूपदर्शनयोगः

viśvarūpadarśanayogaḥ

अर्जुन उवाच ।
arjuna uvāca |

मदनुग्रहाय परमं गुह्यमध्यात्मसंज्ञितम् ।
madanugrahāya paramaṁ guhyamadhyātmasaṁjñitam |
यत्त्वयोक्तं वचस्तेन मोहोऽयं विगतो मम ॥ ११-१ ॥
yattvayoktaṁ vacastena moho'yaṁ vigato mama || 11-1 ||

भवाप्ययौ हि भूतानां श्रुतौ विस्तरशो मया ।
bhavāpyayau hi bhūtānāṁ śrutau vistaraśo mayā |
त्वत्तः कमलपत्राक्ष माहात्म्यमपि चाव्ययम् ॥ ११-२ ॥
tvattaḥ kamalapatrākṣa māhātmyamapi cāvyayam || 11-2 ||

एवमेतद्यथात्थ त्वमात्मानं परमेश्वर ।
evametadyathāttha tvamātmānaṁ parameśvara |
द्रष्टुमिच्छामि ते रूपमैश्वरं पुरुषोत्तम ॥ ११-३ ॥
draṣṭumicchāmi te rūpamaiśvaraṁ puruṣottama || 11-3 ||

मन्यसे यदि तच्छक्यं मया द्रष्टुमिति प्रभो ।
manyase yadi tacchakyaṁ mayā draṣṭumiti prabho |
योगेश्वर ततो मे त्वं दर्शयात्मानमव्ययम् ॥ ११-४ ॥
yogeśvara tato me tvaṁ darśayātmānamavyayam || 11-4 ||

श्रीभगवानुवाच ।
śrībhagavānuvāca |

पश्य मे पार्थ रूपाणि शतशोऽथ सहस्रशः ।
paśya me pārtha rūpāṇi śataśo'tha sahasraśaḥ |
नानाविधानि दिव्यानि नानावर्णाकृतीनि च ॥ ११-५ ॥
nānāvidhāni divyāni nānāvarṇākṛtīni ca || 11-5 ||

Décimo primeiro capítulo

A visão de todas as formas

Arjuna disse:

1. Com esse segredo supremo,
chamado "o espírito do si-mesmo"[105],
que por ti foi revelado para o meu benefício,
a minha ilusão desapareceu.

2. Ouvi de ti sobre a origem
e o fim das criaturas, extensivamente,
e ainda sobre a (tua) imutável grandiosidade
de espírito, ó Kamalapattraksha[106].

3. Tu és assim como disseste de ti mesmo,
ó senhor supremo.
Quero ver a tua forma soberana,
ó Puruṣottama[107].

4. Se pensas que teu si-mesmo imutável
pode ser visto por mim,
ó poderoso senhor do yoga,
então me mostra.

Senhor Bhagavān disse:

5. Vê, ó Pārtha, minhas formas divinas,
com centenas, ou melhor,
milhares de variações,
com inúmeras cores e feitios.

105. "*Adhyātmā*" – veja os versos 7-29 e 8-3.

106. "O que tem os olhos como as folhas (ou pétalas) do lótus" (Kṛṣṇa).

107. "O homem (cósmico) mais elevado" (Kṛṣṇa).

पश्यादित्यान्वसून्रुद्रानश्विनौ मरुतस्तथा ।
paśyādityānvasūnrudrānaśvinau marutastathā |

बहून्यदृष्टपूर्वाणि पश्याश्चर्याणि भारत ॥ ११-६ ॥
bahūnyadṛṣṭapūrvāṇi paśyāścaryāṇi bhārata || 11-6 ||

इहैकस्थं जगत्कृत्स्नं पश्याद्य सचराचरम् ।
ihaikasthaṁ jagatkṛtsnaṁ paśyādya sacarācaram |

मम देहे गुडाकेश यच्चान्यद्द्रष्टुमिच्छसि ॥ ११-७ ॥
mama dehe guḍākeśa yaccānyaddraṣṭumicchasi || 11-7 ||

न तु मां शक्यसे द्रष्टुमनेनैव स्वचक्षुषा ।
na tu māṁ śakyase draṣṭumanenaiva svacakṣuṣā |

दिव्यं ददामि ते चक्षुः पश्य मे योगमैश्वरम् ॥ ११-८ ॥
divyaṁ dadāmi te cakṣuḥ paśya me yogamaiśvaram || 11-8 ||

सञ्जय उवाच ।
sañjaya uvāca |

एवमुक्त्वा ततो राजन्महायोगेश्वरो हरिः ।
evamuktvā tato rājanmahāyogeśvaro hariḥ |

दर्शयामास पार्थाय परमं रूपमैश्वरम् ॥ ११-९ ॥
darśayāmāsa pārthāya paramaṁ rūpamaiśvaram || 11-9 ||

अनेकवक्त्रनयनमनेकाद्भुतदर्शनम् ।
anekavaktranayanamanekādbhutadarśanam |

अनेकदिव्याभरणं दिव्यानेकोद्यतायुधम् ॥ ११-१० ॥
anekadivyābharaṇaṁ divyānekodyatāyudham || 11-10 ||

दिव्यमाल्याम्बरधरं दिव्यगन्धानुलेपनम् ।
divyamālyāmbaradharaṁ divyagandhānulepanam |

सर्वाश्चर्यमयं देवमनन्तं विश्वतोमुखम् ॥ ११-११ ॥
sarvāścaryamayaṁ devamanantaṁ viśvatomukham || 11-11 ||

दिवि सूर्यसहस्रस्य भवेद्युगपदुत्थिता ।
divi sūryasahasrasya bhavedyugapadutthitā |

यदि भाः सदृशी सा स्याद्भासस्तस्य महात्मनः ॥ ११-१२ ॥
yadi bhāḥ sadṛśī sā syādbhāsastasya mahātmanaḥ || 11-12 ||

6. Vê os *Ādityas*, os *Vasus*, os *Rudras*,
os *Aśvins*, assim como os *Marutas*.
Vê muitas maravilhas, ó Bhārata,
jamais vistas antes.

7. Vê hoje, aqui, ó Guḍākeśa,
o universo todo, animado e inanimado,
presente em um (só lugar):
em meu corpo, e o que mais quiseres ver.

8. Porém, não podes me ver apenas
com seus próprios olhos.
(Por isso) te dou um olho divino.
Vê (agora) meu yoga soberano.

Sañjaya disse:

9. Tendo falado assim, ó rei,
Hari, o grande senhor do yoga
revelou a Pārtha
sua forma suprema soberana:

10. Inúmeras bocas e olhos;
inúmeras visões surpreendentes;
inúmeros adornos divinos;
com inúmeras armas divinas erguidas;

11. Usando vestimentas e guirlandas divinas;
ungido com aromas divinos,
um deus infinito feito de todas as maravilhas,
com sua face presente em todos os lugares;

12. Se mil sóis se erguessem
ao mesmo tempo no céu,
seu brilho poderia se assemelhar
ao brilho desse grandioso espírito.

तत्रैकस्थं जगत्कृत्स्नं प्रविभक्तमनेकधा ।
tatraikasthaṁ jagatkṛtsnaṁ pravibhaktamanekadhā |

अपश्यद्देवदेवस्य शरीरे पाण्डवस्तदा ॥ ११-१३ ॥
apaśyaddevadevasya śarīre pāṇḍavastadā || 11-13 ||

ततः स विस्मयाविष्टो हृष्टरोमा धनञ्जयः ।
tataḥ sa vismayāviṣṭo hṛṣṭaromā dhanañjayaḥ |

प्रणम्य शिरसा देवं कृताञ्जलिरभाषत ॥ ११-१४ ॥
praṇamya śirasā devaṁ kṛtāñjalirabhāṣata || 11-14 ||

अर्जुन उवाच ।
arjuna uvāca |

पश्यामि देवांस्तव देव देहे सर्वांस्तथा भूतविशेषसङ्घान् ।
paśyāmi devāṁstava deva dehe sarvāṁstathā bhūtaviśeṣasaṅghān |

ब्रह्माणमीशं कमलासनस्थं
ऋषींश्च सर्वानुरगांश्च दिव्यान् ॥ ११-१५ ॥
brahmāṇamīśaṁ kamalāsanasthaṁ
ṛṣīṁśca sarvānuragāṁśca divyān || 11-15 ||

अनेकबाहूदरवक्त्रनेत्रं पश्यामि त्वां सर्वतोऽनन्तरूपम् ।
anekabāhūdaravaktranetraṁ paśyāmi tvāṁ sarvato'nantarūpam |

नान्तं न मध्यं न पुनस्तवादिंपश्यामि विश्वेश्वर विश्वरूप ॥ ११-१६ ॥
nāntaṁ na madhyaṁ na punastavādiṁ paśyāmi viśveśvara viśvarūpa || 11-16 ||

किरीटिनं गदिनं चक्रिणं च तेजोराशिं सर्वतो दीप्तिमन्तम् ।
kirīṭinaṁ gadinaṁ cakriṇaṁ ca tejorāśiṁ sarvato dīptimantam |

पश्यामि त्वां दुर्निरीक्ष्यं समन्ताद्
दीप्तानलार्कद्युतिमप्रमेयम् ॥ ११-१७ ॥
paśyāmi tvāṁ durnirīkṣyaṁ samantād
dīptānalārkadyutimaprameyam || 11-17 ||

त्वमक्षरं परमं वेदितव्यं त्वमस्य विश्वस्य परं निधानम् ।
tvamakṣaraṁ paramaṁ veditavyaṁ tvamasya viśvasya paraṁ nidhānam |

त्वमव्ययः शाश्वतधर्मगोप्ता सनातनस्त्वं पुरुषो मतो मे ॥ ११-१८ ॥
tvamavyayaḥ śāśvatadharmagoptā sanātanastvaṁ puruṣo mato me || 11-18 ||

13. E então o Pāṇḍava (Arjuna)
viu o universo inteiro,
(mesmo) dividido em suas inúmeras partes,
assentado em um único lugar:
no corpo do deus dos deuses.

14. Por isso Dhanañjaya, cheio de assombro,
com os pelos eriçados,
tendo saudado o deus com a cabeça,
mãos postas em "*añjali*"[108], falou.

Arjuna disse:

15. Vejo os deuses em teu corpo, ó deus,
assim como todas as coletividades
das mais destacadas criaturas;
o senhor Brahma sobre o assento do lótus,
e todos os *Ṛṣis*, e as serpentes divinas.

16. Vejo a ti, que tens a forma do infinito,
com inúmeros braços, ventres,
bocas e olhos por toda parte.
Não vejo teu fim, teu meio nem teu início,
ó senhor do universo que tens todas as formas.

17. Vejo-te portando o diadema real,
a maça e o disco,
esplendoroso, cheio de luz por toda parte.
Vejo-te imensurável em sua totalidade,
com a luminosidade do fogo aceso do Sol,
difícil de se enxergar.

18. Tu és o que deve ser reconhecido
como o supremo imperecível[109] (Brahma).
Tu és o supremo contenedor deste universo.
Tu és o protetor inflexível do *dharma* eterno.
Tu és o homem (cósmico) eterno, na minha opinião.

108. Modo de colocar as mãos com as palmas juntas, com o objetivo de sinalizar um ato de súplica, de saudação ou de homenagem.

109. Ou "suprema sílaba" (*Om*). Sobre isso, veja o comentário sobre o título do capítulo oitavo.

अनादिमध्यान्तमनन्तवीर्यम् अनन्तबाहुं शशिसूर्यनेत्रम्।
anādimadhyāntamanantavīryam anantabāhuṁ śaśisūryanetram |

पश्यामि त्वां दीप्तहुताशवक्त्रं स्वतेजसा विश्वमिदं तपन्तम्॥ ११-१९॥
paśyāmi tvāṁ dīptahutāśavaktraṁ svatejasā viśvamidaṁ tapantam || 11-19 ||

द्यावापृथिव्योरिदमन्तरं हि व्याप्तं त्वयैकेन दिशश्च सर्वाः।
dyāvāpṛthivyoridamantaraṁ hi vyāptaṁ tvayaikena diśaśca sarvāḥ |

दृष्ट्वाद्भुतं रूपमुग्रं तवेदं
लोकत्रयं प्रव्यथितं महात्मन्॥ ११-२०॥
dṛṣṭvādbhutaṁ rūpamugraṁ tavedaṁ
lokatrayaṁ pravyathitaṁ mahātman || 11-20 ||

अमी हि त्वां सुरसङ्घा विशन्ति केचिद्भीताः प्राञ्जलयो गृणन्ति।
amī hi tvāṁ surasaṅghā viśanti kecidbhītāḥ prāñjalayo gṛṇanti |

स्वस्तीत्युक्त्वा महर्षिसिद्धसङ्घाः
स्तुवन्ति त्वां स्तुतिभिः पुष्कलाभिः॥ ११-२१॥
svastītyuktvā maharṣisiddhasaṅghāḥ
stuvanti tvāṁ stutibhiḥ puṣkalābhiḥ || 11-21 ||

रुद्रादित्या वसवो ये च साध्या विश्वेऽश्विनौ मरुतश्चोष्मपाश्च।
rudrādityā vasavo ye ca sādhyā viśveaśvinau marutaścoṣmapāśca |

गन्धर्वयक्षासुरसिद्धसङ्घा वीक्षन्ते त्वां विस्मिताश्चैव सर्वे॥ ११-२२॥
gandharvayakṣāsurasiddhasaṅghā vīkṣante tvāṁ vismitāścaiva sarve || 11-22 ||

रूपं महत्ते बहुवक्त्रनेत्रं महाबाहो बहुबाहूरुपादम्।
rūpaṁ mahatte bahuvaktranetraṁ mahābāho bahubāhūrupādam |

बहूदरं बहुदंष्ट्राकरालं
दृष्ट्वा लोकाः प्रव्यथितास्तथाहम्॥ ११-२३॥
bahūdaraṁ bahudaṁṣṭrākarālaṁ
dṛṣṭvā lokāḥ pravyathitāstathāham || 11-23 ||

नभःस्पृशं दीप्तमनेकवर्णं व्यात्ताननं दीप्तविशालनेत्रम्।
nabhaḥspṛśaṁ dīptamanekavarṇaṁ vyāttānanaṁ dīptaviśālanetram |

दृष्ट्वा हि त्वां प्रव्यथितान्तरात्मा
धृतिं न विन्दामि शमं च विष्णो॥ ११-२४॥
dṛṣṭvā hi tvāṁ pravyathitāntarātmā
dhṛtiṁ na vindāmi śamaṁ ca viṣṇo || 11-24 ||

19. Eu te vejo sem início, meio ou fim, com uma
capacidade infinita, dotado de infinitos braços,
tendo a Lua e o Sol como olhos,
a boca com um fogo aceso que aquece
todo este universo com sua própria radiância.

20. Este mundo (que se estende)
entre o céu e a terra é preenchido por ti apenas,
assim como todas as direções do espaço.
Tendo visto esta tua forma maravilhosa
e aterrorizante, os três mundos estão assustados,
ó espírito grandioso.

21. Aquelas coletividades de deuses
entram em ti, certamente;
Alguns, amedrontados, com as mãos em "*añjali*",
cantam louvores; tendo dito "esteja bem!",
as coletividades dos grandes *Ṛṣis* e dos perfeitos[110]
te louvam com numerosos cânticos de louvor.

22. Os *Rudrás*, os *Ādityas*, os *Vasus*, os *Sādhyas*,
os *Viśvedevas*, os *Aśvins*, os *Marutas*, os *Uṣmapas*
e as coletividades dos *Gandharvas*, *Yakṣas*, *Āsuras*
e *Siddhas*, todos eles te observam, e ficam admirados.

23. Tendo visto tua grande forma,
com muitas bocas e olhos, ó Mahābāhu,
com tantos braços, pernas e pés, tantos ventres,
tantos dentes que se projetam ameaçadoramente,
os mundos se amedrontam, assim como eu.

24. Tendo te visto tangível como a atmosfera,
luminoso com inúmeras cores,
com a boca muito aberta
e olhos brilhantes muito grandes,
não encontro firmeza nem calma, ó Viṣṇu,
pois tenho o si-mesmo interno amedrontado.

110. "*Siddhas*".

दंष्ट्राकरालानि च ते मुखानि दृष्ट्वैव कालानलसन्निभानि ।
damṣṭrākarālāni ca te mukhāni dṛṣṭvaiva kālānalasannibhāni |

दिशो न जाने न लभे च शर्म प्रसीद देवेश जगन्निवास ॥ ११-२५ ॥
diśo na jāne na labhe ca śarma prasīda deveśa jagannivāsa || 11-25 ||

अमी च त्वां धृतराष्ट्रस्य पुत्राः सर्वे सहैवावनिपालसङ्घैः ।
amī ca tvāṁ dhṛtarāṣṭrasya putrāḥ sarve sahaivāvanipālasaṅghaiḥ |

भीष्मो द्रोणः सूतपुत्रस्तथासौ
सहास्मदीयैरपि योधमुख्यैः ॥ ११-२६ ॥
bhīṣmo droṇaḥ sūtaputrastathāsau
sahāsmadīyairapi yodhamukhyaiḥ || 11-26 ||

वक्त्राणि ते त्वरमाणा विशन्ति दंष्ट्राकरालानि भयानकानि ।
vaktrāṇi te tvaramāṇā viśanti damṣṭrākarālāni bhayānakāni |

केचिद्विलग्ना दशनान्तरेषु सन्दृश्यन्ते चूर्णितैरुत्तमाङ्गैः ॥ ११-२७ ॥
kecidvilagnā daśanāntareṣu sandṛśyante cūrṇitairuttamāṅgaiḥ || 11-27 ||

यथा नदीनां बहवोऽम्बुवेगाः समुद्रमेवाभिमुखा द्रवन्ति ।
yathā nadīnāṁ bahavo'mbuvegāḥ samudramevābhimukhā dravanti |

तथा तवामी नरलोकवीरा विशन्ति वक्त्राण्यभिविज्वलन्ति ॥ ११-२८ ॥
tathā tavāmī naralokavīrā viśanti vaktrāṇyabhivijvalanti || 11-28 ||

यथा प्रदीप्तं ज्वलनं पतङ्गा विशन्ति नाशाय समृद्धवेगाः ।
yathā pradīptaṁ jvalanaṁ pataṅgā viśanti nāśāya samṛddhavegāḥ |

तथैव नाशाय विशन्ति लोकास्तवापि वक्त्राणि समृद्धवेगाः ॥ ११-२९ ॥
tathaiva nāśāya viśanti lokāstavāpi vaktrāṇi samṛddhavegāḥ || 11-29 ||

लेलिह्यसे ग्रसमानः समन्ताल्लोकान्समग्रान्वदनैर्ज्वलद्भिः ।
lelihyase grasamānaḥ samantāl lokānsamagrānvadanairjvaladbhiḥ |

तेजोभिरापूर्य जगत्समग्रं भासस्तवोग्राः प्रतपन्ति विष्णो ॥ ११-३० ॥
tejobhirāpūrya jagatsamagraṁ bhāsastavogrāḥ pratapanti viṣṇo || 11-30 ||

आख्याहि मे को भवानुग्ररूपो नमोऽस्तु ते देववर प्रसीद ।
ākhyāhi me ko bhavānugrarūpo namo'stu te devavara prasīda |

विज्ञातुमिच्छामि भवन्तमाद्यं न हि प्रजानामि तव प्रवृत्तिम् ॥ ११-३१ ॥
vijñātumicchāmi bhavantamādyaṁ na hi prajānāmi tava pravṛttim || 11-31 ||

25. Apenas tendo visto tuas bocas com dentes
ameaçadores à semelhança do fogo do tempo (final),
perco o senso de direção, não encontro um abrigo.
Sê bondoso (comigo) ó senhor dos deuses,
em quem reside o universo!

26-27. E todos esses filhos de Dhṛtarāṣṭra,
juntamente com uma multidão de reis,
assim como Bhīṣma, Droṇa, Karṇa,
junto com nossos generais, também,
entram apressados em tuas bocas assustadoras
cheias de dentes ameaçadores.
Alguns são vistos presos entre os dentes,
com as cabeças esmagadas.

28. Assim como as muitas torrentes dos rios
correm apenas em direção ao oceano,
assim também esses heróis do mundo dos homens
entram por tuas bocas cheias de fogo.

29. Assim como os insetos voadores
entram apressados nas chamas acesas,
para sua destruição, da mesma forma também
os mundos entram apressados em tuas bocas,
para sua destruição.

30. Lambes com as labaredas de suas bocas
mundos inteiros, devorando-os por completo.
Tendo preenchido todo o universo com teu fulgor,
tuas chamas assustadoras (tudo) queimam, ó Viṣṇu.

31. Diz para mim quem é o senhor,
de aparência tão assustadora?
Saudações te sejam rendidas.
Sê bondoso, ó melhor entre os deuses.
Quero conhecer o senhor, que é o primeiro.
Não entendo sua atividade.

श्रीभगवानुवाच ।

śrībhagavānuvāca |

कालोऽस्मि लोकक्षयकृत्प्रवृद्धो लोकान्समाहर्तुमिह प्रवृत्तः ।

kālo'smi lokakṣayakṛtpravṛddho lokānsamāhartumiha pravṛttaḥ |

ऋतेऽपि त्वां न भविष्यन्ति सर्वे
येऽवस्थिताः प्रत्यनीकेषु योधाः ॥ ११-३२ ॥

ṛte'pi tvāṁ na bhaviṣyanti sarve
ye'vasthitāḥ pratyanīkeṣu yodhāḥ || 11-32 ||

तस्मात्त्वमुत्तिष्ठ यशो लभस्व
जित्वा शत्रून्भुङ्क्ष्व राज्यं समृद्धम् ।

tasmāttvamuttiṣṭha yaśo labhasva
jitvā śatrūnbhuṅkṣva rājyaṁ samṛddham |

मयैवैते निहताः पूर्वमेव
निमित्तमात्रं भव सव्यसाचिन् ॥ ११-३३ ॥

mayaivaite nihatāḥ pūrvameva
nimittamātraṁ bhava savyasācin || 11-33 ||

द्रोणं च भीष्मं च जयद्रथं च
कर्णं तथान्यानपि योधवीरान् ।

droṇaṁ ca bhīṣmaṁ ca jayadrathaṁ ca
karṇaṁ tathānyānapi yodhavīrān |

मया हतांस्त्वं जहि मा व्यथिष्ठा
युध्यस्व जेतासि रणे सपत्नान् ॥ ११-३४ ॥

mayā hatāṁstvaṁ jahi mā vyathiṣṭhā
yudhyasva jetāsi raṇe sapatnān || 11-34 ||

सञ्जय उवाच ।

sañjaya uvāca |

एतच्छ्रुत्वा वचनं केशवस्य कृताञ्जलिर्वेपमानः किरीटी ।

etacchrutvā vacanaṁ keśavasya kṛtāñjalirvepamānaḥ kirīṭī |

नमस्कृत्वा भूय एवाह कृष्णं
सगद्गदं भीतभीतः प्रणम्य ॥ ११-३५ ॥

namaskṛtvā bhūya evāha kṛṣṇaṁ
sagadgadaṁ bhītabhītaḥ praṇamya || 11-35 ||

Senhor Bhagavān disse:

32. Eu sou o poderoso tempo
que produz a destruição dos mundos,
aqui (estou) em atividade de recolher
(e destruir) os mundos[111].
Na verdade todos os guerreiros
que se alinharam nas fileiras adversárias
perecerão, além de ti[112].

33. Por isso, levanta-te.
Conquista a (tua) honra.
Tendo vencido os inimigos,
desfruta de um reinado próspero.
Apenas por mim eles foram mortos, antes.
Sê tu apenas o instrumento,
ó Savyasāchin[113].

34. Mata Droṇa, Bhīṣma,
Jayadratha e Karṇa,
assim como os outros combatentes
(que já foram) mortos por mim.
Não fiques inseguro.
Combata.
(Já) és vitorioso sobre teus inimigos
no campo de batalha.

Sañjaya disse:

35. Tendo ouvido esta fala de Keśava,
tendo feito uma saudação
com as mãos postas em "*añjali*",
o trêmulo portador da insígnia real
(Arjuna) falou novamente a Kṛṣṇa,
com a voz entrecortada,
tendo se curvado,
muito assustado.

111. A palavra "mundos", no plural, também significa "homens" e este verso se serve desta característica para trazer a imagem da destruição cósmica para a esfera semântica menor do campo de batalha.

112. Nesta frase é costume se traduzir o final por "mesmo sem ti", o que muda sutilmente o sentido do verso. Respeitosamente discordamos dessa tradução e optamos pelo literal "além de ti".

113. "Arqueiro canhoto" (Arjuna).

अर्जुन उवाच ।
arjuna uvāca |

स्थाने हृषीकेश तव प्रकीर्त्या जगत्प्रहृष्यत्यनुरज्यते च ।
sthāne hṛṣīkeśa tava prakīrtyā jagatprahṛṣyatyanurajyate ca |

रक्षांसि भीतानि दिशो द्रवन्ति सर्वे नमस्यन्ति च सिद्धसङ्घाः ॥ ११-३६ ॥
rakṣāṁsi bhītāni diśo dravanti sarve namasyanti ca siddhasaṅghāḥ || 11-36 ||

कस्माच्च ते न नमेरन्महात्मन् गरीयसे ब्रह्मणोऽप्यादिकर्त्रे ।
kasmācca te na nameranmahātman garīyase brahmaṇo'pyādikartre |

अनन्त देवेश जगन्निवास
त्वमक्षरं सदसत्तत्परं यत् ॥ ११-३७ ॥
ananta deveśa jagannivāsa
tvamakṣaraṁ sadasattatparaṁ yat || 11-37 ||

त्वमादिदेवः पुरुषः पुराणस्-त्वमस्य विश्वस्य परं निधानम् ।
tvamādidevaḥ puruṣaḥ purāṇas-tvamasya viśvasya paraṁ nidhānam |

वेत्तासि वेद्यं च परं च धाम
त्वया ततं विश्वमनन्तरूप ॥ ११-३८ ॥
vettāsi vedyaṁ ca paraṁ ca dhāma
tvayā tataṁ viśvamanantarūpa || 11-38 ||

वायुर्यमोऽग्निर्वरुणः शशाङ्कः प्रजापतिस्त्वं प्रपितामहश्च ।
vāyuryamo'gnirvaruṇaḥ śaśāṅkaḥ prajāpatistvaṁ prapitāmahaśca |

नमो नमस्तेऽस्तु सहस्रकृत्वः पुनश्च भूयोऽपि नमो नमस्ते ॥ ११-३९ ॥
namo namaste'stu sahasrakṛtvaḥ punaśca bhūyo'pi namo namaste || 11-39 ||

नमः पुरस्तादथ पृष्ठतस्ते नमोऽस्तु ते सर्वत एव सर्व ।
namaḥ purastādatha pṛṣṭhataste namo'stu te sarvata eva sarva |

अनन्तवीर्यामितविक्रमस्त्वं सर्वं समाप्नोषि ततोऽसि सर्वः ॥ ११-४० ॥
anantavīryāmitavikramastvaṁ sarvaṁ samāpnoṣi tato'si sarvaḥ || 11-40 ||

सखेति मत्वा प्रसभं यदुक्तं हे कृष्ण हे यादव हे सखेति ।
sakheti matvā prasabhaṁ yaduktaṁ he kṛṣṇa he yādava he sakheti |

अजानता महिमानं तवेदं मया प्रमादात्प्रणयेन वापि ॥ ११-४१ ॥
ajānatā mahimānaṁ tavedaṁ mayā pramādātpraṇayena vāpi || 11-41 ||

Arjuna disse:

36. Apropriadamente, ó Hṛṣīkeśa,
o mundo se exalta e se encanta com louvores teus.
Rakṣasas aterrorizados correm por toda parte,
e todas as comunidades de perfeitos
prestam reverências (a ti).

37. E por que razão não deveriam eles
se curvar para ti, ó grandioso espírito,
que és o criador original, ainda maior que Brahma?
Ó infinito senhor dos deuses, lar do universo,
tu que és o imperecível, a existência,
a não existência e o que está além disso.

38. Tu és o deus original, o antigo *Puruṣa*.
Tu és o contenedor supremo deste universo.
És o conhecedor, o conhecível e a morada suprema.
Por ti se estende a forma infinita do universo.

39. Tu és Vāyu, Yama, Agni, Varuṇa,
a Lua, Prajāpati e o bisavô paterno.
Saudações, saudações hajam para ti, mil vezes,
e de novo e mais uma vez,
saudações e saudações para ti!

40. Saudação diante (de ti),
saudação haja para ti por trás,
(e também) por todos os lados, ó (Tu que és) tudo.
Tua capacidade é infinita, tua marcha é imensurável,
e tu conquistas tudo, és tudo, portanto.

41. Pensando com impertinência em ti como amigo,
eu disse "ó Kṛṣṇa, ó Yādava, ó amigo"
por ignorância de tua grandiosidade neste mundo
ou mesmo por uma conduta inebriada (pela afeição).

यच्चावहासार्थमसत्कृतोऽसि विहारशय्यासनभोजनेषु ।
yaccāvahāsārthamasatkṛto'si vihāraśayyāsanabhojaneṣu |

एकोऽथवाप्यच्युत तत्समक्षं तत्क्षामये त्वामहमप्रमेयम् ॥ ११-४२ ॥
eko'thavāpyacyuta tatsamakṣaṁ tatkṣāmaye tvāmahamaprameyam || 11-42 ||

पितासि लोकस्य चराचरस्य त्वमस्य पूज्यश्च गुरुर्गरीयान् ।
pitāsi lokasya carācarasya tvamasya pūjyaśca gururgarīyān |

न त्वत्समोऽस्त्यभ्यधिकः कुतोऽन्यो
लोकत्रयेऽप्यप्रतिमप्रभाव ॥ ११-४३ ॥
na tvatsamo'styabhyadhikaḥ kuto'nyo
lokatraye'pyapratimaprabhāva || 11-43 ||

तस्मात्प्रणम्य प्रणिधाय कायं प्रसादये त्वामहमीशमीड्यम् ।
tasmātpraṇamya praṇidhāya kāyaṁ prasādaye tvāmahamīśamīḍyam |

पितेव पुत्रस्य सखेव सख्युः प्रियः प्रियायार्हसि देव सोढुम् ॥ ११-४४ ॥
piteva putrasya sakheva sakhyuḥ priyaḥ priyāyārhasi deva soḍhum || 11-44 ||

अदृष्टपूर्वं हृषितोऽस्मि दृष्ट्वा भयेन च प्रव्यथितं मनो मे ।
adṛṣṭapūrvaṁ hṛṣito'smi dṛṣṭvā bhayena ca pravyathitaṁ mano me |

तदेव मे दर्शय देव रूपं प्रसीद देवेश जगन्निवास ॥ ११-४५ ॥
tadeva me darśaya deva rūpaṁ prasīda deveśa jagannivāsa || 11-45 ||

किरीटिनं गदिनं चक्रहस्तं इच्छामि त्वां द्रष्टुमहं तथैव ।
kirīṭinaṁ gadinaṁ cakrahastaṁ icchāmi tvāṁ draṣṭumahaṁ tathaiva |

तेनैव रूपेण चतुर्भुजेन सहस्रबाहो भव विश्वमूर्ते ॥ ११-४६ ॥
tenaiva rūpeṇa caturbhujena sahasrabāho bhava viśvamūrte || 11-46 ||

श्रीभगवानुवाच ।
śrībhagavānuvāca |

मया प्रसन्नेन तवार्जुनेदं रूपं परं दर्शितमात्मयोगात् ।
mayā prasannena tavārjunedaṁ rūpaṁ paraṁ darśitamātmayogāt |

तेजोमयं विश्वमनन्तमाद्यं
यन्मे त्वदन्येन न दृष्टपूर्वम् ॥ ११-४७ ॥
tejomayaṁ viśvamanantamādyaṁ
yanme tvadanyena na dṛṣṭapūrvam || 11-47 ||

42. E (nas horas de) divertimento, repouso, estudo
ou refeição foste maltratado com gracejos, ó Acyuta,
só ou em presença de outros, eu peço perdão
por isso a ti, que és imensurável.

43. Tu és o pai dos seres animados e inanimados
do mundo. Tu és o que deve ser venerado por eles,
e és o preceptor mais importante.
Não há quem se iguale a ti. Ó poder incomparável!
Onde mais, nos três mundos,
existe um outro superior a ti?

44. Por isso, tendo oferecido saudações
e assentado meu corpo, eu peço a ti, senhor louvável,
que possa ter paciência (comigo), ó príncipe,[114]
como um pai tem com seu filho,
um amigo tem com outro amigo,
como um amante tem com sua amada.

45. Tendo visto o que nunca foi visto antes,
estou arrepiado, e minha mente está agitada
pelo medo. Príncipe! Faz-me ver apenas
aquela forma (habitual, tua).
Sê misericordioso, senhor dos deuses, lar do universo.

46. Eu quero te ver daquela maneira,
com o diadema real, a maça e o disco na mão.
Fica apenas com aquela forma de quatro braços,
ó manifestação universal de mil braços!

Senhor Bhagavān disse:

47. Com minha boa disposição para contigo,
aqui, Arjuna, foi mostrada a forma suprema
pelo yoga do si-mesmo, feita de luminosidade,
universal, infinita, original,
que jamais foi vista antes por outro que não tu.

114. "*Deva*" (deus) é uma forma tradicional de se dirigir aos príncipes, em sânscrito.

न वेदयज्ञाध्ययनैर्न दानैर्-न च क्रियाभिर्न तपोभिरुग्रैः ।
na vedayajñādhyayanairna dānair-na ca kriyābhirna tapobhirugraiḥ |

एवंरूपः शक्य अहं नृलोके द्रष्टुं त्वदन्येन कुरुप्रवीर ॥ ११-४८ ॥
evaṁrūpaḥ śakya ahaṁ nṛloke draṣṭuṁ tvadanyena kurupravīra || 11-48 ||

मा ते व्यथा मा च विमूढभावो दृष्ट्वा रूपं घोरमीदृङ्ममेदम् ।
mā te vyathā mā ca vimūḍhabhāvo dṛṣṭvā rūpaṁ ghoramīdṛṅmamedam |

व्यपेतभीः प्रीतमनाः पुनस्त्वं
तदेव मे रूपमिदं प्रपश्य ॥ ११-४९ ॥
vyapetabhīḥ prītamanāḥ punastvaṁ
tadeva me rūpamidaṁ prapaśya || 11-49 ||

सञ्जय उवाच ।
sañjaya uvāca |

इत्यर्जुनं वासुदेवस्तथोक्त्वा स्वकं रूपं दर्शयामास भूयः ।
ityarjunaṁ vāsudevastathoktvā svakaṁ rūpaṁ darśayāmāsa bhūyaḥ |

आश्वासयामास च भीतमेनं भूत्वा पुनः सौम्यवपुर्महात्मा ॥ ११-५० ॥
āśvāsayāmāsa ca bhītamenaṁ bhūtvā punaḥ saumyavapurmahātmā || 11-50 ||

अर्जुन उवाच ।
arjuna uvāca |

दृष्ट्वेदं मानुषं रूपं तव सौम्यं जनार्दन ।
dṛṣṭvedaṁ mānuṣaṁ rūpaṁ tava saumyaṁ janārdana |

इदानीमस्मि संवृत्तः सचेताः प्रकृतिं गतः ॥ ११-५१ ॥
idānīmasmi saṁvṛttaḥ sacetāḥ prakṛtiṁ gataḥ || 11-51 ||

श्रीभगवानुवाच ।
śrībhagavānuvāca |

सुदुर्दर्शमिदं रूपं दृष्टवानसि यन्मम ।
sudurdarśamidaṁ rūpaṁ dṛṣṭavānasi yanmama |

देवा अप्यस्य रूपस्य नित्यं दर्शनकाङ्क्षिणः ॥ ११-५२ ॥
devā apyasya rūpasya nityaṁ darśanakāṅkṣiṇaḥ || 11-52 ||

48. Nem através dos *Vedas*,
de sacrifícios ou de estudos,
nem por meio de doações,
nem por meio de atos rituais,
nem por meio de assustadoras austeridades
posso eu ser visto com essa forma
por quem quer que seja, exceto por ti,
neste mundo dos homens,
ó herói dos *Kurus*.

49. Não fiques amedrontado nem confuso
tendo visto, aqui,
esta minha forma tão assustadora.
Com a mente feliz e livre do medo,
vê tu novamente
esta minha forma (habitual), apenas.

Sañjaya disse:

50. Tendo assim falado a Arjuna,
Vāsudeva mostrou novamente sua própria forma,
e tendo assumido sua forma benigna,
deu fôlego (novamente)
a este (Arjuna) amedrontado.

Arjuna disse:

51. Tendo visto esta tua
forma humana benigna, ó Janārdana,
recuperei a consciência
e voltei à realidade[115].

Senhor Bhagavān disse:

52. Esta minha forma que tu viste,
é difícil de se ver.
Mesmo os deuses estão permanentemente
desejando ver essa forma.

115. Literalmente: "fui à natureza (*Prakṛti*)".

नाहं वेदैर्न तपसा न दानेन न चेज्यया ।
nāhaṁ vedairna tapasā na dānena na cejyayā |

शक्य एवंविधो द्रष्टुं दृष्टवानसि मां यथा ॥ ११-५३ ॥
śakya evaṁvidho draṣṭuṁ dṛṣṭavānasi māṁ yathā || 11-53 ||

भक्त्या त्वनन्यया शक्य अहमेवंविधोऽर्जुन ।
bhaktyā tvananyayā śakya ahamevaṁvidho'rjuna |

ज्ञातुं द्रष्टुं च तत्त्वेन प्रवेष्टुं च परन्तप ॥ ११-५४ ॥
jñātuṁ draṣṭuṁ ca tattvena praveṣṭuṁ ca parantapa || 11-54 ||

मत्कर्मकृन्मत्परमो मद्भक्तः सङ्गवर्जितः ।
matkarmakṛnmatparamo madbhaktaḥ saṅgavarjitaḥ |

निर्वैरः सर्वभूतेषु यः स मामेति पाण्डव ॥ ११-५५ ॥
nirvairaḥ sarvabhūteṣu yaḥ sa māmeti pāṇḍava || 11-55 ||

ॐ तत्सदिति श्रीमद्भगवद्गीतायामुपनिषदि
OM tatsaditi śrīmadbhagavadgītāyāmupaniṣadi

ब्रह्मविद्यायां योगशास्त्रे श्रीकृष्णार्जुनसंवादे
brahmavidyāyāṁ yogaśāstre śrīkṛṣṇārjunasaṁvāde

विश्वरूपदर्शनयोगो नामैकादशोऽध्यायः ॥ ११ ॥
viśvarūpadarśanayogo nāmaikādaśo'dhyāyaḥ || 11 ||

53. Nem por meio dos *Vedas*,
nem pela austeridade, nem por meio da doação,
nem por meio do sacrifício
é possível me ver dessa forma como tu me viste.

54. Porém, Arjuna, por meio de uma
devoção exclusiva é possível conhecer, ver
e, na verdade, entrar em mim, nessa forma (universal).

55. Aquele que realiza suas ações para mim,
que me toma por referência suprema,
que se devota a mim, que está livre de apegos,
que não manifesta hostilidade por qualquer criatura,
esse vem a mim, ó Pāṇḍava.

OM tat sat!

Assim (termina)
na venerável *Bhagavad Gītā Upaniṣad*,
na sabedoria dos *mantras* (*Brahmavidyā*),
no tratado de Yoga,
no diálogo entre o senhor Kṛṣṇa e Arjuna,
o décimo primeiro capítulo,
denominado “o yoga da visão de todas as formas”.

अथ द्वादशोऽध्यायः ।

atha dvādaśo'dhyāyaḥ |

भक्तियोगः

bhaktiyogaḥ

अर्जुन उवाच ।

arjuna uvāca |

एवं सततयुक्ता ये भक्तास्त्वां पर्युपासते ।

evaṁ satatayuktā ye bhaktāstvāṁ paryupāsate |

ये चाप्यक्षरमव्यक्तं तेषां के योगवित्तमाः ॥ १२-१ ॥

ye cāpyakṣaramavyaktaṁ teṣāṁ ke yogavittamāḥ || 12-1 ||

श्रीभगवानुवाच ।

śrībhagavānuvāca |

मय्यावेश्य मनो ये मां नित्ययुक्ता उपासते ।

mayyāveśya mano ye māṁ nityayuktā upāsate |

श्रद्धया परयोपेताः ते मे युक्ततमा मताः ॥ १२-२ ॥

śraddhayā parayopetāḥ te me yuktatamā matāḥ || 12-2 ||

ये त्वक्षरमनिर्देश्यमव्यक्तं पर्युपासते ।

ye tvakṣaramanirdeśyamavyaktaṁ paryupāsate |

सर्वत्रगमचिन्त्यञ्च कूटस्थमचलन्ध्रुवम् ॥ १२-३ ॥

sarvatragamacintyañca kūṭasthamacalandhruvam || 12-3 ||

सन्नियम्येन्द्रियग्रामं सर्वत्र समबुद्धयः ।

sanniyamyendriyagrāmaṁ sarvatra samabuddhayaḥ |

ते प्राप्नुवन्ति मामेव सर्वभूतहिते रताः ॥ १२-४ ॥

te prāpnuvanti māmeva sarvabhūtahite ratāḥ || 12-4 ||

Décimo segundo capítulo

A devoção

Arjuna disse:

1. Dentre aqueles devotos que,
sempre ajustados, adoram-te,
e aqueles (que adoram)
o não manifestado imperecível,
quais são os que conhecem melhor o yoga?

Senhor Bhagavān disse:

2. Aqueles que,
tendo assentado sua mente em mim,
me servem, sempre ajustados,
possuidores de uma fé absoluta,
esses eu entendo
que são os mais ajustados.

3. Aqueles, porém,
que servem ao indescritível,
não manifestado, imperecível,
onipresente, inconcebível,
destacado, imóvel, fixo,

4. Tendo controlado
o conjunto dos sentidos,
com a mesma atitude[116]
onde quer que estejam,
eles alcançam somente a mim,
felizes com o bem-estar de todos os seres.

116. Literalmente: "com a mesma inteligência (*buddhi*)".

क्लेशोऽधिकतरस्तेषामव्यक्तासक्तचेतसाम् ।
kleśo'dhikatarasteṣāmavyaktāsaktacetasām |

अव्यक्ता हि गतिर्दुःखं देहवद्भिरवाप्यते ॥ १२-५ ॥
avyaktā hi gatirduḥkhaṁ dehavadbhiravāpyate || 12-5 ||

ये तु सर्वाणि कर्माणि मयि संन्यस्य मत्परः ।
ye tu sarvāṇi karmāṇi mayi saṁnyasya matparaḥ |

अनन्येनैव योगेन मां ध्यायन्त उपासते ॥ १२-६ ॥
ananyenaiva yogena māṁ dhyāyanta upāsate || 12-6 ||

तेषामहं समुद्धर्ता मृत्युसंसारसागरात् ।
teṣāmahaṁ samuddhartā mṛtyusaṁsārasāgarāt |

भवामि नचिरात्पार्थ मय्यावेशितचेतसाम् ॥ १२-७ ॥
bhavāmi nacirātpārtha mayyāveśitacetasām || 12-7 ||

मय्येव मन आधत्स्व मयि बुद्धिं निवेशय ।
mayyeva mana ādhatsva mayi buddhiṁ niveśaya |

निवसिष्यसि मय्येव अत ऊर्ध्वं न संशयः ॥ १२-८ ॥
nivasiṣyasi mayyeva ata ūrdhvaṁ na saṁśayaḥ || 12-8 ||

अथ चित्तं समाधातुं न शक्नोषि मयि स्थिरम् ।
atha cittaṁ samādhātuṁ na śaknoṣi mayi sthiram |

अभ्यासयोगेन ततो मामिच्छाप्तुं धनञ्जय ॥ १२-९ ॥
abhyāsayogena tato māmicchāptuṁ dhanañjaya || 12-9 ||

अभ्यासेऽप्यसमर्थोऽसि मत्कर्मपरमो भव ।
abhyāse'pyasamartho'si matkarmaparamo bhava |

मदर्थमपि कर्माणि कुर्वन्सिद्धिमवाप्स्यसि ॥ १२-१० ॥
madarthamapi karmāṇi kurvansiddhimavāpsyasi || 12-10 ||

अथैतदप्यशक्तोऽसि कर्तुं मद्योगमाश्रितः ।
athaitadapyaśakto'si kartuṁ madyogamāśritaḥ |

सर्वकर्मफलत्यागं ततः कुरु यतात्मवान् ॥ १२-११ ॥
sarvakarmaphalatyāgaṁ tataḥ kuru yatātmavān || 12-11 ||

5. A dificuldade é maior para esses
cuja mente se fixou no não manifestado.
De fato, o caminho do não manifestado
é difícil de alcançar, para os encarnados.

6. Mas (para) aqueles que, tendo renunciado
a todos os seus atos em meu favor,
tendo-me como meta suprema,
meditando com um yoga exclusivo, me servem,

7. Eu me torno, em pouco tempo,
o que resgata do oceano da morte
e do ciclo dos renascimentos
aqueles que em minha natureza adentram
com suas mentes, ó Pārtha.

8. Coloca tua mente apenas em mim,
faz tua inteligência entrar em mim.
Sem dúvida, daqui para a frente
residirás apenas em mim.

9. Mas se não consegues
colocar a mente em mim com firmeza,
então busca me alcançar através
do ajustamento da disciplina, ó Dhanañjaya.

10. (Mas) se na disciplina também és incapaz,
torna-te aquele que dedica suas ações para mim.
Fazendo tuas ações em minha intenção
também alcançarás a perfeição.

11. Se, porém, és incapaz de fazer isto,
servindo-te de meu yoga,
então o faça com o si-mesmo controlado,
abandonando os frutos das ações.

श्रेयो हि ज्ञानमभ्यासाज्ज्ञानाद्ध्यानं विशिष्यते ।
śreyo hi jñānamabhyāsājjñānāddhyānaṁ viśiṣyate |

ध्यानात्कर्मफलत्यागस्त्यागाच्छान्तिरनन्तरम् ॥ १२-१२ ॥
dhyānātkarmaphalatyāgastyāgācchāntiranantaram || 12-12 ||

अद्वेष्टा सर्वभूतानां मैत्रः करुण एव च ।
adveṣṭā sarvabhūtānāṁ maitraḥ karuṇa eva ca |

निर्ममो निरहङ्कारः समदुःखसुखः क्षमी ॥ १२-१३ ॥
nirmamo nirahaṅkāraḥ samaduḥkhasukhaḥ kṣamī || 12-13 ||

सन्तुष्टः सततं योगी यतात्मा दृढनिश्चयः ।
santuṣṭaḥ satataṁ yogī yatātmā dṛḍhaniścayaḥ |

मय्यर्पितमनोबुद्धिर्यो मद्भक्तः स मे प्रियः ॥ १२-१४ ॥
mayyarpitamanobuddhiryo madbhaktaḥ sa me priyaḥ || 12-14 ||

यस्मान्नोद्विजते लोको लोकान्नोद्विजते च यः ।
yasmānnodvijate loko lokānnodvijate ca yaḥ |

हर्षामर्षभयोद्वेगैर्मुक्तो यः स च मे प्रियः ॥ १२-१५ ॥
harṣāmarṣabhayodvegairmukto yaḥ sa ca me priyaḥ || 12-15 ||

अनपेक्षः शुचिर्दक्ष उदासीनो गतव्यथः ।
anapekṣaḥ śucirdakṣa udāsīno gatavyathaḥ |

सर्वारम्भपरित्यागी यो मद्भक्तः स मे प्रियः ॥ १२-१६ ॥
sarvārambhaparityāgī yo madbhaktaḥ sa me priyaḥ || 12-16 ||

यो न हृष्यति न द्वेष्टि न शोचति न काङ्क्षति ।
yo na hṛṣyati na dveṣṭi na śocati na kāṅkṣati |

शुभाशुभपरित्यागी भक्तिमान्यः स मे प्रियः ॥ १२-१७ ॥
śubhāśubhaparityāgī bhaktimānyaḥ sa me priyaḥ || 12-17 ||

समः शत्रौ च मित्रे च तथा मानापमानयोः ।
samaḥ śatrau ca mitre ca tathā mānāpamānayoḥ |

शीतोष्णसुखदुःखेषु समः सङ्गविवर्जितः ॥ १२-१८ ॥
śītoṣṇasukhaduḥkheṣu samaḥ saṅgavivarjitaḥ || 12-18 ||

12. É melhor o conhecimento
do que a prática continuada (disciplina);
a meditação se destaca
(entre as formas) do conhecimento;
o abandono dos frutos da ação (surge) da meditação;
e do abandono (dos frutos da ação),
uma paz ininterrupta.

13-14. Aquele meu devoto que é sem aversão
por qualquer criatura, amistoso e compassivo,
sem "meu", sem "eu", sendo o mesmo no prazer
e na dor, tolerante, um *yogui* sempre contente,
com o si-mesmo controlado,
firme em suas convicções,
com a mente e a inteligência fixas em mim,
esse é o meu favorito.

15. Aquele meu devoto por causa de quem
o mundo não se agita, e que não se agita
por causa do mundo, livre da excitação,
da impaciência, do medo e da ansiedade,
esse também é meu preferido.

16. Aquele meu devoto que é imparcial,
honesto, hábil, neutro,[117] livre da angústia,
um desapegado em todos os seus empreendimentos,
esse é o meu favorito.

17. Aquele devoto que não se excita
nem sente aversão, não se entristece
nem cria expectativa, mas que abandona o puro
e o impuro, esse é o meu favorito.

18-19. Aquele devoto que é o mesmo diante
do inimigo e do amigo, e assim também é o mesmo,
livre de apegos diante da honra e da desonra,

117. Literalmente: "que se assenta acima", ou seja, que se põe acima de qualquer disputa.

तुल्यनिन्दास्तुतिर्मौनी सन्तुष्टो येन केनचित् ।
tulyanindāstutirmaunī santuṣṭo yena kenacit |

अनिकेतः स्थिरमतिर्भक्तिमान्मे प्रियो नरः ॥ १२-१९ ॥
aniketaḥ sthiramatirbhaktimānme priyo naraḥ || 12-19 ||

ये तु धर्म्यामृतमिदं यथोक्तं पर्युपासते ।
ye tu dharmyāmṛtamidaṁ yathoktaṁ paryupāsate |

श्रद्दधाना मत्परमा भक्तास्तेऽतीव मे प्रियाः ॥ १२-२० ॥
śraddadhānā matparamā bhaktāste'tīva me priyāḥ || 12-20 ||

ॐ तत्सदिति श्रीमद्भगवद्गीतायामुपनिषदि
OM tatsaditi śrīmadbhagavadgītāyāmupaniṣadi

ब्रह्मविद्यायां योगशास्त्रे श्रीकृष्णार्जुनसंवादे
brahmavidyāyāṁ yogaśāstre śrīkṛṣṇārjunasaṁvāde

भक्तियोगो नाम द्वादशोऽध्यायः ॥ १२ ॥
bhaktiyogo nāma dvādaśo'dhyāyaḥ || 12 ||

do frio e do calor, igual na censura e no elogio,
silencioso, satisfeito com qualquer coisa,
sem sinais marcantes, com opiniões firmes,
esse homem é o meu favorito.

20. Mas aqueles devotos que buscam
respeitosamente essa imortalidade legítima
assim descrita, apoiados na fé,
tendo-me como meta suprema,
esses são, ainda mais, meus favoritos.

OM tat sat!

Assim (termina)
na venerável *Bhagavad Gītā Upaniṣad*,
na sabedoria dos *mantras* (*Brahmavidyā*),
no tratado de Yoga,
no diálogo entre o senhor Kṛṣṇa e Arjuna,
o décimo segundo capítulo,
denominado "o yoga da devoção".

अथ त्रयोदशोऽध्यायः ।

atha trayodaśo'dhyāyaḥ |

क्षेत्रक्षेत्रज्ञविभागयोगः

kṣetrakṣetrajñavibhāgayogaḥ

अर्जुन उवाच ।

arjuna uvāca |

प्रकृतिं पुरुषं चैव क्षेत्रं क्षेत्रज्ञमेव च ।

prakṛtiṁ puruṣaṁ caiva kṣetraṁ kṣetrajñameva ca |

एतद्वेदितुमिच्छामि ज्ञानं ज्ञेयं च केशव ॥ १३-१ ॥

etadveditumicchāmi jñānaṁ jñeyaṁ ca keśava || 13-1 ||

श्रीभगवानुवाच ।

śrībhagavānuvāca |

इदं शरीरं कौन्तेय क्षेत्रमित्यभिधीयते ।

idaṁ śarīraṁ kaunteya kṣetramityabhidhīyate |

एतद्यो वेत्ति तं प्राहुः क्षेत्रज्ञ इति तद्विदः ॥ १३-२ ॥

etadyo vetti taṁ prāhuḥ kṣetrajña iti tadvidaḥ || 13-2 ||

क्षेत्रज्ञं चापि मां विद्धि सर्वक्षेत्रेषु भारत ।

kṣetrajñaṁ cāpi māṁ viddhi sarvakṣetreṣu bhārata |

क्षेत्रक्षेत्रज्ञयोर्ज्ञानं यत्तज्ज्ञानं मतं मम ॥ १३-३ ॥

kṣetrakṣetrajñayorjñānaṁ yattajjñānaṁ mataṁ mama || 13-3 ||

तत्क्षेत्रं यच्च यादृक्च यद्विकारि यतश्च यत् ।

tatkṣetraṁ yacca yādṛkca yadvikāri yataśca yat |

स च यो यत्प्रभावश्च तत्समासेन मे शृणु ॥ १३-४ ॥

sa ca yo yatprabhāvaśca tatsamāsena me śṛṇu || 13-4 ||

Décimo terceiro capítulo

A discriminação do campo e do conhecedor do campo

Arjuna disse:

1. Quero saber, ó Keśava,
o que são o homem cósmico e a Natureza,
o que são o campo e o conhecedor do campo,
o que são o conhecimento
e o que deve ser conhecido.

Senhor Bhagavān disse:

2. Este corpo, ó Kaunteya, é chamado o campo.
Aquele que o conhece foi chamado,
pelos que sabem isso,
o conhecedor do campo.

3. Sabe que eu também sou
o conhecedor do campo
em todos os campos, ó Bhārata.
Na minha opinião,
o (verdadeiro) conhecimento
é esse conhecimento sobre o campo
e sobre o conhecedor do campo.

4. Ouve de mim, resumidamente,
sobre o campo, com o que se parece,
no que ele se transformou,
a partir do que, e sobre ele
(o conhecedor do campo) que é o poder
(que se manifesta no campo).

ऋषिभिर्बहुधा गीतं छन्दोभिर्विविधैः पृथक् ।
ṛṣibhirbahudhā gītaṁ chandobhirvividhaiḥ pṛthak |

ब्रह्मसूत्रपदैश्चैव हेतुमद्भिर्विनिश्चितैः ॥ १३-५ ॥
brahmasūtrapadaiścaiva hetumadbhirviniścitaiḥ || 13-5 ||

महाभूतान्यहंकारो बुद्धिरव्यक्तमेव च ।
mahābhūtānyahaṁkāro buddhiravyaktameva ca |

इन्द्रियाणि दशैकं च पञ्च चेन्द्रियगोचराः ॥ १३-६ ॥
indriyāṇi daśaikaṁ ca pañca cendriyagocarāḥ || 13-6 ||

इच्छा द्वेषः सुखं दुःखं संघातश्चेतना धृतिः ।
icchā dveṣaḥ sukhaṁ duḥkhaṁ saṁghātaścetanā dhṛtiḥ |

एतत्क्षेत्रं समासेन सविकारमुदाहृतम् ॥ १३-७ ॥
etatkṣetraṁ samāsena savikāramudāhṛtam || 13-7 ||

अमानित्वमदम्भित्वमहिंसा क्षान्तिरार्जवम् ।
amānitvamadambhitvamahiṁsā kṣāntirārjavam |

आचार्योपासनं शौचं स्थैर्यमात्मविनिग्रहः ॥ १३-८ ॥
ācāryopāsanaṁ śaucaṁ sthairyamātmavinigrahaḥ || 13-8 ||

इन्द्रियार्थेषु वैराग्यमनहंकार एव च ।
indriyārtheṣu vairāgyamanahaṁkāra eva ca |

जन्ममृत्युजराव्याधिदुःखदोषानुदर्शनम् ॥ १३-९ ॥
janmamṛtyujarāvyādhiduḥkhadoṣānudarśanam || 13-9 ||

असक्तिरनभिष्वङ्गः पुत्रदारगृहादिषु ।
asaktiranabhiṣvaṅgaḥ putradāragṛhādiṣu |

नित्यं च समचित्तत्वमिष्टानिष्टोपपत्तिषु ॥ १३-१० ॥
nityaṁ ca samacittatvamiṣṭāniṣṭopapattiṣu || 13-10 ||

मयि चानन्ययोगेन भक्तिरव्यभिचारिणी ।
mayi cānanyayogena bhaktiravyabhicāriṇī |

विविक्तदेशसेवित्वमरतिर्जनसंसदि ॥ १३-११ ॥
viviktadeśasevitvamaratirjanasaṁsadi || 13-11 ||

5. (Isso foi) cantado de muitas maneiras pelos *Ṛṣis*,
com versos variados, separadamente,
(e também) com as palavras razoáveis e precisas
dos sutras de Brahma[118].

6. Os grandes elementos, a egoidade,[119]
a inteligência, e ainda o não manifestado,
os dez sentidos e o um[120],
e os cinco limites dos sentidos,

7. Querência, aversão, prazer, sofrimento,
coletividade, consciência, firmeza.
Isto que foi dito é, resumidamente,
o campo com suas modificações.

8. Humildade, sinceridade, não violência,
paciência, retidão, respeito ao professor,
limpeza, estabilidade, controle de si mesmo,

9. Indiferença aos objetos dos sentidos,
e ausência de egoidade,
compreensão do nascimento,
da morte, da velhice, da doença,
do sofrimento e do erro,

10. Ausência de sentimentos mundanos,
desapego em relação a filhos, esposa e lar,
e a constante equanimidade da mente,
tanto nos acontecimentos desejados
quanto nos indesejados,

11. E devoção permanente a mim,
por meio de um yoga exclusivo,
residência em um local isolado,
desagrado para com reuniões de pessoas,

118. Esta referência é possivelmente uma alusão às *upaniṣadas,* cujo principal assunto é Brahma e sua identificação com o si-mesmo que há dentro de cada um de nós. Não parece haver qualquer conexão aqui com os *Brahmasūtras* (ou *vedāntasūtras*) de Bādarāyaṇa, composição datada do século II a.C.

119. Princípio que introduz a sensação de "eu" ou "meu" em pensamentos, objetos ou acontecimentos.

120. O "um" é a mente, que controla os dez sentidos.

अध्यात्मज्ञाननित्यत्वं तत्त्वज्ञानार्थदर्शनम् ।
adhyātmajñānanityatvaṁ tattvajñānārthadarśanam |

एतज्ज्ञानमिति प्रोक्तमज्ञानं यदतोऽन्यथा ॥ १३-१२ ॥
etajjñānamiti proktamajñānaṁ yadato'nyathā || 13-12 ||

ज्ञेयं यत्तत्प्रवक्ष्यामि यज्ज्ञात्वामृतमश्नुते ।
jñeyaṁ yattatpravakṣyāmi yajjñātvāmṛtamaśnute |

अनादि मत्परं ब्रह्म न सत्तन्नासदुच्यते ॥ १३-१३ ॥
anādi matparaṁ brahma na sattannāsaducyate || 13-13 ||

सर्वतः पाणिपादं तत्सर्वतोऽक्षिशिरोमुखम् ।
sarvataḥ pāṇipādaṁ tatsarvato'kṣiśiromukham |

सर्वतः श्रुतिमल्लोके सर्वमावृत्य तिष्ठति ॥ १३-१४ ॥
sarvataḥ śrutimalloke sarvamāvṛtya tiṣṭhati || 13-14 ||

सर्वेन्द्रियगुणाभासं सर्वेन्द्रियविवर्जितम् ।
sarvendriyaguṇābhāsaṁ sarvendriyavivarjitam |

असक्तं सर्वभृच्चैव निर्गुणं गुणभोक्तृ च ॥ १३-१५ ॥
asaktaṁ sarvabhṛccaiva nirguṇaṁ guṇabhoktṛ ca || 13-15 ||

बहिरन्तश्च भूतानामचरं चरमेव च ।
bahirantaśca bhūtānāmacaraṁ carameva ca |

सूक्ष्मत्वात्तदविज्ञेयं दूरस्थं चान्तिके च तत् ॥ १३-१६ ॥
sūkṣmatvāttadavijñeyaṁ dūrasthaṁ cāntike ca tat || 13-16 ||

अविभक्तं च भूतेषु विभक्तमिव च स्थितम् ।
avibhaktaṁ ca bhūteṣu vibhaktamiva ca sthitam |

भूतभर्तृ च तज्ज्ञेयं ग्रसिष्णु प्रभविष्णु च ॥ १३-१७ ॥
bhūtabhartṛ ca tajjñeyaṁ grasiṣṇu prabhaviṣṇu ca || 13-17 ||

ज्योतिषामपि तज्ज्योतिस्तमसः परमुच्यते ।
jyotiṣāmapi tajjyotistamasaḥ paramucyate |

ज्ञानं ज्ञेयं ज्ञानगम्यं हृदि सर्वस्य विष्ठितम् ॥ १३-१८ ॥
jñānaṁ jñeyaṁ jñānagamyaṁ hṛdi sarvasya viṣṭhitam || 13-18 ||

12. Continuidade no conhecimento do
espírito do si-mesmo, visão (clara) do sentido
do conhecimento da verdade,
tudo isso é chamado de conhecimento.
O que difere disso é ignorância.

13. Falarei (agora) sobre aquilo
que deve ser conhecido, que tendo sido conhecido
se alcança a imortalidade:
o supremo Brahma, que não tem início.
Diz-se que ele não é a existência nem a inexistência.

14. Ele tem mãos e pés por toda parte,
cabeças e faces por toda parte, ouvidos por toda parte.
Tendo abarcado tudo,
ele permanece (por toda parte) no mundo.

15. Ele tem a aparência das qualidades de todos
os sentidos (mas) é desprovido de todos os sentidos;
sem qualquer apego, somente ele é o sustentador
de tudo; e desprovido das qualidades da Natureza,
é o desfrutador dessas qualidades.

16. Ele está fora e dentro das criaturas.
Ele é inanimado e animado.
Não pode ser conhecido, devido à sua sutileza.
(Mesmo) na proximidade, ele permanece distante.

17. Permanece nas criaturas,
aparentemente dividido, sem se dividir.
Ele deve ser conhecido como o sustentador,
devorador e originador das criaturas.

18. Ele é também a luz das luzes.
Diz-se que está além da escuridão.
É o conhecimento que deve ser conhecido,
(que se torna) acessível através do conhecimento,
presente no coração de todos.

इति क्षेत्रं तथा ज्ञानं ज्ञेयं चोक्तं समासतः ।
iti kṣetraṁ tathā jñānaṁ jñeyaṁ coktaṁ samāsataḥ |

मद्भक्त एतद्विज्ञाय मद्भावायोपपद्यते ॥ १३-१९ ॥
madbhakta etadvijñāya madbhāvāyopapadyate || 13-19 ||

प्रकृतिं पुरुषं चैव विद्ध्यनादि उभावपि ।
prakṛtiṁ puruṣaṁ caiva viddhyanādi ubhāvapi |

विकारांश्च गुणांश्चैव विद्धि प्रकृतिसम्भवान् ॥ १३-२० ॥
vikārāṁśca guṇāṁścaiva viddhi prakṛtisambhavān || 13-20 ||

कार्यकारणकर्तृत्वे हेतुः प्रकृतिरुच्यते ।
kāryakāraṇakartṛtve hetuḥ prakṛtirucyate |

पुरुषः सुखदुःखानां भोक्तृत्वे हेतुरुच्यते ॥ १३-२१ ॥
puruṣaḥ sukhaduḥkhānāṁ bhoktṛtve heturucyate || 13-21 ||

पुरुषः प्रकृतिस्थो हि भुङ्क्ते प्रकृतिजान्गुणान् ।
puruṣaḥ prakṛtistho hi bhuṅkte prakṛtijānguṇān |

कारणं गुणसङ्गोऽस्य सदसद्योनिजन्मसु ॥ १३-२२ ॥
kāraṇaṁ guṇasaṅgo'sya sadasadyonijanmasu || 13-22 ||

उपद्रष्टानुमन्ता च भर्ता भोक्ता महेश्वरः ।
upadraṣṭānumantā ca bhartā bhoktā maheśvaraḥ |

परमात्मेति चाप्युक्तो देहेऽस्मिन्पुरुषः परः ॥ १३-२३ ॥
paramātmeti cāpyukto dehe'sminpuruṣaḥ paraḥ || 13-23 ||

य एवं वेत्ति पुरुषं प्रकृतिं च गुणैः सह ।
ya evaṁ vetti puruṣaṁ prakṛtiṁ ca guṇaiḥ saha |

सर्वथा वर्तमानोऽपि न स भूयोऽभिजायते ॥ १३-२४ ॥
sarvathā vartamāno'pi na sa bhūyo'bhijāyate || 13-24 ||

ध्यानेनात्मनि पश्यन्ति केचिदात्मानमात्मना ।
dhyānenātmani paśyanti kecidātmānamātmanā |

अन्ये साङ्ख्येन योगेन कर्मयोगेन चापरे ॥ १३-२५ ॥
anye sāṅkhyena yogena karmayogena cāpare || 13-25 ||

19. Desta forma foram descritos resumidamente
o campo, o conhecimento e o que deve ser conhecido.
O meu devoto, tendo conhecido isto,
fica pronto para (se integrar à) minha natureza.

20. Sabe também que ambos,
o homem cósmico e a Natureza, são sem início.
Sabe também que as transformações
e as qualidades nascem da Natureza.

21. Diz-se que a Natureza, na condição de autora
(das ações), é a causa produtora do instrumento
e da ação que deve ser feita.
Diz-se que o homem cósmico,
na condição de desfrutador,
é a causa produtora dos prazeres e dos sofrimentos.

22. Assentado na Natureza, o homem cósmico
desfruta das qualidades nascidas na Natureza.
O apego dele a essas qualidades é a razão
de seus nascimentos em ventres bons ou ruins[121].

23. Neste corpo, o homem cósmico supremo
é chamado de observador, aquele que autoriza,
sustentador, desfrutador, grande soberano
e supremo si-mesmo.

24. Aquele que conhece dessa maneira
o homem cósmico e a Natureza com suas qualidades,
qualquer que seja a maneira como está vivendo,
ele não renasce outra vez.

25. Por meio da meditação no si-mesmo,
alguns veem o si-mesmo por si mesmos.
Outros (o veem) por meio do yoga intelectual,
e outros, por meio do yoga da ação.

121. Literalmente: "existentes ou inexistentes", ou ainda "verdadeiros ou falsos". Na cultura hindu, verdadeiro ou existente é o mesmo que "bom" para nós. E falso ou inexistente é o mesmo que "mau".

अन्ये त्वेवमजानन्तः श्रुत्वान्येभ्य उपासते ।
anye tvevamajānantaḥ śrutvānyebhya upāsate |

तेऽपि चातितरन्त्येव मृत्युं श्रुतिपरायणाः ॥ १३-२६ ॥
te'pi cātitarantyeva mṛtyuṁ śrutiparāyaṇāḥ || 13-26 ||

यावत्सञ्जायते किञ्चित्सत्त्वं स्थावरजङ्गमम् ।
yāvatsañjāyate kiñcitsattvaṁ sthāvarajaṅgamam |

क्षेत्रक्षेत्रज्ञसंयोगात्तद्विद्धि भरतर्षभ ॥ १३-२७ ॥
kṣetrakṣetrajñasaṁyogāttadviddhi bharatarṣabha || 13-27 ||

समं सर्वेषु भूतेषु तिष्ठन्तं परमेश्वरम् ।
samaṁ sarveṣu bhūteṣu tiṣṭhantaṁ parameśvaram |

विनश्यत्स्वविनश्यन्तं यः पश्यति स पश्यति ॥ १३-२८ ॥
vinaśyatsvavinaśyantaṁ yaḥ paśyati sa paśyati || 13-28 ||

समं पश्यन्हि सर्वत्र समवस्थितमीश्वरम् ।
samaṁ paśyanhi sarvatra samavasthitamīśvaram |

न हिनस्त्यात्मनात्मानं ततो याति परां गतिम् ॥ १३-२९ ॥
na hinastyātmanātmānaṁ tato yāti paraṁ gatim || 13-29 ||

प्रकृत्यैव च कर्माणि क्रियमाणानि सर्वशः ।
prakṛtyaiva ca karmāṇi kriyamāṇāni sarvaśaḥ |

यः पश्यति तथात्मानमकर्तारं स पश्यति ॥ १३-३० ॥
yaḥ paśyati tathātmānamakartāraṁ sa paśyati || 13-30 ||

यदा भूतपृथग्भावमेकस्थमनुपश्यति ।
yadā bhūtapṛthagbhāvamekasthamanupaśyati |

तत एव च विस्तारं ब्रह्म सम्पद्यते तदा ॥ १३-३१ ॥
tata eva ca vistāraṁ brahma sampadyate tadā || 13-31 ||

अनादित्वान्निर्गुणत्वात्परमात्मायमव्ययः ।
anāditvānnirguṇatvātparamātmāyamavyayaḥ |

शरीरस्थोऽपि कौन्तेय न करोति न लिप्यते ॥ १३-३२ ॥
śarīrastho'pi kaunteya na karoti na lipyate || 13-32 ||

26. Outros, porém, mesmo desconhecendo
dessa maneira (o si-mesmo),
tendo ouvido de outros,
a ele se achegam, respeitosamente.
Esses também, atentos à revelação,
se salvam da morte.

27. Sabe, ó Touro dos Bhāratas,
que qualquer que seja a existência que nasce,
inanimada ou animada,
ela provém da união do campo
com o conhecedor do campo.

28. Aquele que vê o senhor supremo
assentando-se por igual em todas as criaturas,
o imperecível nos perecíveis,
esse vê (corretamente).

29. Vendo o senhor assentado
por igual em toda parte,
ele não agride a si mesmo por si mesmo.[122]
Então segue para o caminho supremo.

30. Aquele que vê apenas a Natureza
realizando as ações por toda parte,
esse vê que o si-mesmo não é o fazedor.

31. Quando percebe a natureza múltipla
das criaturas fundamentada no um,
e dali se diversificando,
então (ele) se une a Brahma.

32. Por não ter início e por ser
desprovido de qualidades, este imutável supremo
si-mesmo não atua nem se macula,
ainda que esteja presente no corpo, ó Kaunteya.

122. Aquele que vê
a si mesmo no outro
fere a si mesmo
se agredir o outro.

यथा सर्वगतं सौक्ष्म्यादाकाशं नोपलिप्यते ।
yathā sarvagataṁ saukṣmyādākāśaṁ nopalipyate |

सर्वत्रावस्थितो देहे तथात्मा नोपलिप्यते ॥ १३-३३ ॥
sarvatrāvasthito dehe tathātmā nopalipyate || 13-33 ||

यथा प्रकाशयत्येकः कृत्स्नं लोकमिमं रविः ।
yathā prakāśayatyekaḥ kṛtsnaṁ lokamimaṁ raviḥ |

क्षेत्रं क्षेत्री तथा कृत्स्नं प्रकाशयति भारत ॥ १३-३४ ॥
kṣetraṁ kṣetrī tathā kṛtsnaṁ prakāśayati bhārata || 13-34 ||

क्षेत्रक्षेत्रज्ञयोरेवमन्तरं ज्ञानचक्षुषा ।
kṣetrakṣetrajñayorevamantaraṁ jñānacakṣuṣā |

भूतप्रकृतिमोक्षं च ये विदुर्यान्ति ते परम् ॥ १३-३५ ॥
bhūtaprakṛtimokṣaṁ ca ye viduryānti te param || 13-35 ||

ॐ तत्सदिति श्रीमद्भगवद्गीतायामुपनिषदि
OM tatsaditi śrīmadbhagavadgītāyāmupaniṣadi

ब्रह्मविद्यायां योगशास्त्रे श्रीकृष्णार्जुनसंवादे
brahmavidyāyāṁ yogaśāstre śrīkṛṣṇārjunasaṁvāde

क्षेत्रक्षेत्रज्ञविभागयोगो नाम त्रयोदशोऽध्यायः ॥ १३ ॥
kṣetrakṣetrajñavibhāgayogo nāma trayodaśo'dhyāyaḥ || 13 ||

33. Assim como o espaço onipresente
não se macula, em razão de sua sutileza,
assim também o si-mesmo
presente em todos os lugares do corpo não se macula.

34. Assim como o Sol, que é um só,
ilumina este mundo todo,
da mesma forma o senhor do campo
(ilumina) o campo inteiro, ó Bhārata.

35. Aqueles que conhecem assim,
com o olho do conhecimento,
a diferença entre o campo e o conhecedor do campo
e também a libertação da Natureza das criaturas,
esses vão ao supremo.

OM tat sat!

Assim (termina)
na venerável *Bhagavad Gītā Upaniṣad*,
na sabedoria dos *mantras* (*Brahmavidyā*),
no tratado de Yoga,
no diálogo entre o senhor Kṛṣṇa e Arjuna,
o décimo terceiro capítulo, denominado
"o yoga da discriminação do campo
e do conhecedor do campo".

अथ चतुर्दशोऽध्यायः ।

atha caturdaśo'dhyāyaḥ |

गुणत्रयविभागयोगः

guṇatrayavibhāgayogaḥ

श्रीभगवानुवाच ।

śrībhagavānuvāca |

परं भूयः प्रवक्ष्यामि ज्ञानानां ज्ञानमुत्तमम् ।

paraṁ bhūyaḥ pravakṣyāmi jñānānāṁ jñānamuttamam |

यज्ज्ञात्वा मुनयः सर्वे परां सिद्धिमितो गताः ॥ १४-१ ॥

yajjñātvā munayaḥ sarve parāṁ siddhimito gatāḥ || 14-1 ||

इदं ज्ञानमुपाश्रित्य मम साधर्म्यमागताः ।

idaṁ jñānamupāśritya mama sādharmyamāgatāḥ |

सर्गेऽपि नोपजायन्ते प्रलये न व्यथन्ति च ॥ १४-२ ॥

sarge'pi nopajāyante pralaye na vyathanti ca || 14-2 ||

मम योनिर्महद्ब्रह्म तस्मिन्गर्भं दधाम्यहम् ।

mama yonirmahadbrahma tasmingarbhaṁ dadhāmyaham |

सम्भवः सर्वभूतानां ततो भवति भारत ॥ १४-३ ॥

sambhavaḥ sarvabhūtānāṁ tato bhavati bhārata || 14-3 ||

सर्वयोनिषु कौन्तेय मूर्तयः सम्भवन्ति याः ।

sarvayoniṣu kaunteya mūrtayaḥ sambhavanti yāḥ |

तासां ब्रह्म महद्योनिरहं बीजप्रदः पिता ॥ १४-४ ॥

tāsāṁ brahma mahadyoniraham bījapradaḥ pitā || 14-4 ||

सत्त्वं रजस्तम इति गुणाः प्रकृतिसम्भवाः ।

sattvaṁ rajastama iti guṇāḥ prakṛtisambhavāḥ |

निबध्नन्ति महाबाहो देहे देहिनमव्ययम् ॥ १४-५ ॥

nibadhnanti mahābāho dehe dehinamavyayam || 14-5 ||

Décimo quarto capítulo

A discriminação das três qualidades

Senhor Bhagavān disse:

1. Novamente te ensinarei
esse supremo e mais elevado
conhecimento dos conhecimentos,
por meio do qual todos os sábios,
tendo conhecido, partiram daqui
para a perfeição suprema.

2. Tomando apoio nesse conhecimento,
vindo a identificar-se com minha natureza,
já não nascem mais na criação (do universo)
nem se afligem na dissolução.

3. Minha matriz é o grande Brahma.
Nele eu deposito o germe.
Daí ser ele o criador de todas as criaturas,
ó Bhārata.

4. Daquelas formas que são criadas
em todas as matrizes, ó Kaunteya,
o grande Brahma é sua matriz
(e) eu sou o pai que deposita a semente.

5. *Sattva*, *rajas* e *tamas*,
(que são) as qualidades surgidas da Natureza,
aprisionam no corpo o espírito imutável,
ó Mahābāhu.

तत्र सत्त्वं निर्मलत्वात्प्रकाशकमनामयम् ।
tatra sattvaṁ nirmalatvātprakāśakamanāmayam |

सुखसङ्गेन बध्नाति ज्ञानसङ्गेन चानघ ॥ १४-६ ॥
sukhasaṅgena badhnāti jñānasaṅgena cānagha || 14-6 ||

रजो रागात्मकं विद्धि तृष्णासङ्गसमुद्भवम् ।
rajo rāgātmakaṁ viddhi tṛṣṇāsaṅgasamudbhavam |

तन्निबध्नाति कौन्तेय कर्मसङ्गेन देहिनम् ॥ १४-७ ॥
tannibadhnāti kaunteya karmasaṅgena dehinam || 14-7 ||

तमस्त्वज्ञानजं विद्धि मोहनं सर्वदेहिनाम् ।
tamastvajñānajaṁ viddhi mohanaṁ sarvadehinām |

प्रमादालस्यनिद्राभिस्तन्निबध्नाति भारत ॥ १४-८ ॥
pramādālasyanidrābhistannibadhnāti bhārata || 14-8 ||

सत्त्वं सुखे सञ्जयति रजः कर्मणि भारत ।
sattvaṁ sukhe sañjayati rajaḥ karmaṇi bhārata |

ज्ञानमावृत्य तु तमः प्रमादे सञ्जयत्युत ॥ १४-९ ॥
jñānamāvṛtya tu tamaḥ pramāde sañjayatyuta || 14-9 ||

रजस्तमश्चाभिभूय सत्त्वं भवति भारत ।
rajastamaścābhibhūya sattvaṁ bhavati bhārata |

रजः सत्त्वं तमश्चैव तमः सत्त्वं रजस्तथा ॥ १४-१० ॥
rajaḥ sattvaṁ tamaścaiva tamaḥ sattvaṁ rajastathā || 14-10 ||

सर्वद्वारेषु देहेऽस्मिन्प्रकाश उपजायते ।
sarvadvāreṣu dehe'sminprakāśa upajāyate |

ज्ञानं यदा तदा विद्याद्विवृद्धं सत्त्वमित्युत ॥ १४-११ ॥
jñānaṁ yadā tadā vidyādvivṛddhaṁ sattvamityuta || 14-11 ||

लोभः प्रवृत्तिरारम्भः कर्मणामशमः स्पृहा ।
lobhaḥ pravṛttirārambhaḥ karmaṇāmaśamaḥ spṛhā |

रजस्येतानि जायन्ते विवृद्धे भरतर्षभ ॥ १४-१२ ॥
rajasyetāni jāyante vivṛddhe bharatarṣabha || 14-12 ||

6. Dentre elas, *sattva*,
que devido a sua condição imaculada
é luminosa e saudável,
aprisiona pelo apego ao bem-estar
e ao conhecimento, ó Anagha (Arjuna).

7. Sabe que *rajas*, que tem a natureza do desejo,
é a fonte do apego e da avidez.
Ela aprisiona o espírito, ó Kaunteya,
pelo apego à ação.

8. Sabe, porém, que *tamas*, nascida da ignorância,
é a ilusão de todos os espíritos.
Ela aprisiona por meio do torpor,
da inatividade e do sono, ó Bhārata.

9. *Sattva* se fixa no bem-estar.
Rajas, nas ações, ó Bhārata.
Mas *tamas*, tendo ocultado o conhecimento,
certamente se fixa no torpor.

10. Tendo predominado sobre *rajas* e *tamas*,
sattva passa a existir, ó Bhārata.
Sobre *rajas* e *sattva*, *tamas* (passa a existir).
Assim também, sobre *tamas* e *sattva*,
rajas (passa a existir).

11. Quando em todas as portas deste corpo
surge luz (como consequência do) conhecimento,
então se pode saber que *sattva* está abundante.

12. Ganância, atividade,
iniciativa nas ações, inquietude, aspiração,
estes (sinais característicos) nascem
na abundância do *rajas*,
ó Touro dos Bhāratas.

अप्रकाशोऽप्रवृत्तिश्च प्रमादो मोह एव च ।
aprakāśo'pravṛttiśca pramādo moha eva ca |

तमस्येतानि जायन्ते विवृद्धे कुरुनन्दन ॥ १४-१३ ॥
tamasyetāni jāyante vivṛddhe kurunandana || 14-13 ||

यदा सत्त्वे प्रवृद्धे तु प्रलयं याति देहभृत् ।
yadā sattve pravṛddhe tu pralayaṁ yāti dehabhṛt |

तदोत्तमविदां लोकानमलान्प्रतिपद्यते ॥ १४-१४ ॥
tadottamavidāṁ lokānamalānpratipadyate || 14-14 ||

रजसि प्रलयं गत्वा कर्मसङ्गिषु जायते ।
rajasi pralayaṁ gatvā karmasaṅgiṣu jāyate |

तथा प्रलीनस्तमसि मूढयोनिषु जायते ॥ १४-१५ ॥
tathā pralīnastamasi mūḍhayoniṣu jāyate || 14-15 ||

कर्मणः सुकृतस्याहुः सात्त्विकं निर्मलं फलम् ।
karmaṇaḥ sukṛtasyāhuḥ sāttvikaṁ nirmalaṁ phalam |

रजसस्तु फलं दुःखमज्ञानं तमसः फलम् ॥ १४-१६ ॥
rajasastu phalaṁ duḥkhamajñānaṁ tamasaḥ phalam || 14-16 ||

सत्त्वात्सञ्जायते ज्ञानं रजसो लोभ एव च ।
sattvātsañjāyate jñānaṁ rajaso lobha eva ca |

प्रमादमोहौ तमसो भवतोऽज्ञानमेव च ॥ १४-१७ ॥
pramādamohau tamaso bhavato'jñānameva ca || 14-17 ||

ऊर्ध्वं गच्छन्ति सत्त्वस्था मध्ये तिष्ठन्ति राजसाः ।
ūrdhvaṁ gacchanti sattvasthā madhye tiṣṭhanti rājasāḥ |

जघन्यगुणवृत्तिस्था अधो गच्छन्ति तामसाः ॥ १४-१८ ॥
jaghanyaguṇavṛttisthā adho gacchanti tāmasāḥ || 14-18 ||

नान्यं गुणेभ्यः कर्तारं यदा द्रष्टानुपश्यति ।
nānyaṁ guṇebhyaḥ kartāraṁ yadā draṣṭānupaśyati |

गुणेभ्यश्च परं वेत्ति मद्भावं सोऽधिगच्छति ॥ १४-१९ ॥
guṇebhyaśca paraṁ vetti madbhāvaṁ so'dhigacchati || 14-19 ||

13. Escuridão, inatividade, torpor e ilusão,
apenas estes nascem na abundância do *tamas*,
ó Kurunandana.

14. Quando, porém,
o encarnado vai à dissolução
na abundância de *sattva*,
então ele entra nos mundos imaculados
dos mais elevados sábios.

15. Tendo ido à dissolução
em (abundância de) *rajas*,
nasce entre os que são apegados à ação.
Assim também, dissolvido no *tamas*,
nasce em ventres de tolos.

16. Diz-se, das ações bem realizadas,
que o fruto da (ação) *sáttvica* é imaculado,
o fruto da *rajásica* é o sofrimento,
(e) o fruto da *tamásica* é a ignorância.

17. De *sattva* nasce o conhecimento,
e de *rajas*, somente a ganância.
Torpor e ilusão surgem de *tamas*,
e a ignorância, apenas.

18. Aqueles que estão em *sattva* se elevam.
No meio permanecem os do *rajas*.
Os do *tamas*, que estão (envolvidos)
em atividades de baixa qualidade, se rebaixam.

19. Quando aquele que vê
percebe que não há outro agente
além das qualidades (da Natureza),
e conhece minha natureza além das qualidades
(da Natureza), ele se eleva.

गुणानेतानतीत्य त्रीन्देही देहसमुद्भवान् ।
guṇānetānatītya trīndehī dehasamudbhavān |

जन्ममृत्युजरादुःखैर्विमुक्तोऽमृतमश्नुते ॥ १४-२० ॥
janmamṛtyujarāduḥkhairvimukto'mṛtamaśnute || 14-20 ||

अर्जुन उवाच ।
arjuna uvāca |

कैर्लिङ्गैस्त्रीन्गुणानेतानतीतो भवति प्रभो ।
kairliṅgaistrīnguṇānetānatīto bhavati prabho |

किमाचारः कथं चैतांस्त्रीन्गुणानतिवर्तते ॥ १४-२१ ॥
kimācāraḥ kathaṁ caitāṁstrīnguṇānativartate || 14-21 ||

श्रीभगवानुवाच ।
śrībhagavānuvāca |

प्रकाशं च प्रवृत्तिं च मोहमेव च पाण्डव ।
prakāśaṁ ca pravṛttiṁ ca mohameva ca pāṇḍava |

न द्वेष्टि सम्प्रवृत्तानि न निवृत्तानि काङ्क्षति ॥ १४-२२ ॥
na dveṣṭi sampravṛttāni na nivṛttāni kāṅkṣati || 14-22 ||

उदासीनवदासीनो गुणैर्यो न विचाल्यते ।
udāsīnavadāsīno guṇairyo na vicālyate |

गुणा वर्तन्त इत्येवं योऽवतिष्ठति नेङ्गते ॥ १४-२३ ॥
guṇā vartanta ityevaṁ yo'vatiṣṭhati neṅgate || 14-23 ||

समदुःखसुखः स्वस्थः समलोष्टाश्मकाञ्चनः ।
samaduḥkhasukhaḥ svasthaḥ samaloṣṭāśmakāñcanaḥ |

तुल्यप्रियाप्रियो धीरस्तुल्यनिन्दात्मसंस्तुतिः ॥ १४-२४ ॥
tulyapriyāpriyo dhīrastulyanindātmasaṁstutiḥ || 14-24 ||

मानापमानयोस्तुल्यस्तुल्यो मित्रारिपक्षयोः ।
mānāpamānayostulyastulyo mitrāripakṣayoḥ |

सर्वारम्भपरित्यागी गुणातीतः स उच्यते ॥ १४-२५ ॥
sarvārambhaparityāgī guṇātītaḥ sa ucyate || 14-25 ||

20. O encarnado, tendo ido além
dessas três qualidades que são a origem de seu corpo,
livre do nascimento, da morte, da velhice
e do sofrimento, alcança a imortalidade.

Arjuna disse:

21. Com que sinais está este
que foi além dessas três qualidades, ó senhor?
Qual é (sua) atitude?
E como ultrapassa essas três qualidades?

Senhor Bhagavān disse:

22. (Ele) não rejeita a luz (de *sattva*),
a atividade (de *rajas*)
e a ilusão (de *tamas*), quando presentes,
nem as deseja, quando ausentes.

23. Aquele que, assentado com indiferença,
não é perturbado pelas qualidades (da Natureza).
Aquele que, (pensando) "são as qualidades atuando",
assim permanece sem agitar-se.

24. (Aquele que é) o mesmo
no sofrimento e no prazer, centrado em si,
o mesmo diante de um punhado de barro,
de uma rocha e do ouro,
equilibrado perante o agradável e o desagradável,
sábio, equilibrado perante crítica
ou elogio a si mesmo.

25. Equilibrado perante a honra e a desonra,
equilibrado diante do partido aliado ou do inimigo,
um renunciante em todas as iniciativas,
esse se diz que ultrapassou as qualidades
(da Natureza).

मां च योऽव्यभिचारेण भक्तियोगेन सेवते।
māṁ ca yo'vyabhicāreṇa bhaktiyogena sevate |

स गुणान्समतीत्यैतान्ब्रह्मभूयाय कल्पते॥ १४-२६॥
sa guṇānsamatītyaitānbrahmabhūyāya kalpate || 14-26 ||

ब्रह्मणो हि प्रतिष्ठाहममृतस्याव्ययस्य च।
brahmaṇo hi pratiṣṭhāhamamṛtasyāvyayasya ca |

शाश्वतस्य च धर्मस्य सुखस्यैकान्तिकस्य च॥ १४-२७॥
śāśvatasya ca dharmasya sukhasyaikāntikasya ca || 14-27 ||

ॐ तत्सदिति श्रीमद्भगवद्गीतायामुपनिषदि
OM tatsaditi śrīmadbhagavadgītāyāmupaniṣadi

ब्रह्मविद्यायां योगशास्त्रे श्रीकृष्णार्जुनसंवादे
brahmavidyāyāṁ yogaśāstre śrīkṛṣṇārjunasaṁvāde

गुणत्रयविभागयोगो नाम चतुर्दशोऽध्यायः॥ १४॥
guṇatrayavibhāgayogo nāma caturdaśo'dhyāyaḥ || 14 ||

26. E aquele que me serve
de forma constante pelo yoga da devoção,
tendo ido além dessas qualidades da Natureza,
está pronto para tornar-se Brahma.

27. Eu sou o suporte de Brahma,
imortal e imutável,
e também (sou o suporte)
do *dharma* eterno e da felicidade
que tem um único objeto (o si-mesmo).

OM tat sat!

Assim (termina)
na venerável *Bhagavad Gītā Upaniṣad*,
na sabedoria dos *mantras* (*Brahmavidyā*),
no tratado de Yoga,
no diálogo entre o senhor Kṛṣṇa e Arjuna,
o décimo quarto capítulo, denominado
"o yoga da discriminação das três qualidades".

अथ पञ्चदशोऽध्यायः ।

atha pañcadaśo'dhyāyaḥ |

पुरुषोत्तमयोगः

puruṣottamayogaḥ

श्रीभगवानुवाच ।

śrībhagavānuvāca |

ऊर्ध्वमूलमधःशाखमश्वत्थं प्राहुरव्ययम् ।

ūrdhvamūlamadhaḥśākhamaśvatthaṁ prāhuravyayam |

छन्दांसि यस्य पर्णानि यस्तं वेद स वेदवित् ॥ १५-१ ॥

chandāṁsi yasya parṇāni yastaṁ veda sa vedavit || 15-1 ||

अधश्चोर्ध्वं प्रसृतास्तस्य शाखा गुणप्रवृद्धा विषयप्रवालाः ।

adhaścordhvaṁ prasṛtāstasya śākhā guṇapravṛddhā viṣayapravālāḥ |

अधश्च मूलान्यनुसन्ततानि
कर्मानुबन्धीनि मनुष्यलोके ॥ १५-२ ॥

adhaśca mūlānyanusantatāni
karmānubandhīni manuṣyaloke || 15-2 ||

न रूपमस्येह तथोपलभ्यते नान्तो न चादिर्न च सम्प्रतिष्ठा ।

na rūpamasyeha tathopalabhyate nānto na cādirna ca sampratiṣṭhā |

अश्वत्थमेनं सुविरूढमूलं
असङ्गशस्त्रेण दृढेन छित्त्वा ॥ १५-३ ॥

aśvatthamenaṁ suvirūḍhamūlaṁ
asaṅgaśastreṇa dṛḍhena chittvā || 15-3 ||

ततः पदं तत्परिमार्गितव्यं यस्मिन्गता न निवर्तन्ति भूयः ।

tataḥ padaṁ tatparimārgitavyaṁ yasmingatā na nivartanti bhūyaḥ |

तमेव चाद्यं पुरुषं प्रपद्ये
यतः प्रवृत्तिः प्रसृता पुराणी ॥ १५-४ ॥

tameva cādyaṁ puruṣaṁ prapadye
yataḥ pravṛttiḥ prasṛtā purāṇī || 15-4 ||

Décimo quinto capítulo

O homem cósmico mais elevado (*Puruṣottama*)

Senhor Bhagavān disse:

1. Dizem que existe
uma figueira sagrada imutável
com raízes para cima e ramos para baixo,
cujas folhas são os versos sagrados.
Aquele que a conhece
é um conhecedor dos *Vedas*.

2. Para baixo e para cima
se desenvolvem seus ramos,
fortalecidos pelas qualidades da Natureza,
tendo como brotos os objetos dos sentidos,
e com suas raízes estendidas para baixo,
ligadas às ações no mundo dos homens.

3-4. Sua aparência não é percebida
dessa maneira neste mundo,
nem seu fim, nem seu início
nem sua permanência.
Tendo cortado, com a lâmina firme do desapego,
esta figueira sagrada de raízes bem crescidas,
então é preciso buscar o lugar[123]
onde aqueles que ali chegaram
não retornam outra vez.
Eu busco[124] refúgio somente
naquele primeiro homem cósmico,
do qual surgiu a atividade original.

123. "*Padam*" significa "lugar", "passo" ou "palavra". Qualquer dessas alternativas dá uma nuance peculiar ao sentido deste verso.

124. Esse verbo está na voz de primeira pessoa. Aqui Kṛṣṇa fala como o si-mesmo que se expressa como o "eu" que há dentro de cada um de nós. Esta frase tem sido habitualmente traduzida como uma citação, entre aspas, embora não esteja, de fato, no formato de uma citação.

निर्मानमोहा जितसङ्गदोषा अध्यात्मनित्या विनिवृत्तकामाः।
nirmānamohā jitasaṅgadoṣā adhyātmanityā vinivṛttakāmāḥ |

द्वन्द्वैर्विमुक्ताः सुखदुःखसंज्ञैर्-
गच्छन्त्यमूढाः पदमव्ययं तत्॥ १५-५॥
dvandvairvimuktāḥ sukhaduḥkhasaṁjñair-
gacchantyamūḍhāḥ padamavyayaṁ tat || 15-5 ||

न तद्भासयते सूर्यो न शशाङ्को न पावकः।
na tadbhāsayate sūryo na śaśāṅko na pāvakaḥ |

यद्गत्वा न निवर्तन्ते तद्धाम परमं मम॥ १५-६॥
yadgatvā na nivartante taddhāma paramaṁ mama || 15-6 ||

ममैवांशो जीवलोके जीवभूतः सनातनः।
mamaivāṁśo jīvaloke jīvabhūtaḥ sanātanaḥ |

मनःषष्ठानीन्द्रियाणि प्रकृतिस्थानि कर्षति॥ १५-७॥
manaḥṣaṣṭhānīndriyāṇi prakṛtisthāni karṣati || 15-7 ||

शरीरं यदवाप्नोति यच्चाप्युत्क्रामतीश्वरः।
śarīraṁ yadavāpnoti yaccāpyutkrāmatīśvaraḥ |

गृहित्वैतानि संयाति वायुर्गन्धानिवाशयात्॥ १५-८॥
gṛhitvaitāni saṁyāti vāyurgandhānivāśayāt || 15-8 ||

श्रोत्रं चक्षुः स्पर्शनं च रसनं घ्राणमेव च।
śrotraṁ cakṣuḥ sparśanaṁ ca rasanaṁ ghrāṇameva ca |

अधिष्ठाय मनश्चायं विषयानुपसेवते॥ १५-९॥
adhiṣṭhāya manaścāyaṁ viṣayānupasevate || 15-9 ||

उत्क्रामन्तं स्थितं वापि भुञ्जानं वा गुणान्वितम्।
utkrāmantaṁ sthitaṁ vāpi bhuñjānaṁ vā guṇānvitam |

विमूढा नानुपश्यन्ति पश्यन्ति ज्ञानचक्षुषः॥ १५-१०॥
vimūḍhā nānupaśyanti paśyanti jñānacakṣuṣaḥ || 15-10 ||

यतन्तो योगिनश्चैनं पश्यन्त्यात्मन्यवस्थितम्।
yatanto yoginaścainaṁ paśyantyātmanyavasthitam |

यतन्तोऽप्यकृतात्मानो नैनं पश्यन्त्यचेतसः॥ १५-११॥
yatanto'pyakṛtātmāno nainaṁ paśyantyacetasaḥ || 15-11 ||

5. Sem orgulho ou ilusão, tendo vencido o equívoco
do apego, continuamente (conectados)
ao si-mesmo mais elevado,
livres do desejo de estar inativos,
livres dos pares de opostos,
pela harmonia com o prazer e o sofrimento,
aqueles que não são tolos
vão para aquele lugar imperecível.

6. Nem o Sol, nem a Lua, nem o fogo
fazem brilhar aquela minha morada suprema,
onde, tendo ido, (aqueles que não são tolos)
não mais retornam (a este mundo).

7. Apenas uma parte de mim, no mundo dos vivos,
o eterno "Jīva"[125], arrasta (consigo)
os (cinco) sentidos e mais o sexto, a mente,
que fazem parte da Natureza.

8. O senhor (Īśvara), qualquer que seja o corpo
que ele ganha ou que abandona,
tendo se apropriado destes (seis),
segue adiante (com eles),
tal como o vento faz com o aroma de um recipiente.

9. Tendo assumido o comando da audição,
da visão, do tato, do paladar, do olfato e da mente,
ele se serve de seus objetos.

10. Os tolos não o percebem deixando (o corpo),
ou estabelecido (no corpo)
ou desfrutando integrado às qualidades da Natureza.
Os que têm o olho do conhecimento, o veem.

11. Os *yoguis* esforçados o veem
assentado no si-mesmo.
Os insensatos, que têm o si-mesmo despreparado,
mesmo se esforçando, não veem este (Jīva).

125. Literalmente: "vida".

यदादित्यगतं तेजो जगद्भासयतेऽखिलम्।
yadādityagataṁ tejo jagadbhāsayate'khilam |

यच्चन्द्रमसि यच्चाग्नौ तत्तेजो विद्धि मामकम्॥ १५-१२॥
yaccandramasi yaccāgnau tattejo viddhi māmakam || 15-12 ||

गामाविश्य च भूतानि धारयाम्यहमोजसा।
gāmāviśya ca bhūtāni dhārayāmyahamojasā |

पुष्णामि चौषधीः सर्वाः सोमो भूत्वा रसात्मकः॥ १५-१३॥
puṣṇāmi cauṣadhīḥ sarvāḥ somo bhūtvā rasātmakaḥ || 15-13 ||

अहं वैश्वानरो भूत्वा प्राणिनां देहमाश्रितः।
ahaṁ vaiśvānaro bhūtvā prāṇināṁ dehamāśritaḥ |

प्राणापानसमायुक्तः पचाम्यन्नं चतुर्विधम्॥ १५-१४॥
prāṇāpānasamāyuktaḥ pacāmyannaṁ caturvidham || 15-14 ||

सर्वस्य चाहं हृदि सन्निविष्टो मत्तः स्मृतिर्ज्ञानमपोहनञ्च।
sarvasya cāhaṁ hṛdi sanniviṣṭo mattaḥ smṛtirjñānamapohanañca |

वेदैश्च सर्वैरहमेव वेद्यो वेदान्तकृद्वेदविदेव चाहम्॥ १५-१५॥
vedaiśca sarvairahameva vedyo vedāntakṛdvedavideva cāham || 15-15 ||

द्वाविमौ पुरुषौ लोके क्षरश्चाक्षर एव च।
dvāvimau puruṣau loke kṣaraścākṣara eva ca |

क्षरः सर्वाणि भूतानि कूटस्थोऽक्षर उच्यते॥ १५-१६॥
kṣaraḥ sarvāṇi bhūtāni kūṭastho'kṣara ucyate || 15-16 ||

उत्तमः पुरुषस्त्वन्यः परमात्मेत्युधाहृतः।
uttamaḥ puruṣastvanyaḥ paramātmetyudhāhṛtaḥ |

यो लोकत्रयमाविश्य बिभर्त्यव्यय ईश्वरः॥ १५-१७॥
yo lokatrayamāviśya bibhartyavyaya īśvaraḥ || 15-17 ||

यस्मात्क्षरमतीतोऽहमक्षरादपि चोत्तमः।
yasmātkṣaramatīto'hamakṣarādapi cottamaḥ |

अतोऽस्मि लोके वेदेच प्रथितः पुरुषोत्तमः॥ १५-१८॥
ato'smi loke vedeca prathitaḥ puruṣottamaḥ || 15-18 ||

12. O brilho que vem do Sol,
que ilumina o universo inteiro,
que está na Lua e também no fogo,
sabe que esse brilho é meu.

13. Tendo penetrado na terra
eu sustento as criaturas com meu vigor,
e, tendo me tornado o *Soma*, o espírito da seiva,
faço crescer todas as plantas.

14. Tendo me tornado Vaiśvānara,
abrigado no corpo dos seres viventes,
com o *prāṇa* e o *apāna* equilibrados,
eu faço a digestão dos quatro tipos de alimento.[126]

15. E eu estou instalado no coração de todos.
De mim vêm a memória, o conhecimento e o debate.
Eu sou aquilo que pode ser conhecido
por meio de todos os *Vedas*.
Eu sou o autor das *upaniṣadas*
e o conhecedor dos *Vedas*.

16. Há apenas dois homens cósmicos no mundo:
o perecível e o imperecível.
O perecível são todas as criaturas.
O imperecível se diz que está acima de todos.

17. Há, no entanto, outro homem cósmico
mais elevado, chamado o si-mesmo supremo,
o soberano imutável que,
tendo adentrado os três mundos, os sustenta.

18. Como eu ultrapasso o perecível
e também sou mais elevado do que o imperecível,
no mundo e no *Veda* sou conhecido
como o homem cósmico mais elevado.

126. Em seu comentário a este verso, Ādi Śaṁkarācārya explica que os quatro tipos de alimentos são: o que é engolido inteiro, o que é mastigado, o que é sugado e o que é lambido.

यो मामेवमसम्मूढो जानाति पुरुषोत्तमम्।
yo māmevamasammūḍho jānāti puruṣottamam |

स सर्वविद्भजति मां सर्वभावेन भारत॥ १५-१९॥
sa sarvavidbhajati mām sarvabhāvena bhārata || 15-19 ||

इति गुह्यतमं शास्त्रमिदमुक्तं मयानघ।
iti guhyatamaṁ śāstramidamuktaṁ mayānagha |

एतद्बुद्ध्वा बुद्धिमान्स्यात्कृतकृत्यश्च भारत॥ १५-२०॥
etadbuddhvā buddhimānsyātkṛtakṛtyaśca bhārata || 15-20 ||

ॐ तत्सदिति श्रीमद्भगवद्गीतायामुपनिषदि
OM tatsaditi śrīmadbhagavadgītāyāmupaniṣadi

ब्रह्मविद्यायां योगशास्त्रे श्रीकृष्णार्जुनसंवादे
brahmavidyāyāṁ yogaśāstre śrīkṛṣṇārjuna saṁvāde

पुरुषोत्तमयोगो नाम पञ्चदशोऽध्यायः॥ १५॥
puruṣottamayogo nāma pañcadaśo'dhyāyaḥ || 15 ||

19. Aquele que, livre de tolices, me conhece assim,
como o homem cósmico mais elevado,
esse que tudo conhece
me adora com todo o seu ser, ó Bhārata.

20. Assim é a mais secreta doutrina,
aqui descrita por mim, ó impecável.
Quem entendeu isto pode ser considerado
uma inteligência superior,
e que cumpriu sua tarefa, ó Bhārata.

OM tat sat!

Assim (termina)
na venerável *Bhagavad Gītā Upaniṣad,*
na sabedoria dos *mantras* (*Brahmavidyā*),
no tratado de Yoga,
no diálogo entre o senhor Kṛṣṇa e Arjuna,
o décimo quinto capítulo, denominado
"o yoga do homem cósmico mais elevado".

अथ षोडशोऽध्यायः ।

atha ṣoḍaśo'dhyāyaḥ |

दैवासुरसम्पद्विभागयोगः

daivāsurasampadvibhāgayogaḥ

श्रीभगवानुवाच ।
śrībhagavānuvāca |

अभयं सत्त्वसंशुद्धिर्ज्ञानयोगव्यवस्थितिः ।
abhayaṁ sattvasaṁśuddhirjñānayogavyavasthitiḥ |

दानं दमश्च यज्ञश्च स्वाध्यायस्तप आर्जवम् ॥ १६-१ ॥
dānaṁ damaśca yajñaśca svādhyāyastapa ārjavam || 16-1 ||

अहिंसा सत्यमक्रोधस्त्यागः शान्तिरपैशुनम् ।
ahiṁsā satyamakrodhastyāgaḥ śāntirapaiśunam |

दया भूतेष्वलोलुप्त्वं मार्दवं ह्रीरचापलम् ॥ १६-२ ॥
dayā bhūteṣvaloluptvaṁ mārdavaṁ hrīracāpalam || 16-2 ||

तेजः क्षमा धृतिः शौचमद्रोहो नातिमानिता ।
tejaḥ kṣamā dhṛtiḥ śaucamadroho nātimānitā |

भवन्ति सम्पदं दैवीमभिजातस्य भारत ॥ १६-३ ॥
bhavanti sampadaṁ daivīmabhijātasya bhārata || 16-3 ||

दम्भो दर्पोऽभिमानश्च क्रोधः पारुष्यमेव च ।
dambho darpo'bhimānaśca krodhaḥ pāruṣyameva ca |

अज्ञानं चाभिजातस्य पार्थ सम्पदमासुरीम् ॥ १६-४ ॥
ajñānaṁ cābhijātasya pārtha sampadamāsurīm || 16-4 ||

दैवी सम्पद्विमोक्षाय निबन्धायासुरी मता ।
daivī sampadvimokṣāya nibandhāyāsurī matā |

मा शुचः सम्पदं दैवीमभिजातोऽसि पाण्डव ॥ १६-५ ॥
mā śucaḥ sampadaṁ daivīmabhijāto'si pāṇḍava || 16-5 ||

Décimo sexto capítulo

Discriminação dos destinos divinos e dos demoníacos

Senhor Bhagavān disse:

1. Destemor, pureza de caráter,
constância na aplicação do conhecimento,
caridade, autodomínio, sacrifício (ritual),
recitação dos *Vedas*, ascese, retidão,

2. Não violência, autenticidade,
ausência de ira, renunciamento,
paz, ausência de calúnia,
compaixão pelas criaturas,
liberdade em relação aos desejos,
gentileza, pudor, tranquilidade,

3. Brilho, tolerância, firmeza, limpeza,
ausência de malícia, modéstia,
são (características) do nascido
com a tendência divina, ó Bhārata.

4. Falsidade, vaidade, orgulho,
ira, rudeza, ignorância,
são (características) do nascido
com tendência demoníaca[127], ó Pārtha.

5. A tendência divina (conduz) à libertação,
a demoníaca (conduz) ao aprisionamento.
Não te aflijas, Pāṇḍava,
tu és nascido com a tendência divina.

127. Por "demoníaca" traduzimos a palavra adjetiva "*āsurī*", derivada de "*āsura*", que é um título de nobreza, antes de se tornar sinônimo de "demônio" (inimigo dos deuses).

द्वौ भूतसर्गौ लोकेऽस्मिन्दैव आसुर एव च।
dvau bhūtasargau loke'smindaiva āsura eva ca |

दैवो विस्तरशः प्रोक्त आसुरं पार्थ मे शृणु॥ १६-६॥
daivo vistaraśaḥ prokta āsuraṁ pārtha me śṛṇu || 16-6 ||

प्रवृत्तिं च निवृत्तिं च जना न विदुरासुराः।
pravṛttiṁ ca nivṛttiṁ ca janā na vidurāsurāḥ |

न शौचं नापि चाचारो न सत्यं तेषु विद्यते॥ १६-७॥
na śaucaṁ nāpi cācāro na satyaṁ teṣu vidyate || 16-7 ||

असत्यमप्रतिष्ठं ते जगदाहुरनीश्वरम्।
asatyamapratiṣṭhaṁ te jagadāhuranīśvaram |

अपरस्परसम्भूतं किमन्यत्कामहैतुकम्॥ १६-८॥
aparasparasambhūtaṁ kimanyatkāmahaitukam || 16-8 ||

एतां दृष्टिमवष्टभ्य नष्टात्मानोऽल्पबुद्धयः।
etāṁ dṛṣṭimavaṣṭabhya naṣṭātmāno'lpabuddhayaḥ |

प्रभवन्त्युग्रकर्माणः क्षयाय जगतोऽहिताः॥ १६-९॥
prabhavantyugrakarmāṇaḥ kṣayāya jagato'hitāḥ || 16-9 ||

काममाश्रित्य दुष्पूरं दम्भमानमदान्विताः।
kāmamāśritya duṣpūraṁ dambhamānamadānvitāḥ |

मोहाद्गृहीत्वासद्ग्राहान्प्रवर्तन्तेऽशुचिव्रताः॥ १६-१०॥
mohādgṛhītvāsadgrāhānpravartante'śucivratāḥ || 16-10 ||

चिन्तामपरिमेयां च प्रलयान्तामुपाश्रिताः।
cintāmaparimeyāṁ ca pralayāntāmupāśritāḥ |

कामोपभोगपरमा एतावदिति निश्चिताः॥ १६-११॥
kāmopabhogaparamā etāvaditi niścitāḥ || 16-11 ||

आशापाशशतैर्बद्धाः कामक्रोधपरायणाः।
āśāpāśaśatairbaddhāḥ kāmakrodhaparāyaṇāḥ |

ईहन्ते कामभोगार्थमन्यायेनार्थसञ्चयान्॥ १६-१२॥
īhante kāmabhogārthamanyāyenārthasañcayān || 16-12 ||

6. Há dois tipos de criaturas neste mundo,
que são os divinos e os demoníacos, apenas.
Os divinos foram descritos detalhadamente.
Ouve de mim sobre os demoníacos, ó Pārtha.

7. As pessoas demoníacas não sabem
o que é atividade nem o que é inatividade.
Não se encontram neles a limpeza,
a boa conduta ou a verdade.

8. Eles dizem que o universo é falso,
sem fundamento e sem um regente,
não nascido de uma relação mútua,[128]
senão apenas como resultado do desejo.

9. Tendo se apoiado nesta visão,
(esses) espíritos perdidos, de baixa inteligência,
aparecem como inimigos do universo,
cometendo atos terríveis voltados à destruição.

10. Tendo encontrado abrigo em um
desejo insaciável, acompanhados pela falsidade,
pelo orgulho e pela torpeza, (e) tendo abraçado
falsos conceitos, por causa da ilusão,
se conduzem comprometidos com o mal.

11. Entregues a uma preocupação ilimitada,
que só termina com a sua morte,
enquanto têm o desfrute do prazer
como meta suprema, se sentem seguros.

12. Aprisionados pelas centenas de laços
de (suas próprias) expectativas,
tomados pelo desejo e pela ira,
se esforçam por obter desonestamente
muitas riquezas com a finalidade
de (sustentar) o desfrute de (seus) desejos.

128. O comentário de Ādi Śaṁkarācārya interpreta a expressão "não nascido de uma relação mútua" como significando "nascido da relação mútua entre a mulher e o homem". Nosso entendimento, no entanto, se baseia no sentido do verso como um todo, que nega a existência do lado espiritual do universo, excluindo a possibilidade de o universo surgir de uma relação mútua entre o espírito supremo e a Natureza material.

इदमद्य मया लब्धमिमं प्राप्स्ये मनोरथम् ।
idamadya mayā labdhamimaṁ prāpsye manoratham |

इदमस्तीदमपि मे भविष्यति पुनर्धनम् ॥ १६-१३ ॥
idamastīdamapi me bhaviṣyati punardhanam || 16-13 ||

असौ मया हतः शत्रुर्हनिष्ये चापरानपि ।
asau mayā hataḥ śatrurhaniṣye cāparānapi |

ईश्वरोऽहमहं भोगी सिद्धोऽहं बलवान्सुखी ॥ १६-१४ ॥
īśvaro'hamahaṁ bhogī siddho'haṁ balavānsukhī || 16-14 ||

आढ्योऽभिजनवानस्मि कोऽन्योऽस्ति सदृशो मया ।
āḍhyo'bhijanavānasmi ko'nyo'sti sadṛśo mayā |

यक्ष्ये दास्यामि मोदिष्य इत्यज्ञानविमोहिताः ॥ १६-१५ ॥
yakṣye dāsyāmi modiṣya ityajñānavimohitāḥ || 16-15 ||

अनेकचित्तविभ्रान्ता मोहजालसमावृताः ।
anekacittavibhrāntā mohajālasamāvṛtāḥ |

प्रसक्ताः कामभोगेषु पतन्ति नरकेऽशुचौ ॥ १६-१६ ॥
prasaktāḥ kāmabhogeṣu patanti narake'śucau || 16-16 ||

आत्मसम्भाविताः स्तब्धा धनमानमदान्विताः ।
ātmasambhāvitāḥ stabdhā dhanamānamadānvitāḥ |

यजन्ते नामयज्ञैस्ते दम्भेनाविधिपूर्वकम् ॥ १६-१७ ॥
yajante nāmayajñaiste dambhenāvidhipūrvakam || 16-17 ||

अहंकारं बलं दर्पं कामं क्रोधं च संश्रिताः ।
ahaṁkāraṁ balaṁ darpaṁ kāmaṁ krodhaṁ ca saṁśritāḥ |

मामात्मपरदेहेषु प्रद्विषन्तोऽभ्यसूयकाः ॥ १६-१८ ॥
māmātmaparadeheṣu pradviṣanto'bhyasūyakāḥ || 16-18 ||

तानहं द्विषतः क्रुरान्संसारेषु नराधमान् ।
tānahaṁ dviṣataḥ krurānsaṁsāreṣu narādhamān |

क्षिपाम्यजस्रमशुभानासुरीष्वेव योनिषु ॥ १६-१९ ॥
kṣipāmyajasramaśubhānāsurīṣveva yoniṣu || 16-19 ||

13. "Hoje ganhei isto,
(por isso) realizarei este desejo.
Isto me pertence,
essa (outra) riqueza também será minha."

14. "Este inimigo foi morto por mim,
e matarei outros, ainda.
Eu sou o soberano, eu sou o desfrutador,
eu sou bem-sucedido, poderoso, feliz."

15. "Sou rico e bem-nascido,
quem mais pode se igualar a mim?
Sacrificarei, farei caridade, trarei felicidade!"
Assim pensam,
iludidos por (sua própria) ignorância.

16. Confundidos por inúmeros comandos
em sua mente, colhidos pela rede da ilusão,
apegados ao desfrute de seus desejos,
caem no impuro inferno.

17. Exibidos, arrogantes,
embriagados pela importância
(presumida) de seus bens,
sacrificam só de nome,[129] com falsidade,
sem obedecer às regras tradicionais.

18. Dados ao egoísmo, à força bruta,
ao orgulho, ao desejo e à ira,
me rejeitam em seu próprio corpo
e nos corpos dos outros, cheios de indignação.

19. Essas pessoas cheias de ódio, cruéis,
as mais baixas dentro do ciclo dos renascimentos,
eu as lanço, perpetuamente impuras,
apenas em ventres demoníacos.

129. Ou seja, sacrificam só para dizer que são respeitáveis.

आसुरीं योनिमापन्ना मूढा जन्मनि जन्मनि ।
āsurīṁ yonimāpannā mūḍhā janmani janmani |

मामप्राप्यैव कौन्तेय ततो यान्त्यधमां गतिम् ॥ १६-२० ॥
māmaprāpyaiva kaunteya tato yāntyadhamāṁ gatim || 16-20 ||

त्रिविधं नरकस्येदं द्वारं नाशनमात्मनः ।
trividhaṁ narakasyedaṁ dvāraṁ nāśanamātmanaḥ |

कामः क्रोधस्तथा लोभस्तस्मादेतत्त्रयं त्यजेत् ॥ १६-२१ ॥
kāmaḥ krodhastathā lobhastasmādetattrayaṁ tyajet || 16-21 ||

एतैर्विमुक्तः कौन्तेय तमोद्वारैस्त्रिभिर्नरः ।
etairvimuktaḥ kaunteya tamodvāraistribhirnaraḥ |

आचरत्यात्मनः श्रेयस्ततो याति परां गतिम् ॥ १६-२२ ॥
ācaratyātmanaḥ śreyastato yāti parāṁ gatim || 16-22 ||

यः शास्त्रविधिमुत्सृज्य वर्तते कामकारतः ।
yaḥ śāstravidhimutsṛjya vartate kāmakārataḥ |

न स सिद्धिमवाप्नोति न सुखं न परां गतिम् ॥ १६-२३ ॥
na sa siddhimavāpnoti na sukhaṁ na parāṁ gatim || 16-23 ||

तस्माच्छास्त्रं प्रमाणं ते कार्याकार्यव्यवस्थितौ ।
tasmācchāstraṁ pramāṇaṁ te kāryākāryavyavasthitau |

ज्ञात्वा शास्त्रविधानोक्तं कर्म कर्तुमिहार्हसि ॥ १६-२४ ॥
jñātvā śāstravidhānoktaṁ karma kartumihārhasi || 16-24 ||

ॐ तत्सदिति श्रीमद्भगवद्गीतायामुपनिषदि
OM tatsaditi śrīmadbhagavadgītāyāmupaniṣadi

ब्रह्मविद्यायां योगशास्त्रे श्रीकृष्णार्जुनसंवादे
brahmavidyāyāṁ yogaśāstre śrīkṛṣṇārjunasaṁvāde

दैवासुरसम्पद्विभागयोगो नाम षोडशोऽध्यायः ॥ १६ ॥
daivāsurasampadvibhāgayogo nāma ṣoḍaśo'dhyāyaḥ || 16 ||

20. Caídos no ventre demoníaco,
esses tolos, de nascimento em nascimento,
não tendo sido sequer capazes de me alcançar,
ó Kaunteya, seguem, por isso, o pior caminho.

21. Tríplice é esta porta do inferno,
destruidora do si-mesmo:
o desejo; a ira; e também a ganância.
Por essa razão, abandona esse trio.

22. Ó Kaunteya, o homem que é libertado
dessas três portas *tamásicas* se comporta
de maneira favorável ao si-mesmo.
Por isso segue para o caminho supremo.

23. Aquele que, tendo deixado de lado
a lei das escrituras[130], vive sob o impulso dos desejos,
esse não alcança a perfeição,
nem o bem-estar, nem o caminho supremo.

24. Por isso as escrituras são a tua referência
para distinguir o que deve e o que não deve ser feito.
Tendo conhecido as ditas regras das escrituras,
estás pronto para fazer a ação, neste mundo.

OM tat sat!

Assim (termina)
na venerável *Bhagavad Gītā Upaniṣad*,
na sabedoria dos *mantras* (*Brahmavidyā*),
no tratado de Yoga,
no diálogo entre o senhor Kṛṣṇa e Arjuna,
o décimo sexto capítulo,
denominado "o yoga da discriminação
dos destinos divinos e dos demoníacos".

130. Na opinião de Ādi Śaṁkarācārya, essas escrituras são apenas os *Vedas*.

अथ सप्तदशोऽध्यायः ।

atha saptadaśo'dhyāyaḥ |

श्रद्धात्रयविभागयोगः

śraddhātrayavibhāgayogaḥ

अर्जुन उवाच ।

arjuna uvāca |

ये शास्त्रविधिमुत्सृज्य यजन्ते श्रद्धयान्विताः ।

ye śāstravidhimutsṛjya yajante śraddhayānvitāḥ |

तेषां निष्ठा तु का कृष्ण सत्त्वमाहो रजस्तमः ॥ १७-१ ॥

teṣāṁ niṣṭhā tu kā kṛṣṇa sattvamāho rajastamaḥ || 17-1 ||

श्रीभगवानुवाच ।

śrībhagavānuvāca |

त्रिविधा भवति श्रद्धा देहिनां सा स्वभावजा ।

trividhā bhavati śraddhā dehināṁ sā svabhāvajā |

सात्त्विकी राजसी चैव तामसी चेति तां शृणु ॥ १७-२ ॥

sāttvikī rājasī caiva tāmasī ceti tāṁ śṛṇu || 17-2 ||

सत्त्वानुरूपा सर्वस्य श्रद्धा भवति भारत ।

sattvānurūpā sarvasya śraddhā bhavati bhārata |

श्रद्धामयोऽयं पुरुषो यो यच्छ्रद्धः स एव सः ॥ १७-३ ॥

śraddhāmayo'yaṁ puruṣo yo yacchraddhaḥ sa eva saḥ || 17-3 ||

यजन्ते सात्त्विका देवान्यक्षरक्षांसि राजसाः ।

yajante sāttvikā devānyakṣarakṣāṁsi rājasāḥ |

प्रेतान्भूतगणांश्चान्ये यजन्ते तामसा जनाः ॥ १७-४ ॥

pretānbhūtagaṇāṁścānye yajante tāmasā janāḥ || 17-4 ||

Décimo sétimo capítulo

Discriminação da tríplice fé

Arjuna disse:

1. Qual é o estado, ó Kṛṣṇa,
daqueles que, tendo deixado de lado
as regras das escrituras,
oferecem com fé seus sacrifícios?
É *sattva*? *Rajas*? *Tamas*?

Senhor Bhagavān disse:

2. Essa fé dos encarnados é tríplice,
de acordo com sua própria natureza,
seja ela *sáttvica, rajásica* ou *tamásica*.
Escuta isso.

3. A fé de todos ganha forma
de conformidade com a natureza
(de cada um), ó Bhārata.
O homem é feito de fé:
qualquer que seja a sua fé,
assim mesmo ele é.

4. Os *sáttvicos* fazem sacrifícios
para os deuses.
Os *rajásicos,* para os *yakṣas* e *rakṣasas*.
As outras pessoas, *tamásicas,*
sacrificam para as almas dos mortos
e para outros grupos de espíritos
(menos elevados).

अशास्त्रविहितं घोरं तप्यन्ते ये तपो जनाः ।
aśāstravihitaṁ ghoraṁ tapyante ye tapo janāḥ |

दम्भाहंकारसंयुक्ताः कामरागबलान्विताः ॥ १७-५ ॥
dambhāhaṁkārasaṁyuktāḥ kāmarāgabalānvitāḥ || 17-5 ||

कर्षयन्तः शरीरस्थं भूतग्राममचेतसः ।
karṣayantaḥ śarīrasthaṁ bhūtagrāmamacetasaḥ |

मां चैवान्तःशरीरस्थं तान्विद्ध्यासुरनिश्चयान् ॥ १७-६ ॥
māṁ caivāntaḥśarīrasthaṁ tānviddhyāsuraniścayān || 17-6 ||

आहारस्त्वपि सर्वस्य त्रिविधो भवति प्रियः ।
āhārastvapi sarvasya trividho bhavati priyaḥ |

यज्ञस्तपस्तथा दानं तेषां भेदमिमं शृणु ॥ १७-७ ॥
yajñastapastathā dānaṁ teṣāṁ bhedamimaṁ śṛṇu || 17-7 ||

आयुःसत्त्वबलारोग्यसुखप्रीतिविवर्धनाः ।
āyuḥsattvabalārogyasukhaprītivivardhanāḥ |

रस्याः स्निग्धाः स्थिरा हृद्या आहाराः सात्त्विकप्रियाः ॥ १७-८ ॥
rasyāḥ snigdhāḥ sthirā hṛdyā āhārāḥ sāttvikapriyāḥ || 17-8 ||

कट्वम्ललवणात्युष्णतीक्ष्णरूक्षविदाहिनः ।
kaṭvamlalavaṇātyuṣṇatīkṣṇarūkṣavidāhinaḥ |

आहारा राजसस्येष्टा दुःखशोकामयप्रदाः ॥ १७-९ ॥
āhārā rājasasyeṣṭā duḥkhaśokāmayapradāḥ || 17-9 ||

यातयामं गतरसं पूति पर्युषितं च यत् ।
yātayāmaṁ gatarasaṁ pūti paryuṣitaṁ ca yat |

उच्छिष्टमपि चामेध्यं भोजनं तामसप्रियम् ॥ १७-१० ॥
ucchiṣṭamapi cāmedhyaṁ bhojanaṁ tāmasapriyam || 17-10 ||

अफलाङ्क्षिभिर्यज्ञो विधिदृष्टो य इज्यते ।
aphalāṅkṣibhiryajño vidhidṛṣṭo ya ijyate |

यष्टव्यमेवेति मनः समाधाय स सात्त्विकः ॥ १७-११ ॥
yaṣṭavyameveti manaḥ samādhāya sa sāttvikaḥ || 17-11 ||

5. Aquelas pessoas que se entregam
a uma ascese violenta, não prescrita nas escrituras,
conectadas a uma egoidade falsa,
levadas pela força do desejo e da paixão,

6. Insensatas, enfraquecendo o conjunto
dos elementos componentes do corpo,
e a mim mesmo, que estou presente dentro do corpo,
saibas que essas (pessoas) são demônios, sem dúvida.

7. O alimento preferido de cada um deles
também é de três tipos, assim como o sacrifício,
a ascese e também a caridade.
Escuta a distinção que há entre eles.

8. Os alimentos preferidos pelos *sáttvicos*
são aqueles que promovem o aumento
da duração da vida, da presença de espírito, da força,
da saúde, do bem-estar e da satisfação,
e que são cheios de sabor, macios, firmes, agradáveis.

9. Os alimentos preferidos pelos *rajásicos*
são picantes, ácidos, salgados, muito quentes,
ásperos, secos, e que ardem,
e produzem desconforto, dor e indigestão.

10. Os alimentos preferidos pelos *tamásicos*
são os rejeitos, sem sabor, pútridos,
passados do ponto, e os que sobraram
e ainda os impuros.

11. O sacrifício *sáttvico* é oferecido
de conformidade com as regras (das escrituras),
sem desejo pelos seus resultados,
com a mente convencida de que aquilo
é apenas o que deve ser feito.

अभिसन्धाय तु फलं दम्भार्थमपि चैव यत्।
abhisandhāya tu phalaṁ dambhārthamapi caiva yat |

इज्यते भरतश्रेष्ठ तं यज्ञं विद्धि राजसम्॥ १७-१२ ॥
ijyate bharataśreṣṭha taṁ yajñaṁ viddhi rājasam || 17-12 ||

विधिहीनमसृष्टान्नं मन्त्रहीनमदक्षिणम्।
vidhihīnamasṛṣṭānnaṁ mantrahīnamadakṣiṇam |

श्रद्धाविरहितं यज्ञं तामसं परिचक्षते॥ १७-१३ ॥
śraddhāvirahitaṁ yajñaṁ tāmasaṁ paricakṣate || 17-13 ||

देवद्विजगुरुप्राज्ञपूजनं शौचमार्जवम्।
devadvijaguruprājñapūjanaṁ śaucamārjavam |

ब्रह्मचर्यमहिंसा च शारीरं तप उच्यते॥ १७-१४ ॥
brahmacaryamahiṁsā ca śārīraṁ tapa ucyate || 17-14 ||

अनुद्वेगकरं वाक्यं सत्यं प्रियहितं च यत्।
anudvegakaraṁ vākyaṁ satyaṁ priyahitaṁ ca yat |

स्वाध्यायाभ्यसनं चैव वाङ्मयं तप उच्यते॥ १७-१५ ॥
svādhyāyābhyasanaṁ caiva vāṅmayaṁ tapa ucyate || 17-15 ||

मनः प्रसादः सौम्यत्वं मौनमात्मविनिग्रहः।
manaḥ prasādaḥ saumyatvaṁ maunamātmavinigrahaḥ |

भावसंशुद्धिरित्येतत्तपो मानसमुच्यते॥ १७-१६ ॥
bhāvasaṁśuddhirityetattapo mānasamucyate || 17-16 ||

श्रद्धया परया तप्तं तपस्तत्त्रिविधं नरैः।
śraddhayā parayā taptaṁ tapastattrividhaṁ naraiḥ |

अफलाकाङ्क्षिभिर्युक्तैः सात्त्विकं परिचक्षते॥ १७-१७ ॥
aphalākāṅkṣibhiryuktaiḥ sāttvikaṁ paricakṣate || 17-17 ||

सत्कारमानपूजार्थं तपो दम्भेन चैव यत्।
satkāramānapūjārthaṁ tapo dambhena caiva yat |

क्रियते तदिह प्रोक्तं राजसं चलमध्रुवम्॥ १७-१८ ॥
kriyate tadiha proktaṁ rājasaṁ calamadhruvam || 17-18 ||

12. Mas o sacrifício oferecido
com interesse nos resultados, apenas,
ainda que alegando com falsidade (outros) objetivos,
ó melhor dos Bhāratas,
saibas que esse sacrifício é *rajásico*.

13. Diz-se que é *tamásico* o sacrifício
que não segue as regras,
no qual não se oferece alimentos,
desprovido de *mantras*, sem *dakṣiṇa*[131] e sem fé.

14. Diz-se que a ascese do corpo
é a veneração aos deuses, aos iniciados,
aos preceptores e aos sábios, (e mais) a limpeza,
a retidão, a castidade, e a não violência.

15. Diz-se que a ascese verbal
é aquela fala que não é perturbadora,
que é verdadeira, agradável e útil,
(ou ainda) a recitação repetitiva
de versos sagrados.

16. Diz-se que a ascese mental
é o assentamento da mente, a gentileza,
o silêncio, o autocontrole e pureza na atitude.

17. Essa tríplice ascese,
praticada com uma fé absoluta
por homens ajustados,
sem expectativa em relação aos frutos,
se diz que é *sáttvica*.

18. Aquela ascese que é feita com falsidade,
com apenas a finalidade de obter respeito,
honrarias e veneração, é chamada aqui de *rajásica*,
sem estabilidade e sem foco.

131. "*Dakṣiṇa*" (m.) ou "*dakṣiṇā*" (*f.*) – doação feita ao sacerdote oficiante. Literalmente significa "uma vaca com leite abundante", que era dada ao sacerdote, como pagamento pela execução do ritual. Essa palavra também designa a direção sul do espaço mítico, que corresponde ao lado direito do corpo humano, dedicado aos ancestrais. Oferecer a *dakṣiṇā*, seja como doação de bens, seja colocando-se com o lado direito do corpo voltado para a divindade, o sacerdote ou o guru, é uma forma de mostrar respeito e prestar as devidas homenagens, de conformidade com a tradição hindu.

मूढग्राहेणात्मनो यत्पीडया क्रियते तपः ।
mūḍhagrāheṇātmano yatpīḍayā kriyate tapaḥ |

परस्योत्सादनार्थं वा तत्तामसमुदाहृतम् ॥ १७-१९ ॥
parasyotsādanārthaṁ vā tattāmasamudāhṛtam || 17-19 ||

दातव्यमिति यद्दानं दीयतेऽनुपकारिणे ।
dātavyamiti yaddānaṁ dīyate'nupakāriṇe |

देशे काले च पात्रे च तद्दानं सात्त्विकं स्मृतम् ॥ १७-२० ॥
deśe kāle ca pātre ca taddānaṁ sāttvikaṁ smṛtam || 17-20 ||

यत्तु प्रत्युपकारार्थं फलमुद्दिश्य वा पुनः ।
yattu pratyupakārārthaṁ phalamuddiśya vā punaḥ |

दीयते च परिक्लिष्टं तद्दानं राजसं स्मृतम् ॥ १७-२१ ॥
dīyate ca parikliṣṭaṁ taddānaṁ rājasaṁ smṛtam || 17-21 ||

अदेशकाले यद्दानमपात्रेभ्यश्च दीयते ।
adeśakāle yaddānamapātrebhyaśca dīyate |

असत्कृतमवज्ञातं तत्तामसमुदाहृतम् ॥ १७-२२ ॥
asatkṛtamavajñātaṁ tattāmasamudāhṛtam || 17-22 ||

ॐ तत्सदिति निर्देशो ब्रह्मणस्त्रिविधः स्मृतः ।
OM tatsaditi nirdeśo brahmaṇastrividhaḥ smṛtaḥ |

ब्राह्मणास्तेन वेदाश्च यज्ञाश्च विहिताः पुरा ॥ १७-२३ ॥
brāhmaṇāstena vedāśca yajñāśca vihitāḥ purā || 17-23 ||

तस्मादोमित्युदाहृत्य यज्ञदानतपःक्रियाः ।
tasmādomityudāhṛtya yajñadānatapaḥkriyāḥ |

प्रवर्तन्ते विधानोक्ताः सततं ब्रह्मवादिनाम् ॥ १७-२४ ॥
pravartante vidhānoktāḥ satataṁ brahmavādinām || 17-24 ||

तदित्यनभिसन्धाय फलं यज्ञतपःक्रियाः ।
tadityanabhisandhāya phalaṁ yajñatapaḥkriyāḥ |

दानक्रियाश्च विविधाः क्रियन्ते मोक्षकाङ्क्षिभिः ॥ १७-२५ ॥
dānakriyāśca vividhāḥ kriyante mokṣakāṅkṣibhiḥ || 17-25 ||

19. Aquela ascese que é feita de modo confuso,
ferindo a si mesmo
ou com o objetivo de prejudicar outros,
essa é chamada *tamásica.*

20. A caridade dada a quem nada trará em retorno,
apenas porque deve ser dada,
no local (adequado), no momento (adequado)
e para o beneficiário (adequado),
essa caridade é chamada *sáttvica.*

21. Aquela, porém, que é dada a contragosto,
com a finalidade de receber gratidão,
ou ainda com interesse em obter os frutos,
essa caridade é chamada *rajásica.*

22. Aquela caridade que é dada
no momento e local inadequados,
para pessoas sem mérito,
com desprezo e de forma ofensiva,
essa é chamada *tamásica.*

23. "*Om tat sat*" é chamado
a tríplice descrição de Brahma.
Por meio dela foram separados, no passado,
as instruções *brāhmanicas,* os *Vedas* e o sacrifício.

24. Por isso, tendo sido evocado o "*Om*",
são realizados continuamente
os atos de sacrifício, caridade e ascese,
conforme dito nas regras dos seguidores de Brahma.

25. Tendo pronunciado "*tat*",
os buscadores da libertação executam
variados atos de sacrifício, ascese e caridade,
sem a expectativa de desfrutar dos resultados.

सद्भावे साधुभावे च सदित्येतत्प्रयुज्यते ।
sadbhāve sādhubhāve ca sadityetatprayujyate |

प्रशस्ते कर्मणि तथा सच्छब्दः पार्थ युज्यते ॥ १७-२६ ॥
praśaste karmaṇi tathā sacchabdaḥ pārtha yujyate || 17-26 ||

यज्ञे तपसि दाने च स्थितिः सदिति चोच्यते ।
yajñe tapasi dāne ca sthitiḥ saditi cocyate |

कर्म चैव तदर्थीयं सदित्येवाभिधीयते ॥ १७-२७ ॥
karma caiva tadarthīyaṁ sadityevābhidhīyate || 17-27 ||

अश्रद्धया हुतं दत्तं तपस्तप्तं कृतं च यत् ।
aśraddhayā hutaṁ dattaṁ tapastaptaṁ kṛtaṁ ca yat |

असदित्युच्यते पार्थ न च तत्प्रेप्य नो इह ॥ १७-२८ ॥
asadityucyate pārtha na ca tatprepya no iha || 17-28 ||

ॐ तत्सदिति श्रीमद्भगवद्गीतायामुपनिषदि
OM tatsaditi śrīmadbhagavadgītāyāmupaniṣadi

ब्रह्मविद्यायां योगशास्त्रे श्रीकृष्णार्जुनसंवादे
brahmavidyāyāṁ yogaśāstre śrīkṛṣṇārjunasaṁvāde

श्रद्धात्रयविभागयोगो नाम सप्तदशोऽध्यायः ॥ १७ ॥
śraddhātrayavibhāgayogo nāma saptadaśo'dhyāyaḥ || 17 ||

26. "*Sat*" conduz a mente
para o que é verdadeiro e bom.
Assim, a palavra "*sat*" é utilizada
nas ações mais auspiciosas.

27. A perseverança no sacrifício,
na ascese e na caridade se diz que é "*sat*".
A simples ação (realizada) com essa intenção
também se chama "*sat*".

28. Aquilo que, sem fé, é sacrificado,
doado, praticado como ascese, ou realizado,
se diz que é "*asat*", ó Pārtha.
Isso não existe[132] nem depois da morte, nem agora.

OM tat sat!

Assim (termina)
na venerável *Bhagavad Gītā Upaniṣad*,
na sabedoria dos *mantras* (*Brahmavidyā*),
no tratado de Yoga,
no diálogo entre o senhor Kṛṣṇa e Arjuna,
o décimo sétimo capítulo, denominado
"o yoga da discriminação da tríplice fé".

132. Não produz resultado, é ineficaz.

अथाष्टादशोऽध्यायः ।

athāṣṭādaśo'dhyāyaḥ |

मोक्षसंन्यासयोगः

mokṣasaṁnyāsayogaḥ

अर्जुन उवाच ।
arjuna uvāca |

संन्यासस्य महाबाहो तत्त्वमिच्छामि वेदितुम् ।
saṁnyāsasya mahābāho tattvamicchāmi veditum |

त्यागस्य च हृषीकेश पृथक्केशिनिषूदन ॥ १८-१ ॥
tyāgasya ca hṛṣīkeśa pṛthakkeśiniṣūdana || 18-1 ||

श्रीभगवानुवाच ।
śrībhagavānuvāca |

काम्यानां कर्मणां न्यासं संन्यासं कवयो विदुः ।
kāmyānāṁ karmaṇāṁ nyāsaṁ saṁnyāsaṁ kavayo viduḥ |

सर्वकर्मफलत्यागं प्राहुस्त्यागं विचक्षणाः ॥ १८-२ ॥
sarvakarmaphalatyāgaṁ prāhustyāgaṁ vicakṣaṇāḥ || 18-2 ||

त्याज्यं दोषवदित्येके कर्म प्राहुर्मनीषिणः ।
tyājyaṁ doṣavadityeke karma prāhurmanīṣiṇaḥ |

यज्ञदानतपःकर्म न त्याज्यमिति चापरे ॥ १८-३ ॥
yajñadānatapaḥkarma na tyājyamiti cāpare || 18-3 ||

निश्चयं शृणु मे तत्र त्यागे भरतसत्तम ।
niścayaṁ śṛṇu me tatra tyāge bharatasattama |

त्यागो हि पुरुषव्याघ्र त्रिविधः सम्प्रकीर्तितः ॥ १८-४ ॥
tyāgo hi puruṣavyāghra trividhaḥ samprakīrtitaḥ || 18-4 ||

यज्ञदानतपःकर्म न त्याज्यं कार्यमेव तत् ।
yajñadānatapaḥkarma na tyājyaṁ kāryameva tat |

यज्ञो दानं तपश्चैव पावनानि मनीषिणाम् ॥ १८-५ ॥
yajño dānaṁ tapaścaiva pāvanāni manīṣiṇām || 18-5 ||

Décimo oitavo capítulo

Renúncia à libertação

Arjuna disse:

1. Quero saber a verdade sobre
o renunciamento, ó Mahābāhu,
e sobre o abandono (do fruto da ação),
ó Hṛṣīkeśa, separadamente, ó Keśiniṣūdana.

Senhor Bhagavān disse:

2. Os poetas conhecem por renunciamento
a abstenção das ações produzidas pelo desejo.
Os entendidos declaram que abandono
é o abandono dos frutos de todas as ações.

3. Há uns pensadores que dizem que
(toda) ação é um erro e que deve ser abandonada.
Outros (dizem) que ato de sacrifício, caridade
ou ascese não devem ser abandonados.

4. Ouve, ó Bhāratasattama,
minha opinião sobre o abandono.
O abandono é descrito como tríplice,
ó Puruṣavyāghra[133].

5. Ações de sacrifício, caridade ou ascese
não devem ser abandonadas,
mas apenas cumpridas.
Sacrifício, caridade e ascese são,
para os sábios, purificadores.

133. "Tigre entre os homens" (Arjuna).

एतान्यपि तु कर्माणि सङ्गं त्यक्त्वा फलानि च ।
etānyapi tu karmāṇi saṅgaṁ tyaktvā phalāni ca |

कर्तव्यानीति मे पार्थ निश्चितं मतमुत्तमम् ॥ १८-६ ॥
kartavyānīti me pārtha niścitaṁ matamuttamam || 18-6 ||

नियतस्य तु संन्यासः कर्मणो नोपपद्यते ।
niyatasya tu saṁnyāsaḥ karmaṇo nopapadyate |

मोहात्तस्य परित्यागस्तामसः परिकीर्तितः ॥ १८-७ ॥
mohāttasya parityāgastāmasaḥ parikīrtitaḥ || 18-7 ||

दुःखमित्येव यत्कर्म कायक्लेशभयात्त्यजेत् ।
duḥkhamityeva yatkarma kāyakleśabhayāttyajet |

स कृत्वा राजसं त्यागं नैव त्यागफलं लभेत् ॥ १८-८ ॥
sa kṛtvā rājasaṁ tyāgaṁ naiva tyāgaphalaṁ labhet || 18-8 ||

कार्यमित्येव यत्कर्म नियतं क्रियतेऽर्जुन ।
kāryamityeva yatkarma niyataṁ kriyate'rjuna |

सङ्गं त्यक्त्वा फलं चैव स त्यागः सात्त्विको मतः ॥ १८-९ ॥
saṅgaṁ tyaktvā phalaṁ caiva sa tyāgaḥ sāttviko mataḥ || 18-9 ||

न द्वेष्ट्यकुशलं कर्म कुशले नानुषज्जते ।
na dveṣṭyakuśalaṁ karma kuśale nānuṣajjate |

त्यागी सत्त्वसमाविष्टो मेधावी छिन्नसंशयः ॥ १८-१० ॥
tyāgī sattvasamāviṣṭo medhāvī chinnasaṁśayaḥ || 18-10 ||

न हि देहभृता शक्यं त्यक्तुं कर्माण्यशेषतः ।
na hi dehabhṛtā śakyaṁ tyaktuṁ karmāṇyaśeṣataḥ |

यस्तु कर्मफलत्यागी स त्यागीत्यभिधीयते ॥ १८-११ ॥
yastu karmaphalatyāgī sa tyāgītyabhidhīyate || 18-11 ||

अनिष्टमिष्टं मिश्रं च त्रिविधं कर्मणः फलम् ।
aniṣṭamiṣṭaṁ miśraṁ ca trividhaṁ karmaṇaḥ phalam |

भवत्यत्यागिनां प्रेत्य न तु संन्यासिनां क्वचित् ॥ १८-१२ ॥
bhavatyatyāgināṁ pretya na tu saṁnyāsināṁ kvacit || 18-12 ||

6. Mas, também, essas ações devem ser executadas
depois de abandonar o apego e os frutos,
esta é a minha opinião segura e final.

7. Não é correto, porém,
o renunciamento à ação adequada[134].
Esse grande abandono dessa (ação adequada)
é chamado *tamásico*.

8. Aquele que abandona a ação penosa,
por medo do sofrimento corporal,
faz um abandono *rajásico*,
(e) não consegue alcançar qualquer resultado
com esse abandono.

9. No caso daquela ação adequada que é feita
justamente porque deve ser feita, ó Arjuna,
tendo sido abandonados
apenas o apego e os frutos (dessa ação),
esse abandono é considerado *sáttvico*.

10. Não rejeita a ação maligna,
nem se apega à ação benigna,
o sábio que abandonou (o apego e os frutos),
que entrou na condição *sáttvica*
com suas dúvidas eliminadas.

11. Não é possível, de fato, para o encarnado
abandonar as ações completamente, mas se diz:
"quem abandona os frutos da ação,
esse é um desapegado"[135].

12. Desagradável, agradável e misto
é o tríplice fruto da ação.
(Ele) surge para os que não abandonam
(os frutos e o apego), quando morrem,
mas não (surge) em momento algum
para os renunciantes.

134. Veja o verso 3-8, sobre a ação adequada.

135. Literalmente: um "abandonador" (*tyāgin*).

पञ्चैतानि महाबाहो कारणानि निबोध मे ।
pañcaitāni mahābāho kāraṇāni nibodha me |

साङ्ख्ये कृतान्ते प्रोक्तानि सिद्धये सर्वकर्मणाम् ॥ १८-१३ ॥
sāṅkhye kṛtānte proktāni siddhaye sarvakarmaṇām || 18-13 ||

अधिष्ठानं तथा कर्ता करणं च पृथग्विधम् ।
adhiṣṭhānaṁ tathā kartā karaṇaṁ ca paṛthagvidham |

विविधाश्च पृथक्चेष्टा दैवं चैवात्र पञ्चमम् ॥ १८-१४ ॥
vividhāśca pṛthakceṣṭā daivaṁ caivātra pañcamam || 18-14 ||

शरीरवाङ्मनोभिर्यत्कर्म प्रारभते नरः ।
śarīravāṅmanobhiryatkarma prārabhate naraḥ |

न्याय्यं वा विपरीतं वा पञ्चैते तस्य हेतवः ॥ १८-१५ ॥
nyāyyaṁ vā viparītaṁ vā pañcaite tasya hetavaḥ || 18-15 ||

तत्रैवं सति कर्तारमात्मानं केवलं तु यः ।
tatraivaṁ sati kartāramātmānaṁ kevalaṁ tu yaḥ |

पश्यत्यकृतबुद्धित्वान्न स पश्यति दुर्मतिः ॥ १८-१६ ॥
paśyatyakṛtabuddhitvānna sa paśyati durmatiḥ || 18-16 ||

यस्य नाहंकृतो भावो बुद्धिर्यस्य न लिप्यते ।
yasya nāhaṁkṛto bhāvo buddhiryasya na lipyate |

हत्वाऽपि स इमाँल्लोकान्न हन्ति न निबध्यते ॥ १८-१७ ॥
hatvā'pi sa imāňllokānna hanti na nibadhyate || 18-17 ||

ज्ञानं ज्ञेयं परिज्ञाता त्रिविधा कर्मचोदना ।
jñānaṁ jñeyaṁ parijñātā trividhā karmacodanā |

करणं कर्म कर्तेति त्रिविधः कर्मसंग्रहः ॥ १८-१८ ॥
karaṇaṁ karma karteti trividhaḥ karmasaṁgrahaḥ || 18-18 ||

ज्ञानं कर्म च कर्ताच त्रिधैव गुणभेदतः ।
jñānaṁ karma ca kartāca tridhaiva guṇabhedataḥ |

प्रोच्यते गुणसङ्ख्याने यथावच्छृणु तान्यपि ॥ १८-१९ ॥
procyate guṇasaṅkhyāne yathāvacchṛṇu tānyapi || 18-19 ||

13. Aprende de mim, ó Mahābāhu,
estas cinco causas mencionadas
conclusivamente no *Sāṅkhya* (como operativas)
para o sucesso de todas as ações:

14. O corpo, assim como o agente (a mente),
o instrumento com muitas variedades
(os sentidos do corpo),
os variados gestos (movimento)[136]
e o quinto, o componente divino[137].

15. Qualquer que seja a ação que um homem
inicie com o corpo, a voz ou a mente,
seja ela boa ou ruim, suas causas são essas cinco.

16. Mas, sendo assim, aquele que vê
o si-mesmo como o único agente,
essa pessoa de entendimento limitado
por sua falta de inteligência, não vê (corretamente).

17. Aquele em quem o espírito da egoidade
não existe mais, cuja inteligência é imaculada,
mesmo tendo ele matado estas multidões
(de guerreiros), não mata,
nem é aprisionado (por suas ações).

18. O conhecimento, o objeto do conhecimento
e o conhecedor são o tríplice impulso da ação.
O instrumento, a ação e o agente
são a tríplice maneira pela qual a ação é percebida.

19. O conhecimento, a ação e o fazedor (da ação)
são de três tipos (cada um),
divididos pelas qualidades (da natureza),
conforme é descrito na enumeração
dessas qualidades.
Então escuta essas (distinções), também:

136. Ādi Śaṁkarācārya informa que esse movimento é o *prāṇa*.

137. O componente divino é a presença de espírito.

सर्वभूतेषु येनैकं भावमव्ययमीक्षते ।
sarvabhūteṣu yenaikaṁ bhāvamavyayamīkṣate |

अविभक्तं विभक्तेषु तज्ज्ञानं विद्धि सात्त्विकम् ॥ १८-२० ॥
avibhaktaṁ vibhakteṣu tajjñānaṁ viddhi sāttvikam || 18-20 ||

पृथक्त्वेन तु यज्ज्ञानं नानाभावान्पृथग्विधान् ।
pṛthaktvena tu yajjñānaṁ nānābhāvānpṛthagvidhān |

वेत्ति सर्वेषु भूतेषु तज्ज्ञानं विद्धि राजसम् ॥ १८-२१ ॥
vetti sarveṣu bhūteṣu tajjñānaṁ viddhi rājasam || 18-21 ||

यत्तु कृत्स्नवदेकस्मिन्कार्ये सक्तमहैतुकम् ।
yattu kṛtsnavadekasminkārye saktamahaitukam |

अतत्त्वार्थवदल्पं च तत्तामसमुदाहृतम् ॥ १८-२२ ॥
atattvārthavadalpaṁ ca tattāmasamudāhṛtam || 18-22 ||

नियतं सङ्गरहितमरागद्वेषतः कृतम् ।
niyataṁ saṅgarahitamarāgadveṣataḥ kṛtam |

अफलप्रेप्सुना कर्म यत्तत्सात्त्विकमुच्यते ॥ १८-२३ ॥
aphalaprepsunā karma yattatsāttvikamucyate || 18-23 ||

यत्तु कामेप्सुना कर्म साहंकारेण वा पुनः ।
yattu kāmepsunā karma sāhaṁkāreṇa vā punaḥ |

क्रियते बहुलायासं तद्राजसमुदाहृतम् ॥ १८-२४ ॥
kriyate bahulāyāsaṁ tadrājasamudāhṛtam || 18-24 ||

अनुबन्धं क्षयं हिंसामनपेक्ष्य च पौरुषम् ।
anubandhaṁ kṣayaṁ hiṁsāmanapekṣya ca pauruṣam |

मोहादारभ्यते कर्म यत्तत्तामसमुच्यते ॥ १८-२५ ॥
mohādārabhyate karma yattattāmasamucyate || 18-25 ||

मुक्तसङ्गोऽनहंवादी धृत्युत्साहसमन्वितः ।
muktasaṅgo'nahaṁvādī dhṛtyutsāhasamanvitaḥ |

सिद्ध्यसिद्ध्योर्निर्विकारः कर्ता सात्त्विक उच्यते ॥ १८-२६ ॥
siddhyasiddhyornirvikāraḥ kartā sāttvika ucyate || 18-26 ||

20. Aquele (conhecimento) pelo qual se vê
a existência única imutável em todas as criaturas,
(se vê) o indiviso naqueles que são divididos,
sabe que esse conhecimento é *sáttvico.*

21. Mas aquele conhecimento que percebe,
separadamente, inúmeras existências variadas
em cada uma das criaturas,
sabe que esse conhecimento é *rajásico.*

22. Aquele (conhecimento) sem sustentação,
desconectado da realidade, insignificante,
que se apega a um detalhe como se fosse o todo,
esse (conhecimento) é chamado *tamásico.*

23. A ação adequada, livre de apego,
realizada sem desejo ou aversão,
sem a intenção de desfrutar de seus resultados,
é chamada *sáttvica.*

24. Mas aquela ação
que é feita com muito esforço,
na expectativa de (desfrute de) prazer,
ou ainda para fortalecer o ego,
é chamada *rajásica.*

25. Aquela ação iniciada a partir de uma ilusão,
sem que se leve em consideração suas consequências,
se destrói ou fere pessoas,
essa (ação) se diz que é *tamásica.*

26. O fazedor (da ação) que está livre de apegos,
que não é presunçoso,
dotado de firmeza e perseverança,
que não se altera no sucesso ou no fracasso,
(esse fazedor) se diz que é *sáttvico.*

रागी कर्मफलप्रेप्सुर्लुब्धो हिंसात्मकोऽशुचिः ।
rāgī karmaphalaprepsurlubdho hiṁsātmako'śuciḥ |

हर्षशोकान्वितः कर्ता राजसः परिकीर्तितः ॥ १८-२७ ॥
harṣaśokānvitaḥ kartā rājasaḥ parikīrtitaḥ || 18-27 ||

अयुक्तः प्राकृतः स्तब्धः शठो नैष्कृतिकोऽलसः ।
ayuktaḥ prākṛtaḥ stabdhaḥ śaṭho naiṣkṛtiko'lasaḥ |

विषादी दीर्घसूत्री च कर्ता तामस उच्यते ॥ १८-२८ ॥
viṣādī dīrghasūtrī ca kartā tāmasa ucyate || 18-28 ||

बुद्धेर्भेदं धृतेश्चैव गुणतस्त्रिविधं शृणु ।
buddherbhedaṁ dhṛteścaiva guṇatastrividhaṁ śṛṇu |

प्रोच्यमानमशेषेण पृथक्त्वेन धनञ्जय ॥ १८-२९ ॥
procyamānamaśeṣeṇa pṛthaktvena dhanañjaya || 18-29 ||

प्रवृत्तिं च निवृत्तिं च कार्याकार्ये भयाभये ।
pravṛttiṁ ca nivṛttiṁ ca kāryākārye bhayābhaye |

बन्धं मोक्षं च या वेत्ति बुद्धिः सा पार्थ सात्त्विकी ॥ १८-३० ॥
bandhaṁ mokṣaṁ ca yā vetti buddhiḥ sā pārtha sāttvikī || 18-30 ||

यया धर्ममधर्मं च कार्यं चाकार्यमेव च ।
yayā dharmamadharmaṁ ca kāryaṁ cākāryameva ca |

अयथावत्प्रजानाति बुद्धिः सा पार्थ राजसी ॥ १८-३१ ॥
ayathāvatprajānāti buddhiḥ sā pārtha rājasī || 18-31 ||

अधर्मं धर्ममिति या मन्यते तमसावृता ।
adharmaṁ dharmamiti yā manyate tamasāvṛtā |

सर्वार्थान्विपरीतांश्च बुद्धिः सा पार्थ तामसी ॥ १८-३२ ॥
sarvārthānviparītāṁśca buddhiḥ sā pārtha tāmasī || 18-32 ||

धृत्या यया धारयते मनःप्राणेन्द्रियक्रियाः ।
dhṛtyā yayā dhārayate manaḥprāṇendriyakriyāḥ |

योगेनाव्यभिचारिण्या धृतिः सा पार्थ सात्त्विकी ॥ १८-३३ ॥
yogenāvyabhicāriṇyā dhṛtiḥ sā pārtha sāttvikī || 18-33 ||

27. O fazedor cheio de desejos,
ansioso pelos frutos da ação, ganancioso,
agressivo, sujo, sujeito à excitação e à tristeza,
(esse fazedor) é chamado *rajásico*.

28. O fazedor desajustado, vulgar,
arrogante, enganador, desonesto,
preguiçoso, deprimido e procrastinador,
(esse fazedor) é chamado *tamásico*.

29. Escuta (agora), ó Dhanañjaya,
explicada por completo e em detalhes,
a distinção entre os três tipos
de inteligência e de firmeza,
de conformidade com as qualidades (da Natureza).

30. A inteligência que conhece
a atividade e a inatividade,
o que deve ser feito e o que não deve ser feito,
o que deve e o que não deve ser temido,
o aprisionamento e a libertação,
essa (inteligência) é *sáttvica*.

31. A inteligência pela qual se conhece
incorretamente o *dharma* e o *adharma*,
e o que deve e o que não deve ser feito,
essa (inteligência) é *rajásica*, ó Pārtha.

32. A inteligência que, obscurecida pelas trevas,
entende que o *adharma* é o *dharma*,
e (entende) todos os significados pelo inverso,
essa é *tamásica*, ó Pārtha.

33. A firmeza pela qual se mantêm
as atividades da mente, do *prāṇa* e dos sentidos
em um ajustamento[138] correto,
essa firmeza se chama *sáttvica*.

138. Literalmente: "yoga", que aqui tem o sentido de "ajustamento".

यया तु धर्मकामार्थान्धृत्या धारयतेऽर्जुन।
yayā tu dharmakāmārthāndhṛtyā dhārayate'rjuna |

प्रसङ्गेन फलाकाङ्क्षी धृतिः सा पार्थ राजसी॥ १८-३४॥
prasaṅgena phalākāṅkṣī dhṛtiḥ sā pārtha rājasī || 18-34 ||

यया स्वप्नं भयं शोकं विषादं मदमेव च।
yayā svapnaṁ bhayaṁ śokaṁ viṣādaṁ madameva ca |

न विमुञ्चति दुर्मेधा धृतिः सा पार्थ तामसी॥ १८-३५॥
na vimuñcati durmedhā dhṛtiḥ sā pārtha tāmasī || 18-35 ||

सुखं त्विदानीं त्रिविधं शृणु मे भरतर्षभ।
sukhaṁ tvidānīṁ trividhaṁ śṛṇu me bharatarṣabha |

अभ्यासाद्रमते यत्र दुःखान्तं च निगच्छति॥ १८-३६॥
abhyāsādramate yatra duḥkhāntaṁ ca nigacchati || 18-36 ||

यत्तदग्रे विषमिव परिणामेऽमृतोपमम्।
yattadagre viṣamiva pariṇāme'mṛtopamam |

तत्सुखं सात्त्विकं प्रोक्तमात्मबुद्धिप्रसादजम्॥ १८-३७॥
tatsukhaṁ sāttvikaṁ proktamātmabuddhiprasādajam || 18-37 ||

विषयेन्द्रियसंयोगाद्यत्तदग्रेऽमृतोपमम्।
viṣayendriyasaṁyogādyattadagre'mṛtopamam |

परिणामे विषमिव तत्सुखं राजसं स्मृतम्॥ १८-३८॥
pariṇāme viṣamiva tatsukhaṁ rājasaṁ smṛtam || 18-38 ||

यदग्रे चानुबन्धे च सुखं मोहनमात्मनः।
yadagre cānubandhe ca sukhaṁ mohanamātmanaḥ |

निद्रालस्यप्रमादोत्थं तत्तामसमुदाहृतम्॥ १८-३९॥
nidrālasyapramādotthaṁ tattāmasamudāhṛtam || 18-39 ||

न तदस्ति पृथिव्यां वा दिवि देवेषु वा पुनः।
na tadasti pṛthivyāṁ vā divi deveṣu vā punaḥ |

सत्त्वं प्रकृतिजैर्मुक्तं यदेभिः स्यात्त्रिभिर्गुणैः॥ १८-४०॥
sattvaṁ prakṛtijairmuktaṁ yadebhiḥ syāttribhirguṇaiḥ || 18-40 ||

34. A firmeza, ó Arjuna, pela qual se mantêm
o *dharma*, os desejos e as riquezas,
esperando por seus frutos, no momento oportuno,
essa firmeza é *rajásica*, ó Pārtha.

35. A firmeza com a qual o ignorante não se liberta
de sonho, medo, tristeza, desgosto e torpor,
essa firmeza é *tamásica*, ó Pārtha.

36. Ouve agora de mim, ó Touro dos Bhāratas,
o tríplice bem-estar.
Aquele (bem-estar) que agrada
pelo exercício continuado,
no qual se alcança o fim do sofrimento,

37. Aquele que no início é como veneno,
e no final é um excelente néctar da imortalidade,
esse bem-estar nascido da serenidade
da inteligência do si-mesmo
é chamado *sáttvico*.

38. Aquele (bem-estar) surgido
da união dos sentidos com seus objetos,
que no início é como um excelente
néctar da imortalidade,
e no final é como um veneno,
esse bem-estar é lembrado como *rajásico*.

39. Aquele bem-estar, presente no sono,
na inatividade e no torpor,
e que no início e nas suas consequências
é uma ilusão para o si-mesmo,
é chamado *tamásico*.

40. Não existe, seja na terra, seja no céu,
entre os deuses, qualquer ser que esteja livre
dessas três qualidades nascidas da Natureza.

ब्राह्मणक्षत्रियविशां शूद्राणां च परन्तप ।
brāhmaṇakṣatriyaviśāṁ śūdrāṇāṁ ca parantapa |

कर्माणि प्रविभक्तानि स्वभावप्रभवैर्गुणैः ॥ १८-४१ ॥
karmāṇi pravibhaktāni svabhāvaprabhavairguṇaiḥ || 18-41 ||

शमो दमस्तपः शौचं क्षान्तिरार्जवमेव च ।
śamo damastapaḥ śaucaṁ kṣāntirārjavameva ca |

ज्ञानं विज्ञानमास्तिक्यं ब्रह्मकर्म स्वभावजम् ॥ १८-४२ ॥
jñānaṁ vijñānamāstikyaṁ brahmakarma svabhāvajam || 18-42 ||

शौर्यं तेजो धृतिर्दाक्ष्यं युद्धे चाप्यपलायनम् ।
śauryaṁ tejo dhṛtirdākṣyaṁ yuddhe cāpyapalāyanam |

दानमीश्वरभावश्च क्षात्रं कर्म स्वभावजम् ॥ १८-४३ ॥
dānamīśvarabhāvaśca kṣātraṁ karma svabhāvajam || 18-43 ||

कृषिगौरक्ष्यवाणिज्यं वैश्यकर्म स्वभावजम् ।
kṛṣigaurakṣyavāṇijyaṁ vaiśyakarma svabhāvajam |

परिचर्यात्मकं कर्म शूद्रस्यापि स्वभावजम् ॥ १८-४४ ॥
paricaryātmakaṁ karma śūdrasyāpi svabhāvajam || 18-44 ||

स्वे स्वे कर्मण्यभिरतः संसिद्धिं लभते नरः ।
sve sve karmaṇyabhirataḥ saṁsiddhiṁ labhate naraḥ |

स्वकर्मनिरतः सिद्धिं यथा विन्दति तच्छृणु ॥ १८-४५ ॥
svakarmanirataḥ siddhiṁ yathā vindati tacchṛṇu || 18-45 ||

यतः प्रवृत्तिर्भूतानां येन सर्वमिदं ततम् ।
yataḥ pravṛttirbhūtānāṁ yena sarvamidaṁ tatam |

स्वकर्मणा तमभ्यर्च्य सिद्धिं विन्दति मानवः ॥ १८-४६ ॥
svakarmaṇā tamabhyarcya siddhiṁ vindati mānavaḥ || 18-46 ||

श्रेयान्स्वधर्मो विगुणः परधर्मात्स्वनुष्ठितात् ।
śreyānsvadharmo viguṇaḥ paradharmātsvanuṣṭhitāt |

स्वभावनियतं कर्म कुर्वन्नाप्नोति किल्बिषम् ॥ १८-४७ ॥
svabhāvaniyataṁ karma kurvannāpnoti kilbiṣam || 18-47 ||

41. As ações dos *brāhmanes,* dos *kṣatriyas,*
dos *vaiśyas* e dos *śūdras,* ó Parantapa,
se diferenciam pelas qualidades surgidas
da natureza própria de cada um deles.

42. Tranquilidade, autocontrole, ascese, limpeza,
paciência e retidão, vivência, erudição e ortodoxia
são a ação do *brāhmane,*
nascida de sua própria natureza.

43. Heroísmo, energia, firmeza, habilidade,
valentia na guerra, caridade e atitude de comando
são a ação do *kṣatriya,*
nascida de sua própria natureza.

44. Agricultura, pecuária e comércio
são a ação do *vaiśya,*
nascida de sua própria natureza.
Constituída pela prestação de serviços
é a ação do *śūdra,*
nascida de sua própria natureza.

45. Satisfeito com sua própria ação
o homem alcança a perfeição.
Escuta como ele encontra essa perfeição,
contente com sua própria ação.

46. O homem encontra a perfeição,
tendo adorado, com sua própria ação,
aquele que é a origem das criaturas,
o criador de todo este mundo.

47. É melhor o seu próprio *dharma* sem qualidade
do que o *dharma* de outro bem executado.
Fazendo a ação adequada à sua própria natureza,
não se incorre em pecado.

सहजं कर्म कौन्तेय सदोषमपि न त्यजेत् ।
sahajaṁ karma kaunteya sadoṣamapi na tyajet |

सर्वारम्भा हि दोषेण धूमेनाग्निरिवावृताः ॥ १८-४८ ॥
sarvārambhā hi doṣeṇa dhūmenāgnirivāvṛtāḥ || 18-48 ||

असक्तबुद्धिः सर्वत्र जितात्मा विगतस्पृहः ।
asaktabuddhiḥ sarvatra jitātmā vigataspṛhaḥ |

नैष्कर्म्यसिद्धिं परमां संन्यासेनाधिगच्छति ॥ १८-४९ ॥
naiṣkarmyasiddhiṁ paramāṁ saṁnyāsenādhigacchati || 18-49 ||

सिद्धिं प्राप्तो यथा ब्रह्म तथाप्नोति निबोध मे ।
siddhiṁ prāpto yathā brahma tathāpnoti nibodha me |

समासेनैव कौन्तेय निष्ठा ज्ञानस्य या परा ॥ १८-५० ॥
samāsenaiva kaunteya niṣṭhā jñānasya yā parā || 18-50 ||

बुद्ध्या विशुद्धया युक्तो धृत्यात्मानं नियम्य च ।
buddhyā viśuddhayā yukto dhṛtyātmānaṁ niyamya ca |

शब्दादीन्विषयांस्त्यक्त्वा रागद्वेषौ व्युदस्य च ॥ १८-५१ ॥
śabdādīnviṣayāṁstyaktvā rāgadveṣau vyudasya ca || 18-51 ||

विविक्तसेवी लघ्वाशी यतवाक्कायमानसः ।
viviktasevī laghvāśī yatavākkāyamānasaḥ |

ध्यानयोगपरो नित्यं वैराग्यं समुपाश्रितः ॥ १८-५२ ॥
dhyānayogaparo nityaṁ vairāgyaṁ samupāśritaḥ || 18-52 ||

अहंकारं बलं दर्पं कामं क्रोधं परिग्रहम् ।
ahaṁkāraṁ balaṁ darpaṁ kāmaṁ krodhaṁ parigraham |

विमुच्य निर्ममः शान्तो ब्रह्मभूयाय कल्पते ॥ १८-५३ ॥
vimucya nirmamaḥ śānto brahmabhūyāya kalpate || 18-53 ||

ब्रह्मभूतः प्रसन्नात्मा न शोचति न काङ्क्षति ।
brahmabhūtaḥ prasannātmā na śocati na kāṅkṣati |

समः सर्वेषु भूतेषु मद्भक्तिं लभते पराम् ॥ १८-५४ ॥
samaḥ sarveṣu bhūteṣu madbhaktiṁ labhate parām || 18-54 ||

48. Não se deve abandonar a ação inata,
ó Kaunteya, ainda que seja imperfeita.
Toda (boa) iniciativa (está oculta)
pelas imperfeições,
tal como o fogo está oculto pela fumaça.

49. Aquele cuja inteligência
está livre de apegos aonde quer que vá,
que venceu a si mesmo, que está livre de expectativas,
por meio do renunciamento
chega à suprema perfeição da independência
em relação às ações.

50. Aprende de mim resumidamente, ó Kaunteya,
que assim como (essa) perfeição foi alcançada,
também se alcança Brahma,
que é a perfeição final do conhecimento.

51. Ajustado por uma inteligência purificada;
tendo recolhido o si-mesmo com firmeza;
tendo abandonado os objetos dos sentidos,
como os sons e outros;
tendo rejeitado desejo e aversão;

52. Buscando a solidão; comendo pouco;
com a voz, o corpo e a mente controlados;
permanentemente no estado que está
além da meditação; refugiando-se no desapego;

53. Tendo se libertado da egoidade, da força,
do orgulho, do desejo, da ira, do desejo de posse;
desprovido de sentimento de "meu"; pacífico;
(ele) consegue fazer parte de Brahma.

54. Tornado Brahma, com o si-mesmo purificado,
não se aflige nem ambiciona.
(Sendo) o mesmo entre todas as criaturas,
conquista a suprema devoção a mim.

भक्त्या मामभिजानाति यावान्यश्चास्मि तत्त्वतः ।
bhaktyā māmabhijānāti yāvānyaścāsmi tattvataḥ |

ततो मां तत्त्वतो ज्ञात्वा विशते तदनन्तरम् ॥ १८-५५ ॥
tato māṁ tattvato jñātvā viśate tadanantaram || 18-55 ||

सर्वकर्माण्यपि सदा कुर्वाणो मद्व्यपाश्रयः ।
sarvakarmāṇyapi sadā kurvāṇo madvyapāśrayaḥ |

मत्प्रसादादवाप्नोति शाश्वतं पदमव्ययम् ॥ १८-५६ ॥
matprasādādavāpnoti śāśvataṁ padamavyayam || 18-56 ||

चेतसा सर्वकर्माणि मयि संन्यस्य मत्परः ।
cetasā sarvakarmāṇi mayi saṁnyasya matparaḥ |

बुद्धियोगमुपाश्रित्य मच्चित्तः सततं भव ॥ १८-५७ ॥
buddhiyogamupāśritya maccittaḥ satataṁ bhava || 18-57 ||

मच्चित्तः सर्वदुर्गाणि मत्प्रसादात्तरिष्यसि ।
maccittaḥ sarvadurgāṇi matprasādāttariṣyasi |

अथ चेत्त्वमहंकारान्न श्रोष्यसि विनङ्क्ष्यसि ॥ १८-५८ ॥
atha cettvamahaṁkārānna śroṣyasi vinaṅkṣyasi || 18-58 ||

यदहंकारमाश्रित्य न योत्स्य इति मन्यसे ।
yadahaṁkāramāśritya na yotsya iti manyase |

मिथ्यैष व्यवसायस्ते प्रकृतिस्त्वां नियोक्ष्यति ॥ १८-५९ ॥
mithyaiṣa vyavasāyaste prakṛtistvāṁ niyokṣyati || 18-59 ||

स्वभावजेन कौन्तेय निबद्धः स्वेन कर्मणा ।
svabhāvajena kaunteya nibaddhaḥ svena karmaṇā |

कर्तुं नेच्छसि यन्मोहात्करिष्यस्यवशोपि तत् ॥ १८-६० ॥
kartuṁ necchasi yanmohātkariṣyasyavaśopi tat || 18-60 ||

ईश्वरः सर्वभूतानां हृद्देशेऽर्जुन तिष्ठति ।
īśvaraḥ sarvabhūtānāṁ hṛddeśe'rjuna tiṣṭhati |

भ्रामयन्सर्वभूतानि यन्त्रारूढानि मायया ॥ १८-६१ ॥
bhrāmayansarvabhūtāni yantrārūḍhāni māyayā || 18-61 ||

55. Pela devoção me conhece
da maneira como sou, de verdade.
Então, tendo me conhecido de verdade,
depois disso adentra (a minha natureza).

56. Ainda que esteja sempre
fazendo todas as (suas) ações,
aquele que busca refúgio em mim alcança,
pela minha graça, a posição eterna e inalterável.

57. Tendo-me como meta suprema,
tendo renunciado a meu favor todas as (tuas) ações,
tendo buscado refúgio no ajustamento
da inteligência, fica (tu) sempre
com a mente voltada para mim.

58. Com a mente voltada para mim,
por minha graça atravessarás todas as dificuldades.
Mas se, tomado pelo senso do "eu",
não (me) ouvires, perecerás.

59. Pois se, tendo-te envolvido com a egoidade,
pensas "não combaterei",
essa decisão tua é equivocada.
A Natureza te ajustará (ao que deve ser feito).

60. Ó Kaunteya, preso à tua própria ação,
nascida de tua própria natureza,
que não queres fazer por estares iludido,
(essa mesma ação) farás, ainda que contra a vontade.

61. O senhor (Īśvara) está no território
do coração de todas as criaturas, ó Arjuna,
fazendo que se movam, pelo seu poder de ilusão,
todas as criaturas (como se estivessem)
montadas sobre um mecanismo[139].

139. "*Yantra*".

तमेव शरणं गच्छ सर्वभावेन भारत ।

tameva śaraṇaṁ gaccha sarvabhāvena bhārata |

तत्प्रसादात्परां शान्तिं स्थानं प्राप्स्यसि शाश्वतम् ॥ १८-६२ ॥

tatprasādātparāṁ śāntiṁ sthānaṁ prāpsyasi śāśvatam || 18-62 ||

इति ते ज्ञानमाख्यातं गुह्याद्गुह्यतरं मया ।

iti te jñānamākhyātaṁ guhyādguhyataraṁ mayā |

विमृश्यैतदशेषेण यथेच्छसि तथा कुरु ॥ १८-६३ ॥

vimṛśyaitadaśeṣeṇa yathecchasi tathā kuru || 18-63 ||

सर्वगुह्यतमं भूयः शृणु मे परमं वचः ।

sarvaguhyatamaṁ bhūyaḥ śṛṇu me paramaṁ vacaḥ |

इष्टोऽसि मे दृढमिति ततो वक्ष्यामि ते हितम् ॥ १८-६४ ॥

iṣṭo'si me dṛḍhamiti tato vakṣyāmi te hitam || 18-64 ||

मन्मना भव मद्भक्तो मद्याजी मां नमस्कुरु ।

manmanā bhava madbhakto madyājī māṁ namaskuru |

मामेवैष्यसि सत्यं ते प्रतिजाने प्रियोऽसि मे ॥ १८-६५ ॥

māmevaiṣyasi satyaṁ te pratijāne priyo'si me || 18-65 ||

सर्वधर्मान्परित्यज्य मामेकं शरणं व्रज ।

sarvadharmānparityajya māmekaṁ śaraṇaṁ vraja |

अहं त्वां सर्वपापेभ्यो मोक्ष्ययिष्यामि मा शुचः ॥ १८-६६ ॥

ahaṁ tvāṁ sarvapāpebhyo mokṣyayiṣyāmi mā śucaḥ || 18-66 ||

इदं ते नातपस्काय नाभक्ताय कदाचन ।

idaṁ te nātapaskāya nābhaktāya kadācana |

न चाशुश्रूषवे वाच्यं न च मां योऽभ्यसूयति ॥ १८-६७ ॥

na cāśuśrūṣave vācyaṁ na ca māṁ yo'bhyasūyati || 18-67 ||

य इदं परमं गुह्यं मद्भक्तेष्वभिधास्यति ।

ya idaṁ paramaṁ guhyaṁ madbhakteṣvabhidhāsyati |

भक्तिं मयि परां कृत्वा मामेवैष्यत्यसंशयः ॥ १८-६८ ॥

bhaktiṁ mayi parāṁ kṛtvā māmevaiṣyatyasaṁśayaḥ || 18-68 ||

62. Busca refúgio nele, apenas,
com todo o teu ser, ó Bhārata.
Por sua graça obterás uma posição
de paz suprema permanente.

63. Aqui termina o conhecimento
mais secreto do que o segredo,
enunciado por mim para ti (apenas).
Tendo refletido sobre ele, em sua totalidade,
faz da maneira que quiseres.

64. Escuta ainda uma vez minha palavra final,
a mais secreta de todas.
Tu me és querido. És firme[140],
e por esta razão falarei (novamente)
para teu bem.

65. Tem a mente voltada para mim, sê meu devoto,
sacrifica para mim, faz reverências para mim.
Virás somente a mim, te asseguro de verdade.
És-me querido.

66. Tendo abandonado todos os *dharmas*
corre para mim, (teu) único refúgio.
Eu te libertarei de todos os pecados, não te aflijas.

67. Isto não deve ser revelado por ti, jamais,
para quem não pratica ascese,
para quem não tem devoção,
para quem não deseja ouvir
e para quem tem raiva de mim.

68. Aquele que revelar
este segredo supremo entre meus devotos,
tendo praticado uma devoção excelente para mim,
(este) certamente virá a mim, apenas.

140. "Firme", ou seja, confiável para guardar o segredo a ele revelado.

न च तस्मान्मनुष्येषु कश्चिन्मे प्रियकृत्तमः ।
na ca tasmānmanuṣyeṣu kaścinme priyakṛttamaḥ |

भविता न च मे तस्मादन्यः प्रियतरो भुवि ॥ १८-६९ ॥
bhavitā na ca me tasmādanyaḥ priyataro bhuvi || 18-69 ||

अध्येष्यते च य इमं धर्म्यं संवादमावयोः ।
adhyeṣyate ca ya imaṁ dharmyaṁ saṁvādamāvayoḥ |

ज्ञानयज्ञेन तेनाहमिष्टः स्यामिति मे मतिः ॥ १८-७० ॥
jñānayajñena tenāhamiṣṭaḥ syāmiti me matiḥ || 18-70 ||

श्रद्धावाननसूयश्च शृणुयादपि यो नरः ।
śraddhāvānanasūyaśca śṛṇuyādapi yo naraḥ |

सोऽपि मुक्तः शुभाँल्लोकान्प्राप्नुयात्पुण्यकर्मणाम् ॥ १८-७१ ॥
so'pi muktaḥ śubhāँllokānprāpnuyātpuṇyakarmaṇām || 18-71 ||

कच्चिदेतच्छ्रुतं पार्थ त्वयैकाग्रेण चेतसा ।
kaccidetacchrutaṁ pārtha tvayaikāgreṇa cetasā |

कच्चिदज्ञानसम्मोहः प्रनष्टस्ते धनञ्जय ॥ १८-७२ ॥
kaccidajñānasammohaḥ pranaṣṭaste dhanañjaya || 18-72 ||

अर्जुन उवाच ।
arjuna uvāca |

नष्टो मोहः स्मृतिर्लब्धा त्वत्प्रसादान्मयाच्युत ।
naṣṭo mohaḥ smṛtirlabdhā tvatprasādānmayācyuta |

स्थितोऽस्मि गतसन्देहः करिष्ये वचनं तव ॥ १८-७३ ॥
sthito'smi gatasandehaḥ kariṣye vacanaṁ tava || 18-73 ||

सञ्जय उवाच ।
sañjaya uvāca |

इत्यहं वासुदेवस्य पार्थस्य च महात्मनः ।
ityahaṁ vāsudevasya pārthasya ca mahātmanaḥ |

संवादमिममश्रौषमद्भुतं रोमहर्षणम् ॥ १८-७४ ॥
saṁvādamimamaśrauṣamadbhutaṁ romaharṣaṇam || 18-74 ||

69. E ninguém dentre os homens
terá sido mais gentil comigo além deste,
nem tampouco no mundo existe outro
mais querido do que ele.

70. E aquele que estudar,
com sacrifício do conhecimento,
esta virtuosa conversa entre nós dois,
por ele (que assim faz) eu posso ser desejado,
esta é a minha opinião.

71. E aquele homem que,
provido de fé e boa vontade,
escute (esta conversa),
ele também, quando liberto (do corpo),
alcança os mundos afortunados
dos praticantes do bem.

72. Espero que isto tenha sido ouvido por ti
com a mente focada, ó Pārtha.
Espero que a tua ilusão resultante da ignorância
tenha desaparecido, ó Dhanañjaya.

Arjuna disse:

73. Ilusão destruída
e memória recobrada por mim,
ó Acyuta, por tua graça.
Estou firme, a dúvida se foi.
Farei conforme tua orientação.

Sañjaya disse:

74. Este foi o maravilhoso
e emocionante diálogo
que eu ouvi de Vāsudeva
e do Mahātmā Pārtha.

व्यासप्रसादाच्छ्रुतवानेतद्गुह्यमहं परम् ।
vyāsaprasādācchrutavānetadguhyamahaṁ param |

योगं योगेश्वरात्कृष्णात्साक्षात्कथयतः स्वयम् ॥ १८-७५ ॥
yogaṁ yogeśvarātkṛṣṇātsākṣātkathayataḥ svayam || 18-75 ||

राजन्संस्मृत्य संस्मृत्य संवादमिममद्भुतम् ।
rājansaṁsmṛtya saṁsmṛtya saṁvādamimamadbhutam |

केशवार्जुनयोः पुण्यं हृष्यामि च मुहुर्मुहुः ॥ १८-७६ ॥
keśavārjunayoḥ puṇyaṁ hṛṣyāmi ca muhurmuhuḥ || 18-76 ||

तच्च संस्मृत्य संस्मृत्य रूपमत्यद्भुतं हरेः ।
tacca saṁsmṛtya saṁsmṛtya rūpamatyadbhutaṁ hareḥ |

विस्मयो मे महान्राजन्हृष्यामि च पुनः पुनः ॥ १८-७७ ॥
vismayo me mahānrājanhṛṣyāmi ca punaḥ punaḥ || 18-77 ||

यत्र योगेश्वरः कृष्णो यत्र पार्थो धनुर्धरः ।
yatra yogeśvaraḥ kṛṣṇo yatra pārtho dhanurdharaḥ |

तत्र श्रीर्विजयो भूतिर्ध्रुवा नीतिर्मतिर्मम ॥ १८-७८ ॥
tatra śrīrvijayo bhūtirdhruvā nītirmatirmama || 18-78 ||

ॐ तत्सदिति श्रीमद्भगवद्गीतायामुपनिषदि
OM tatsaditi śrīmadbhagavadgītāyāmupaniṣadi

ब्रह्मविद्यायां योगशास्त्रे श्रीकृष्णार्जुनसंवादे
brahmavidyāyāṁ yogaśāstre śrīkṛṣṇārjunasaṁvāde

मोक्षसंन्यासयोगो नाम अष्टादशोऽध्यायः ॥ १८ ॥
mokṣasaṁnyāsayogo nāma aṣṭādaśo'dhyāyaḥ || 18 ||

इति श्रीमद्भगवद्गीतोपनिषत्समाप्ता ॥
iti śrīmadbhagavadgītopaniṣatsamāptā ||

75. Por uma graça de Vyāsa,
eu ouvi esse supremo yoga secreto
de Kṛṣṇa, o senhor do yoga,
narrado por ele mesmo, diante de meus olhos.

76. Ó rei, cada vez que me recordo desse meritório
e maravilhoso diálogo entre Keśava e Arjuna,
me alegro continuamente.

77. E cada vez que me recordo
da forma (cósmica) de Hari,
que ultrapassa o maravilhoso,
meu espanto é grande, ó rei,
e me alegro de novo e de novo.

78. Ali onde está Kṛṣṇa, o senhor do yoga,
ali onde está Pārtha, o arqueiro,
nesse mesmo lugar estão a fortuna, a vitória,
a prosperidade e uma conduta moral segura,
esta é a minha opinião.

OM tat sat!

Assim (termina)
na venerável *Bhagavad Gītā Upaniṣad*,
na sabedoria dos *mantras* (*Brahmavidyā*),
no tratado de Yoga,
no diálogo entre o senhor Kṛṣṇa e Arjuna,
o décimo oitavo capítulo,
denominado "o yoga da renúncia à libertação".

Assim está concluída a venerável
Bhagavad Gītā Upaniṣad.

Este livro foi impresso pela Gráfica Santa Marta
nas fontes Adobe Devanagari, Arno Pro e Sanskrit 99
sobre papel Pólen Bold 70 g/m²
para a Mantra no verão de 2024.